这个世界是不是你想要的，为什么那么纠结于它？

简单的生活呀，触手可及吗？

一个女人在她而立之年后，方才获得了她的糖。

每个人的糖都是不同的，它有时是婚姻爱情，有时是目标希望……

有时是生活方式、价值取向，或者信仰。

祝愿成长在抛物线某一段的你，尝到属于自己的糖。

"这个世界怎么了，这么多浪子。"

"他们的心累了。"

我们齐心合力盖房子，每个窗户都是不同颜色的。

谁的屋顶漏雨，我们就一起去修补它。

我们敲起手鼓咚咚哒，唱起老歌跳舞围着篝火哦。

如果谁死了，我们就弹起吉他欢送他。

人生本无定数，回首已是天涯，五味杂陈的劣酒，总好过温吞水一杯吧。

如果所有这一切的故事全都没有遗憾的话，

那这一场青春还有什么意思呢。

我希望，年迈时能够信在一个小农场，有马有狗，养鹰种茶花。

到时候，老朋友相濡以沫住在一起，读书种地，酿酒喝普洱茶。

他们最幸福

大冰

A Thousand Paths to Happiness

中信出版社 · CHINA**CITIC**PRESS · 北京 ·

图书在版编目(CIP)数据

他们最幸福 / 大冰著. —北京：中信出版社，2013.9
ISBN 978-7-5086-4157-7

①I. 他…　II. ①大…　III. ①散文集–中国–当代　IV. ①I267

中国版本图书馆CIP数据核字（2013）第177278号

他们最幸福

著　　者：大冰
策划推广：中信出版社（China CITIC Press）
出版发行：中信出版集团股份有限公司
　　　　　（北京市朝阳区惠新东街甲4号富盛大厦2座　邮编　100029）
　　　　　（CITIC Publishing Group）
承 印 者：北京画中画印刷有限公司

开　本：880mm×1230mm　1/32　　　　印　张：9
彩　插：8　　　　　　　　　　　　　　字　数：202千字
版　次：2013年9月第1版　　　　　　　印　次：2015年9月第30次印刷
书　号：ISBN 978-7-5086-4157-7/I · 420
定　价：35.00元

"要把地面上的人看清楚，就要和地面保持距离"。

——卡尔维诺

[序言／有梦为马]

我希望，年迈时能够住在一个小农场，有马有狗，养鹰种茶花。
老朋友相濡以沫住在一起，读书种地，酿酒喝普洱茶。
简单的生活呀，触手可及吗？

在我十年流浪歌手的生涯中，遇见过很多神奇的人，今天第一次说给你听。

他们的生活方式、人生出口、修行法门和实用主义者们秉承的朝九晚五、温饱体面、出人头地没太大关系。他们是天涯过客、浮世散人、江湖游侠、流浪歌手……

我很庆幸曾是其中的一员。

如果今天是世界末日，那这篇演讲是我的人生总结。

如果不是，那继续有梦为马，游历天涯。

《一席》演讲稿整理版

2012.12.21

在人际交往过程中，为什么我们有时候会觉得累？比如饭局，或者说你在跟人讲话时，尤其是你在表述自己时，为什么会累？因为我们每个人会或多或少，都想展示出一些其实我们并不具备的素质，所以我们会觉得累。

我今天不想太累，想真实一点儿，说点儿实话。

我认为这是一个有点儿扯淡的社会！这是一个让人觉得非常悲凉的时代！悲凉到什么样的程度？悲凉到当我们面对一个陌生人，去认知他的时候，我们一定要用一个标签：他是干什么的。哦，他是一个专家，他是一个学者，他是一个学生，然后以此为出发点，来度量一个人。

我不喜欢这样，我就想站在这里很随意地说：我只是一个33岁的男人……但是好像也逃脱不开标签，那就先从标签开始吧。

怎样介绍我的标签呢？

刚才在洗手间的时候，两个胡子拉碴的中年男人，他们对我说："我是看着你节目长大的……"

好吧，我有一个身份标签是"主持人"。我界定自己为一个还算敬业的二流综艺节目主持人，但按照业界某些人的评判标准，我是最不务正业、最不求上进的，轻易放弃了很多机会。他们有时会议论："这人干这行也干了十几年了，别人都一个接一个地红了，就他还这么漫不经心地玩儿清高，他是不是脑子有问题？"我不确定我是否脑子有问题，只是觉得某些约定俗成的规则并不等同于自己的生长法则。对于主持人这个标签的自我认知，我和我的同行们或许并不相同。

另一个标签的话，我是一个背包客吗？算是吧。在路上断过三根手指、一只手腕、两根肋骨……现在一到秋天，必须要穿靴子，因为当年爬雪山把脚后跟冻坏了。走了那么多年，走坏了很多双鞋子，滇藏线、川藏线，都不止一次拿脚一步一步地量过，算是一个背包客吧。可当下，我并不敢刻意去标榜这个标签。最初背包上路时我还只是个简单的少年，那时"背包客"这三个字还代表着一种勇敢而浪漫的成长方式，而当下，它已然奇怪地沦为一个时尚而浮躁的名词。

我还有一个身份标签：民谣歌手。曾经有一个很美好的时代，人们把流浪歌手称作行吟诗人。但那个年代已离我们远去，或者说在历史上，这样的时代稍纵即逝，白驹过隙，美好得跟假的似的。

今天的主题是"赶着音乐去放牧"。

我对民谣的理解是：它是羊，我赶着它，和我的伙伴们行走在无垠的旷野上，甚至没有路，只有一片无垠的旷野。天干物燥，喑哑呜咽，但是一点儿都不晦涩。今天，我想给你们介绍一些和在座诸位不一样的人。

我们看他们可能用"另类"这个词，就像他们看我们一样。他们曾经是我们当中的一员，他们中很多人脱离了我们之后，获得了另一种开心，幸福感指数也非常高，他们中有些人后来又回到了我们当中。这是些怎样的人呢？我很难用一个词来界定他们，我不想用那种标签，"他们是一些浪迹天涯的人"，"他们是凯鲁亚克笔下的那种'在路上'的人"……不想用那些标签。

我想说，他们是幸福的人。

这些幸福的人，他们路过我的生命，让我获益匪浅，甚至让我当下这一刻站在这里都觉得，他们是我内心强大力量的某种重要来源。

顺便介绍一下，我还有一个标签是"最不靠谱的酒吧掌柜"。

很多年之前，我在拉萨开过酒吧，倒闭了；后来在成都开过酒吧，倒闭了；再后来在丽江开过第一个酒吧，倒闭了；开了第二个酒吧，倒闭了；这是第三家酒吧，十月份的时候，撤股了，也算倒闭了；现在我在丽江还剩下一家酒吧，叫"大冰的小屋"，它还在勉强地维系，因为有人说它是一面旗，代表着丽江的一个时代。

在这个酒吧当中，厨师会打手鼓，扫地的小妹会唱爵士，吧台收银员是一个非常优秀的散文作家，吧台总管以前是一个学校的教导主任，她觉得自己以前脾气不好，严苛得过分，所以来修身修心。我们的主唱歌手是一位支教老师……这些神奇的人，带给我的那些故事，没法用"感动"两个字来简单概括。

首先要介绍的这位仁兄，他长得很像曾志伟，一直到现在，我都记不清楚他真正的名字叫什么，在丽江我们都叫他"志伟"。志伟就是我刚才提到的那个会打手鼓的厨师，他本身就长得很像一只手鼓。他非常希望在丽江能够有艳遇，但很遗憾，不论他怎么样抱着吉他摆Pose，都没用。

这个46岁还是45岁的中年男人，他为什么来到丽江我不知道。他在我们酒吧做饭，晚上唱歌，帮忙打手鼓，不要酬劳。前段时间云南彝良地震，他要跑到彝良去，我说你为什么要去呢？你这么一个死胖子，能去干什么？后来我才知道，他原来是蓝天志愿者行列中的一员，他过去就是志愿者。有地震的时候，他必须要冲过去，于是他就冲过去了。他履行完他的职责，回到丽江之后，他又跟我讲，说再待两个星期就要走了。我说你又去哪儿？他说去实现他的人生理想。我问他是什么人生理想，他说当渔民！他说他这辈子最起码要当一回渔民。然后他去了海南，找了一艘渔船，跟着渔船一块儿出海去打鱼，还学会了织网……让我非常羡慕。

我有一个隐居在大理的朋友，是一个年轻漂亮的妈妈，叫做听夏。

　　她的价值观是：所有数字可以衡量的商品价值，都是要努力去逃脱的。

　　听夏站在田间，带着她的小宝宝，在苍山洱海旁，安享着她的生活。她是个有信仰的女人，她在欧洲留学一直到二十多岁才回国。回来以后，她想找一份图书管理员的工作。她去应聘，一次接一次地应聘，后来发现，哇噻，这个时代发展得太厉害了，她游学了这么多年回来以后，居然竞聘不过一个稍有一丁点儿关系的人。

　　后来她安居在大理，这个有才情的女人有一次跟我讲起她背上的小女儿，她说："你知道吗？小朋友刚睡醒的样子，就像是从一个遥远国度刚刚旅行回来，身心疲惫，向我索要一个温暖的拥抱。"

　　冬天过去后，春天到来了，听夏就要离开大理了。因为大理生活成本开始慢慢变高，她没法待下去了，她是一个极简主义者，想规避一切数字可以衡量的商品价值的影响。而能够供她选择的地方越来越少了，她会去西藏的波密，那里有桃花谷，三面雪山，一面桃花，她说她会带着孩子在那里静静成长。我问她吃什么，她说有什么吃什么。

　　她四年前穿的衣服，和我最后一次见她时穿的衣服，是同一件。

　　很多时候我在想，信仰可能会让一个人非常幸福吧。

　　在路上我遇见了很多人，那些处在某种幸福状态的人，那些让我感到幸福的人，他们都有一种信仰。这种信仰不一定是宗教，当然也可以是宗教，比如昌悟师兄。

　　他年龄比我小，但却是我的师兄。昌悟师兄是一个研究生，我两年前在拉萨认识了他。我们在大昭寺旁边的八角街的藏姑寺甜茶馆里探讨过一些学术问题，他是一个学识非常渊博的人。后来有一天，他剃头出家当了和尚，成天笑呵呵的。但让我惊讶的是，现在的他跟剃头之前没有太大的区别，他还是很愿意听别人唱歌，我经常当着他的面唱歌，包括我曾唱过的那首《丽江之歌》（又名《把爱做够》），他也含笑在听。昌悟师兄笑得很超然，他的状态让我觉得他非常平和幸福。

7

他放弃的是什么，我不愿意去深究，但他获得的是什么，可能不用我多说，在座的人应该会懂。

昌悟师兄留下了一幅画面在我脑海中：他牵着我的师弟去逛街，那种了无牵挂、怡然自得着实让人羡慕。给大家普及一个知识，很多的比丘、弘法利生、收弟子是六道收徒的，都是有情众生，人可以皈依佛门，狗也可以。我们有一条狗，叫做昌宝师弟。师弟就有一个毛病，随地大小便，这个不太好，除此之外都挺好的。

我还有一个懂得给自己营造幸福的朋友。

她有一本护照，可以去世界上大部分国家。她是一个台湾诗人，叫做然灵。这个朋友每到一个地方旅行，无论是菲律宾、印度，还是世界上任何一个角落，她都会给我寄一张明信片，这么多年来从来没有间断过。但我从来没有见过她，我也不知道她长什么样子，我们曾有数度擦肩而过，彼此之间的直线距离可能只有100米，但说好了不见面。因为她说见面之后，就不确定是否还愿意继续给我寄明信片了。

她每到一个地方，都有这样的兴致，来和一个遥远的、未曾谋面的朋友分享她的心情，她的心态几乎永远是阳光而没有阴霾的。我们是彼此文字作品的首读者，我给她读我的文字，她给我读她的诗。她是一个诗人，出过两本诗集但根本不赚钱。在世界各地游历的时候，她靠打不同的工来挣盘缠，她的岁数跟我差不多大吧，我不清楚她是否有过艳遇，是否有爱人，但她呈现给我的这一面人生让我觉着很诗意、很充实、很幸福。

菜刀和老兵，是我所认识的人中最懂得选择幸福的人。

老兵是一名老兵，他现在隐居在云南丽江古城，就在我酒吧的斜对面开了一个火塘，专卖烧烤。酒卖得特别贵，我们经常说他开的是黑店，但很多人愿意过去消费。

他从不介意我站在他们家烧烤店的桌上喝酒，很性情。我们经常是喝开了以后，大家一起站在桌上边唱歌边喝，前面就是火盆，有好几回，鞋就这么烤坏了。如果你们去丽江的话，替我向他问好，可以报我的字号，让他给你们打折，但打完折后应该也很贵。

这个男人的脑袋只有三分之二是他自己的，剩下三分之一是金属合体。自卫反击战时期，这个男人带着二百个人做敌后穿插，活着回来的只有十几个。回来之后，他获得了一系列荣誉，应该是一等功臣或者是特等功臣之类的吧。但他选择了放弃那一切，隐居云南，娶了一个泸沽湖畔的摩梭女人为妻，他的生育能力非常强，现在有了三个儿子。每年8月1日，我会回到丽江，跟他一起来过节，因为那天他会喝到酩酊大醉，然后对着一整面照片墙，来给他的战友们唱歌，唱那首《望星空》。

有一次我做节目，那期节目的嘉宾是《望星空》的原唱者董文华，我当时给老兵打电话："我是否给你要一张签名照片呢？"

他的回馈是一个字：切！

他理所应当获得的一切，拿命换来的一切，他却选择放弃，然后选择了另外一种最市井的生活状态。他是幸福的吗？刚认识他时，我不敢完全肯定，但一年又一年，我越来越能够感知到他内心的强大。他懂得选择，我认为他是很幸福的。

还有一个人，我甚至不敢把他不戴墨镜的照片展现出来，因为有所顾虑。

他是当年尼泊尔毛派反政府武装游击队的中国籍雇佣兵，一个正儿八经的雇佣兵。当年，我和他在拉萨相识的时候，我在街头卖唱，他每天过来帮我收钱。他收钱不是硬问人要，是真来帮忙收钱。后来我们玩得非常好。后来，他又回去做他的雇佣兵了。很多年，我一直没有他消息。再后来，我知道他的消息，是因为玉树地震后，他是第一批带物资进灾区的人。他当时带队拉着一个车队的物资开了几天几夜，开到玉树……他是我知道的为数不多的，一直到今天，还继续针对玉树地区做志愿者工作的人。我希望他能够长命百岁，希望他身上的枪伤刀伤，在阴天下雨的时候不会太疼。

我和他坐在一起喝酒聊天的时候，他也会回忆往事，当他讲述那些枪林弹雨中的过往时，他呈现出来的是另外一种截然不同的幸福。我愿意用一个矫情点儿的说法描述他：他在"现世存在的超越感"这点上，可能比我们很多人尝试得更多吧。

　　我生命当中曾经历过许多神奇的朋友们，他们跟我们在座的应该不太一样，他们跟我们的人生经历可能有些地方雷同或重叠，但后来分别选择了不一样的路。他们对梦想和理想的解构和理解，跟我们不太一样，或者说，让别人觉得你过得好——在他们眼中，不是那么的重要。

　　我很愿意跟他们在一起相处，我会有机会感知到他们多元的人生出口，多元的幸福构成，我能收获一种不一样的开心。

　　有一个死去的朋友，他曾帮助我建立我的幸福。

　　初冬还是晚秋的时候，他去拉萨河旁边拍照片。那么浅的水，谁都想不到，他一只脚踩进去取景，整个人就下去了。几秒钟之后，整个人都找不到了。大家沿着河去找尸体，找了一个月也没有找到，后来大家说是菩萨把他收走了。

　　有一只手鼓是他留给我的。他把鼓留给了我……这只鼓影响了我的……我可以很肯定地讲，影响了我的半生。

　　如果没有当年这只鼓，我不会坚持那种生活方式：背着一只手鼓去所谓的浪迹天涯，背着手鼓沿街卖唱，挣多少钱走多远的路，不论是藏区，还是康区。能给钱就给钱，不能给钱给我糌粑也行。后来我背着这只鼓，走了大半个中国，去了很多地方……沿着中尼公路，一个个的神湖，一座座的神山，玛旁雍措、冈仁波齐以及珠穆朗玛峰。我在那个鼓面上写了一行话：伴我行天涯。也写上了他的名字。

　　这只鼓后来在阳朔丢失了。我希望找到它的这个人，也是一个喜欢音乐的人。不知道这只鼓存留在世界何方，可能在天涯海角的某一个小酒吧，你们记着，上面有行字叫做"伴我行天涯"。如果你们见到的话，走过去拍一拍，这只鼓的声音跟世界上任何一只鼓都不一样，我一直相信这只鼓上寄托了他的灵魂。

有一年，他祭日的时候我们去祭奠他，我们在拉萨河边放爆竹，然后我抽烟，点烟，放了一排烟。我们往水里扔花，流水太湍急，花没有顺流而下，却在原地不停打转，像在跳一段胡旋的舞。

我谢谢他曾经给予我这个鼓，谢谢他给了我这样一个机会，谢谢他促使我坚定了徒步卖唱的旅行方式。从而让我有机会用自己的方式去建筑人生旅途中的幸福感。

多年的卖唱旅行，使我结识了很多流浪歌手，后来我们组建了一个小小的乐团，叫做"游牧民谣"。我们说，音乐是羊，在赶着羊游牧的路上，我们经历不同的丁字路口，同行的都是勇敢的人，有意思的人。

我认识的第一个流浪歌手，也是我在拉萨的第一个合伙人，叫做彬子。

他是北京通县的农民，木匠活做得很好。那一年，他抱着吉他流浪到了香格里拉，他在香格里拉差一点儿死在泥石流中，从香格里拉又九死一生地到了丽江。到丽江后，我们在丽江的四方街打了一架，打完架后我们成了很好的朋友。不打不相识，我们喝酒喝得很high，聊得也很high。后来我在丽江得了重病，躺在床上——甚至可以用奄奄一息来形容。

他过来看我，带了一个烧饼，他说："你看我来看你，是带了重礼来的。"

两层油纸打开，他把那只烧饼递给我。很多年后我才知道，那是他那一天所有卖唱的收入。他买了一个烧饼给我，所以那天他就是饿着的。

一年之后，我又在拉萨遇见了他。那时，他在藏医院路的街角卖唱，我就陪他一起卖唱。那时我有个习惯，会把银行卡、所有现金都留在济南，只带一张单程机票出发。我先飞到成都，到了成都之后，徒步或搭车，想尽一切办法进藏。我们当时在街头一起卖唱，后来无意中我们聊到了理想。

我问："彬子，你的人生理想是什么？"

他说："能开成一个酒吧的话，我的人生就圆满了。"

我说："好啊，那我们就开吧。"

那时，我们身上全部的钱加在一起是五百块。五百块钱——酒吧果真开起来了。他木匠活做得非常好，我们跑到拉萨近郊去找木头，找了很多奇形怪状的木头方子，先把它们铺在地上，想办法把它们固定住了，然后拿斧头砍，拿刨子刨，后来地面居然非常平整。开业的时候，很多朋友都认为我们买的是实木地板，他们问我从哪儿买的，说木纹很漂亮。

当年那个酒吧，叫做"浮游吧"。很多年后，有人说拉萨的"浮游吧"代表了拉萨的一个时代，它记录了在火车开通之前，产业结构翻天覆地变化之前，飘荡在拉萨的"拉漂们"的简单快乐状态，承载了太多奇妙的回忆。后来我看《诗经》，在《蜉蝣》篇里写道：蜉蝣之翼，采采衣服，麻衣如雪，于我归息……但这个酒吧后来没有了。

当时酒吧的内部装修也是我们弄的，我们两个流浪歌手真的没钱，问人家赊了颜料，把整个酒吧刷成了西红柿炒鸡蛋的颜色，黄一块红一块的。后来，我又赊了点儿墨汁，我大学学油画专业，还算会画画，就用了两天的时间，把整个酒吧墙上全画满了画，装修效果还不错。

我们是第三代"拉漂"，我在一面墙上画满了那个时期拉萨的"拉漂们"。画的时候，我并没有想到，火车开通以后，拉萨就再没有真正意义上的"拉漂"了。

酒吧刚开业的头一天，我们没钱进酒水。大家过来看我们，可也都很穷，他们每个人就抱一箱拉萨啤酒过来，我们总共攒了二三十箱拉萨啤酒。开业卖酒，我们就靠那些拉啤在卖。那时，大家就想做一个比较纯粹的酒吧，也不单为了挣钱，就想给流浪歌手们提供一个落脚平台，所以打出了一个招牌：只要你是流浪歌手，流浪到了藏地，我们管吃管住。所以后来就有一个非常严重的后果——歌手比客人还要多。最多的时候，有七个歌手七把吉他，只有两三个客人。大家总是要吃饭啊，怎么办？那就跑到街上卖唱去。后来，我发现每天卖唱挣的钱，好像比酒吧挣的钱要多一些。

那个时期，有很多人专门过来投奔我们，浮游吧，这个拉萨的小酒吧，也迎来了流浪歌手大本营根据地的第三位主人，赵雷。

赵雷那时在后海银锭桥唱歌。他背着一把吉他跑到拉萨做我们的合伙人，然后跟着我们一起在街头卖唱。我那时听他唱歌，惊为天人。

那时，我们跟人抢生意，右手边经常是一堆安多的喇嘛们，他们在念经，人家给他们布施。我们就坐在他们旁边，因为别的地方城管会管。我们在旁边唱我们的歌，大家有时候会较劲儿，每当我们这边有人放下了一块钱大票的时候——那时拉萨是不认钢镚儿的，非常流行一毛一毛钱。如果那时有人给我们放一块钱的话——右手边的大德们会微笑着把念经的速度突然加快：那摩赫拉达拉哆啦呀叶……（大悲咒）。而我们也会换一首更快的歌，比着唱。很有意思的是，我们后来和安多喇嘛们玩得挺好。

当年我对赵雷说："赵雷，你这么好的嗓子，这么好的创作能力，这辈子如果被埋没太可惜了……"这么多年过去了，从当下来看，他果真被埋没了。

浮游吧倒闭以后，赵雷一路流浪去了丽江，他下定决心排除万难，要在丽江重新支起"浮游吧"这块招牌……后来，他所有的钱被人骗光了，一路流浪回到了北京。再后来，他迫于生计"堕落"了，他去参加了快乐男生的选拔，进了总决赛二十强。

在我来看，他一个流浪歌手出身，经过了那么强的市场验证，他唱的歌让那么多在路上的人真心喜爱，赵雷不红，天理难容。但他终归还是要输，因为他长得不是偶像派，他输给了这个浮躁的时代。他现在的生活依然很艰难，很多时候甚至要继续当流浪歌手，但他自己并不是多么在乎。只要还有民谣音乐，就能让他有内心强大的力量。

成子是另一个流浪歌手，当时我们一起在拉萨卖唱。

他跟我一同经历过一点儿生死。

有一天，我们在拉萨街头卖唱，那天生意非常不好，大约是中秋节前，下着小雨，冷冷的冰雨在脸上胡乱地拍——很冷。这时有一辆猎豹汽车停在我们面前，冈日森格，汉语名字叫王东的一个小伙子下来问："纳木错去不去？"

我们说，去啊，免费请我们蹭车，谁不去啊，不去不就二了吗？

车开了好一会儿，我们才想起来，那天我们穿的都是单衣单裤，车再开回去让我们穿衣服已经不太现实了。开到半夜，过了当雄，到纳木错山路上的时候，天下起了大雪。雪一直下到车身的一半，把窗子埋掉了一点儿，我们被埋在雪堆当中，气温下降得很快。天公偏偏作美，那辆车的暖气也坏掉了。而我跟成子，还有二宝，是还没有吃饭的。

现在想想，那是我这辈子最幸福的几个瞬间之一。我那时想，哎哟，居然有机会可以遭遇到这种危机情况，太妙了。我们把车窗摇开，把雪拨开，爬出去玩。我们半陷在雪地里打滚儿，打完一个滚儿之后，把汽车的后尾灯拨弄开一点儿，灯光射出来一小片扇面，然后我们在扇面里边跳舞，跳了半天之后，我们爬回车里，把衣襟解开，然后紧紧抱在一起取暖，就这样挨了整整一宿，居然没被冻死。

藏地的雪在每天下午会化掉很多，当雪化掉，太阳出来的时候，我们才发现，我们当时停车的位置停得太棒了——离我们停车位置直线距离不过六十厘米，就是万丈悬崖。头天晚上，我们那么蹦着跳着，我们最后一个脚印，有一半已经在悬崖外边了，居然就没死，难道这不幸运吗？

被雪埋在纳木错之后的第二天，我们推着车慢慢过那根拉的垭口，发现很多车已经被雪全埋了，所以那天我们帮人家往外一辆辆推车，推了三十辆车。因为那时我们不太注意脸部防护，脸都被晒伤了。回到拉萨之后，我们很完整地"揭下来"两张人脸皮。藏地的水分非常少，气候干燥，那张脸皮慢慢缩水，缩成了铜钱大小，硬硬厚厚的，就像从脚后跟撕下来的。

每当我看到这一小块皮的时候，回想起年轻时曾经这样折腾过，我就觉得很幸福。这与坐在办公室朝九晚五，或者说站在某一个大型场馆有几万人给我鼓掌，所体会到幸福是截然不同的。

　　浮游吧没了以后，彬子带着媳妇一路火车站票，站来济南看我，和我告别。然后，他骑着一辆自行车，背着一把吉他环球去了。我一度以为他死在路上了，直到有一天他在异国他乡的一个小城市给我打来一个电话，他忽悠了一帮中东不良少年在电话里一起向我问好。再后来，他回国结婚、生子，回拉萨二度选址，重开浮游吧。
　　他决心要在藏地漂一辈子，虽然拉萨早已物是人非。

　　跟你们理解的流浪歌手不一样，从丽江到拉萨，我们从来不会拿着一个歌本说："大哥，点首歌吧，来，我给你唱一个《最炫民族风》……"我们不唱这个，也不那样去招揽生意，我们基本上是守株待兔唱自己的原创。
　　那么，是什么导致了大家只有在街头才能唱自己的原创呢？我们很多时候不仅不能免于恐惧，很多的时候仰仗着自己的艺术作品所能获得的一切，也不能让我们的生活免于匮乏。但好在我认识的流浪歌手们都不是物质至上主义者，他们远离了实用主义者的颠倒梦想，就获得了一种独特的无忧恐怖。
　　很多时候，流浪歌手呈现了这样一种状态：可能我的脸会很脏，可能听我唱歌的人未必会衣冠笔挺，听歌的人可能只是一帮藏地小孩，但当我在唱歌的时候，我会发现，我不仅是在玩音乐，同时也在玩我的人生。
　　在后藏日喀则地区的一帮捡垃圾的小孩子，他们听我唱完歌之后，从口袋里掏出一个橡皮筋包扎的一小撂钱，全是一毛一毛的纸币，每个人抽出一毛钱放在我面前。
　　那天，我的同伴哭得很厉害。
　　那天，有一盏路灯，打在我的头上，昏黄昏黄的灯光下，小孩子们脸很脏，鼻涕疙瘩都有。我可以用圣洁这个词吗？他们给我心灵的这种触动，那一刻让我终生难忘……这种感觉是不一样的幸福，人与人之间的这种认可，抛弃了年龄，抛弃了社会标签，让人很幸福。

大军是丽江流浪歌手中最有代表性的一个人物，他是仫佬族人。

他一路从广西流浪到了大理，从大理流浪到了丽江，一路卖唱，颠沛流离了十几年。他的人生我看不懂，显然他一直都很开心。他曾用七八年的时间攒了16万块钱，然后拿16万块钱去做了一张专辑，一分钱也没有给自己留下，做完这张专辑之后，他在丽江街头卖这张专辑，卖得还不错，但凡回笼出了一部分钱之后，他又拿这钱继续去录歌，录完之后，继续在街头传播。

他唱歌的状态非常好，而且人长得非常帅，像梁家辉。有一天，我喝了点儿酒，我说："兄弟我再不济也算是个搞传统媒体的，我帮你做一下推广吧，帮你做一下宣传吧。"

他说："我为什么要这样子，我在做我觉得很开心的事情，我为什么要把这个东西通过那种途径、那种方式，让我挣很多钱？"

一开始，我觉得他在说假话，但后来发现他是个认真生活、诚实面对自己的人，那是他真实的想法。如果你们去丽江的话，可能在街头还会碰见他，他很辛苦，每天到了晚上十一点还在街头唱歌，卖他包装精美的、十几万块钱制作出来的那张专辑。

他是一个很幸福的男人，我觉得他最有资格享受《流浪歌手的情人》这首歌。他的爱人是一个胆子很大、在我来看非常牛的女人。她是一个大学生，去丽江玩的时候认识了他，回来迅速结束了自己的学业，毅然决然地放弃了在城市里边非常优越的生活，来到他的身边，做一个流浪歌手的情人。

恭喜他，去年他有了一个宝宝。他们每天一家三口坐在街头，唱着自己的歌，来挣每天的饭钱。大军很爱他媳妇，但凡他每天挣的钱能够多出来150块，他就要给自己的爱人买一条花裙子，碎碎的绣花裙。据说现在整个衣橱都已经放不下了，他的爱人跑到我这来抱怨：

"你劝劝他吧，他跟我买点儿别的也行啊……"

我想这是这个流浪歌手表达自己情感最好的方式了——你爱我，我爱你，我每天要给你买一条花裙子穿。

我在丽江认识了那么多流浪歌手，他们之前的社会身份、职业背景不尽相同，可能跟我们很多人有点儿重叠：乔以前是机场的机电工程师，现在是白衣飘飘的流浪歌手；小植是一个民谣神童，当他唱歌的时候，你会发现他像是一个40岁的男人在讲他的往事，而他的实际年龄只有19岁；路平是个西安男人，他放弃了公务员的生活，跑到丽江开了一家叫做低调的酒吧。我问过路平为什么能走出这一步，他回答："就像佛家讲三千烦恼丝一样，在这个世俗的实用主义者扎堆的社会中，我做的事情越多，我的烦恼越多，我不希望自己烦恼太多，我希望过得稍微简单一点儿。"

我完全理解他想表达的意思。你可以笑话我，胸无大志，没有追求……但是你换一个角度来想一下，什么叫做理想，什么叫做追求？人们现在追求的一切到底是什么？

或许只是为了满足欲望而已吧。

财色名食睡，体面的受人尊敬的生活……演给谁看，做给谁看，别人觉得你过得好就好吗？你这半辈子扪心自问，真正觉得特别舒心、特别开心的日子有几天？

我问过很多职场中人，我问他们，真的掌声如雷，你就很开心吗？这种开心会持续多长时间？你内心真正安宁的时刻又有多少？不要想那么多虚荣的东西好不好，人为什么不可以活得稍微自私一点儿？

这种说法可能有点儿离经叛道，但当下的我坚持我的看法。

我有一个作家朋友叫陈岚，她加入了我们游牧民谣，我们一起巡演到了澳门大学，她以我为原型写了一本书《小艾向前冲》。在那本书里边，她在笔端做了一下探讨：一个主持人貌似有着一定的社会地位、不错的收入、体面的生活，为什么愿意来做那样一些事情。她后来的结论是，那个主持人终究是要回归的。

我给她的建议是：你写一个续集吧，在续集当中，主人公依然会为了内心的成长和强大而生活，会继续浪迹在天涯，混迹在江湖，继续且吟且行，有梦为马。

我现在丽江唯一剩下一家酒吧，叫大冰的小屋。

这家酒吧一半是书吧，另一半卖我们自己做的酒。有人讲大冰的小屋是一个奇怪的地方，因为开业的第一年，我不卖酒居然卖汤，而且这个小屋发生过很多神奇的故事。

曾经有一对小两口游荡到了丽江，那个女生长得特别白，温文尔雅，她拿一支录音笔来录我的歌。当我唱《乌兰巴托的夜》，唱《德令哈的风》，她就把它们录了下来，后来她发给我。我们一直邮件往来，她离开丽江之后，我发邮件给她，她却再也不回了。过了一年我才知道，她离开人世了，那次来丽江是她男友陪她完成最后的心愿，那是她最后一次出来游历人生。那个男人来自新加坡，后来留在了中国，定居西安，开了一家小小的酒吧，仿照大冰的小屋，叫做"那是丽江"。

你们或许会认为那个男人此刻还一直沉浸在缅怀、伤感中。后来，我去了一次西安，去他的酒吧看望这位朋友，给他送了一幅唐卡。当我再见到他时，我发现他呈现出来的心灵状态是很安宁的。提到往昔，他那种深深的眷恋、深深的爱恋，依然存在，但只是像提到一个出一趟远门的好友。

他没有呈现出来那种悲苦的东西。

若她灵魂有知，一定始终在含笑看着他。她一定希望他们共同获得的那种抚慰会一直绵延他的终生吧。

我想，可能因为两人一起携手天涯，共同营造那种生活状态时，他们的灵魂有了一种默契，这种默契能够抚慰心灵中的阴霾。

最后要讲的这一两个故事，代表人物叫做"菜刀"，他曾是我酒吧的义工。

菜刀是一名退伍兵，当年混迹到丽江的时候过来报名当义工。

我当时说："你不够牛。"

他说："好吧，三个月后我回来证明给你看。"

可能每个人对这句话的理解不同，我当时只是想说："你需要成为一个最起码把实用主义这几个字可以暂时抛到脑后的一个人。"他可能理解岔了，但他做的一件事让我很佩服。他背起吉他去了一个叫罗布泊的地方，他是中国第一个背着吉他横穿罗布泊的男人。他进去的时候体重是 110 斤，出来的时候只剩 92 斤。一个男人，像一个骷髅架子一样立在我小屋门口，然后问我："我现在可以进来了吗？"我说："来吧，你来当酒吧的义工掌柜吧。"

他就留在了这个小屋，天天往外撵客人。

他觉得你让他不爽了，他往外撵；他觉得跟你聊天没有价值了，他往外撵。这是跟城市里面的酒吧不一样的地方，为什么我们不可以活得稍微自我一点儿呢？我们逃到了一个几乎是天涯海角的地方，给自己造了一个小客厅，为什么不能只招待我们认可的朋友呢？

大冰的小屋有上千册图书，菜刀在小屋看了很多的书之后，有一天，他突然冒出一个想法。

他说，"我希望我接下来的人生有一个转折"，然后他就去了宁蒗的山区，做了一名支教的志愿者，货真价实的支教志愿者。接下来的两年中，他一直在丽江和宁蒗两个地方来回奔波，没有收入，他就定期回到丽江，回到大冰的小屋，然后卖卖自己的碟，卖卖专辑，我顺便给他发一份工资，他靠这个来支付路费以及给孩子们买肉。后来学校运营不下去了，他就狠了狠心，上了一档叫《中国达人秀》的节目，他上去说："我要给孩子们来挣点儿买肉吃的钱。"

2012 年下半年，我发现在康巴地区有一所阿木拉小学，夏天的时候山洪把整个学校给冲毁了。后来，我用一个星期的时间募集到一笔重建学校的善款，当时需要一个人进山去把钱和这批物资做一个直接的对接执行。菜刀说，还是我去吧。

他就去了。他之前没有进过藏，并不知道高原反应的滋味。到了康巴藏区以后，他冒着横死雪原的危险，进入德格县岳巴乡阿木拉村。他在那里用最快的速度把学校给修完盖好了，他现在有一个计划，明年开春的时候，去帮孩子们顺便把宿舍也盖好。

菜刀现在依旧没什么稳定的经济来源，依然卖唱在街头。但他很享受这种流浪歌手的状态，他觉得这样会让自己的生活调节得比较简单干净一些。他是个懂得自我教育、自我成长的年轻人，这点很可贵，他必将收获属于他的独一无二的人生，以及幸福感。

那个，我啰唆一句：如果你们碰见他在唱歌的话，我希望你们能够放一张大票子在他面前的琴盒里。

关于流浪歌手的故事，我可以讲上几十个：比如我的那些一路磕着长头，磕到拉萨的流浪歌手兄弟们；比如那些用一只手鼓改变了整个民谣界配器方式的流浪歌手们；比如那些此刻把乐器捆在摩托车的后座上，环球旅行的流浪歌手们；比如那些游走在不同的社会标签之中，但愿意让自己某些时刻当个非实用主义者的流浪歌手朋友们……

除了我的流浪歌手朋友们，还有那么多浪子游侠、过客散人的故事充斥在我的心中。他们的人生和我的人生交错重叠，是我引以为傲的同类，我很荣幸在年轻时曾与他们携手比肩，浪荡过天涯。

想说的说得差不多了，做个结案陈词吧，我之前说了很多过去，最后就唱一唱将来吧：

我希望，年迈时能够住在一个小农场，有马有狗，养鹰种茶花。
到时候，老朋友相濡以沫住在一起，读书种地，酿酒喝普洱茶。
我们齐心合力盖房子，每个窗户都是不同颜色的。
谁的屋顶漏雨，我们就一起去修补它。
我们敲起手鼓咚咚哒，唱起老歌跳舞围着篝火哦。
如果谁死了，我们就弹起吉他欢送他。

这个世界是不是你想要的，为什么那么纠结于它？

简单的生活呀，触手可及吗？

不如接下来，咱们一起出发。

[伴我行天涯]

我还没变老，但心里已经装满了。
很多东西满得已经溢了出来，很多事情已经记不太清楚，
很多人也已经模糊了长相或姓名。

围炉夜话，皆是浪荡路上的游子们。

砖垒的小火塘篝火熊熊，木柴噼噼啪啪轻响着。酒是鹤庆大麦，下酒菜是淋过香油、切得细细的猪耳朵。解开衣襟，叼起一根"兰州"，把酒瓶子斜插进炭灰里，温温的，喝起来才惬意。

盛在塑料袋里的小菜却没处搁，有人随手拽出一本垫桌角的书，撕下几页铺在火塘沿上。先下筷子的人忽然哈哈大笑起来，围过去一看，其中一张纸上赫然是我抱着手鼓的照片。

四下兴致勃勃地传阅那本残书，都想在其中找到自己的玉照。还真有找到的，于是你争我抢，书一不小心落入火中，大燃特燃起来。残页化做黑蝶，袅袅曼舞，火光中书皮上的几个柔软的大字开始扭曲变形。

这是一本描述丽江的书，据说销量很不错，再版了好几回。

于是大家都笑而不语，这等专门用来忽悠游客、穷尽矫情之所能的书本该随手焚来才是。

话题就此围绕着在路上途经的地域，开始漫无边际展开。

混在丽江，漂在拉萨，侠隐在大理，那什么在阳朔？

有兄弟问我："你颠颠儿地蹿了那么多地方，阳朔于你而言是怎样的？"

我没什么发言权，到目前为止，我只专程去过阳朔四次。两次独行，一次拼车自驾，最后一次是去参加一位红颜老友的婚礼。

我发现我和阳朔这个地方很不兼容。我租过自行车，没骑出两里地就被雨水给浇了回来。尝过啤酒鱼，被满嘴小鱼刺搞得很恼火。漂流过，但同渡的是个不停给客户打电话的南宁生意人。陪朋友找漂亮美眉搭讪过，后来发现是个酒托。我去阳朔的那几次要不然热得闷死人，要不然骤然变天冻死人。卖唱行走江湖的那几年，也曾在阳朔唱过，在西街的小雨里发着烧打着喷嚏一边唱一边止不住流清鼻涕。

甚至，这个地方还给过我一次意外的打击……

西街往事

我第一次阳朔之行时，西街已然是大名得享，已经是传奇的地方了。

有道是流水下滩非有意，白云出岫本无心，我第一次阳朔之行纯属阴错阳差。我这么阳春白雪、志趣高洁的人，本计划去涠洲岛考察一下海鲜烹饪，顺便搞点儿不要钱的香蕉吃吃，结果在南宁误了班车。

我在车站旁买了碗米粉，蹲在路边等粉凉。百无聊赖中，身旁驶过一辆挂着阳朔牌子的中巴车，售票员一个劲儿喊：最后一班车，最后一班车……电光火石间，我心有戚戚然地忆起了生平错过的那些班车，脑子一热，端着米粉就上了车。

有道是扬鞭策马寻野花，管他要去哪儿疙瘩。吃不了涠洲岛的香蕉，那就去尝尝阳朔的啤酒鱼呗。我爱喝啤酒，但还没吃过啤酒烧的鱼，不觉口内生津期待无比，乘兴杀将去哉。

后来，我认识了一对儿叫江山、江东的兄弟，他们都擅长烧菜。弟弟江东送过我一瓶包装罕见的桂林三花酒，把我喝成了个醉猫。哥哥江山长得像年轻时的刘德华，在丽江古城开一家叫"角落巷看"的广西菜馆，是个隐于市井的怪人。他是我认识的所有开饭店的人里最有文人气质的，他家店门口长年放着一块小黑板，上面写着：所谓和谐，就是我们给你们做饭吃，然后你们为我们解决了温饱，这样，大家就都不用挨饿了。除了小黑板，白墙上还用秃头毛笔写了几段话：我没多大出息，顶多有点儿不可能被和谐的理想主义，我想开一辈子的角落小店，想在老掉牙后，看老掉牙的你们蹒跚而至，安坐一隅，点几个小菜，叫一壶酒，将过往的岁月煎炒烹炸，细嚼慢咽。

江山家的蒜香排骨和啤酒鱼是招牌菜，需要预订才能吃到。他一直以为我很爱吃他烧的啤酒鱼，每次给我烧鱼都捡最肥美大只的，可以盛满一整个大铁盘子。却不知我碍于情面探出的筷子，每次都附带着深深的心理阴影。

　　初到阳朔，就收获了一份见面礼——刚下车就是一场劈头冰雨。我瞅着窗外渗着寒气的雨线，摸摸身上的单衣，心里直犯嘀咕。从南宁到阳朔不过个把小时的路程，怎么就从夏末直接一脑袋栽进晚秋了呢？

　　我把外套脱下来蒙在鼓面，短短几分钟身上就被淋得冰凉。黑咕隆咚的车站外，三两辆形迹可疑的私家出租车，司机烟头一明一暗的，也不招揽乘客，就那么沉默地盯着人看。更沉默的是巍巍的山影，那一大撮黑漆漆的山，可能是晚上的原因，看上去轮廓怪异得完全不像山，反倒像人工培打出来的大沙雕，近在咫尺地横在眼前。

　　晚上十点多，我摸到了西街入口处。青旅客满，俺囊中羞涩住不起更贵的客栈，于是孤魂野鬼一样抱着鼓踱步街心。旅途中少不了窘迫尴尬的时候，按理说这雨真算不上什么，可我清楚记得那晚真是憋了一肚子火想骂人。不是因为雨中流落街头，而是因为所流落的街头让人着实无语。

　　我之前心理预设得太好了，结果狠狠地失望了。那时候大家刚刚开始开骂丽江的商业化，不少人拿大理和阳朔来反证，说相比阳朔，丽江已经堕落。我抱着规避尘嚣的心态来淋冰雨的，没想到打眼一瞅先看见满坑满谷的灯箱招牌。可能我去的时候不对，没赶上阳朔滋润又丰饶的西街风土，眼前的西街简直是丽江酒吧街的小翻版，一家接一家的店里咕咚咕咚放着慢摇音乐，隔着玻璃能看见店里跳艳舞的大白腿女郎……

　　有那么一会儿，我很替丽江叫屈，蛮后悔跟着一帮人一起骂丽江的浮华。山外有山，看来在浮华层面，阳朔比丽江有潜质多了去了，正所谓：当时若不登高望，谁信东流海洋深。

　　半夜之前，摸进了一家看起来是不插电的小酒吧。老板在摆弄着木吉他，我扛着手鼓和他套磁。聊了一会儿吉米·亨德里克斯后，获得了在一个八平方米的小房间里二十块钱睡到天亮的机会，没有枕头……那真是印象深刻的一晚，那天晚上真正认识了什么是蟑螂。它很瘦，很矫健，爬得很迅猛。我想抓没抓住，原来蟑螂跑起来是那么快。

我睡到下午，鼻塞——潮气太重，哥们儿感冒了。

小酒吧不需要打散工的乐手，我的手鼓也配合不上人家那动不动就异军突起的即兴Solo。我讪讪地道谢出门，玻璃门怎么推也推不开。背后一声断喝：往里拉！

门外依旧阴雨绵绵湿鞋面，目所及处一片潮乎乎的浅白烟云，依旧是满目招牌，但多出来不少攒动的脑袋——横穿马路居然靠挤。一下子，就让我觉得回到丽江古城七一街喽。

迤逦长街，长叹噫兮。

苍茫茫大地颠过，于斯地竟上无片瓦遮身。罢了罢了，吃完啤酒鱼直接扯呼算了，我就不信涠洲岛还会有这么多招牌，这么多跟团的游人。

转身将欲行，顺手抄兜，指尖触及袋底的那一刹那，虎躯一震菊花一紧，跟跄跄止住脚步。

妈的！钱包哪儿去了！

呜呼哀哉。这正是屋漏又遇连夜雨，咳嗽偏逢大姨妈……

含泪蓦然回首，撑着油纸伞翩翩在雨巷中来往的人们啊，你们哪一个是钳我钱包的贼。

我没有中年健妇立马当街跐跋呼天抢地的勇气，想破口大骂又寻思广西人一准儿听不懂我的山东国骂……

罢了，罢了。

老天爷饿不死瞎家雀儿，手鼓不是还在肩膀上么。存得五湖明月在，不愁无处下金钩，留得肩头手鼓在，何愁没有猪头肉。大冰不哭，咱站起来开工干活挣车票钱。

我不是矫情，那时是真没什么钱。虽然有个主持人的职业身份，但能带来的不过仅仅是人前相对体面的生活，人后和其他工薪一族一样，为信用卡债头痛。体制内的主持人不比签约公司有经纪人的自由人，当年我在体制内每月只有固定的死工资，这个行业偏又是加薪最慢的，真不像外人想得那么待遇丰厚。挣外快的途径也有，但实在是厌恶去唱堂会，一年里有数的几次商演都是碍于情面实在推脱不掉才去敷衍一下。几年下来，稍有富余的积蓄也都捐助给各大航空公司和敬爱的铁道系统了。

说实话，最初背着手鼓满世界溜达，实在是因为那时家底不厚所迫而致。只不过有些事情你老做老做，没什么意义别人也给你附加上意义了。后来，不少人把我不带银行卡背着乐器穷游的行为褒许成一种浪漫的流浪，我不知道脸红了多少回。我也想买张头等舱机票舒舒服服飞拉萨、飞三亚、飞乌鲁木齐哦，但不舍得花那个冤枉钱。我也曾当过房奴，有三年的时间，几张银行卡里的金额加在一起连个万元户都不是。加上老想着让工作和旅行互不耽误，所以一度每年只接一档节目，自在是自在，但除了温饱实在算不上有钱人，所以我不穷游，我怎么游？

好在心态一直比较恒定。我穷美术生出身，从小就跟着一帮淡泊明志的穷画师求学，受其影响，成年后真没把财富看得太重。年轻的时候不太在乎，当下皈依三宝后就更懒得去刻意求财了，上天厚待我，给了我一个基本的衣食无忧，已让我很知足了，人生太短、韶华易逝，未必要再在这上面耗费太多人生。

不见得非要失恋失业、人生受挫的人才会选择吉卜赛式的流浪生活，如果推动双腿迈向未知旅途的力量是来自我心，那又与财富何干呢？爱旅行那就去旅行，大不了有多少钱就走多远的路，有多大本事就靠本事混多远的天涯。所以，帮店家画壁画、街头敲鼓卖唱或兜售自己的民谣碟片，一直靠这种方式走了好多年，去了不少地方，结识了许多过客散人、浪子游侠。

经年累月下来，攒了不少江湖弟兄。从漠河到台北，每到一地总有管饭管宿的朋友排队招待，他们管我叫"丽江的大冰"或者"拉萨的大冰"或者"唱民谣的那个大冰"，没有一个拿主持人的身份标签来界定我，彼此之间也没有功利往来，只是单纯的性情相交。如此这般做朋友，让人怎能不惜缘。

这两年经济上稍有缓和，国内出行的次数渐少，开始计划梦寐了多年的环球之旅。计划情况允许的话就正儿八经地走上五年。

我知道我可以分分钟让自己的心态重新调回到当年的阳光灿烂中，也一定会和以往一样，新交不少散布天下的同道中人。

但，我永远也无法再敲响当年的那只手鼓了。

伴我行天涯

那是一只来自加德满都的手鼓。

和印尼产的、泰国产的、非洲产的不一样，它质地没那么好，鼓皮很厚。最初鼓面粗糙得很，历经上万次的击打磨砺，皮色已然发润。它声音虽然发闷，却是我最钟爱的一只手鼓。

我先后拥有过十几只不同国别、不同款式的鼓，它是其中最特殊的一只。

这不是一只普通的鼓。

那时候，拉萨会玩津贝手鼓的人不多，偶尔有的，也是尼泊尔产的。一个瘦瘦的男孩子对一个瘦瘦的小姑娘说："你去尼泊尔旅行的时候，帮我带一只手鼓回来吧。"

他是个大家都很喜欢的男孩子。

她是个瘦瘦的、像风马旗一样伶仃在风里的女孩子。

我不知道他们之间有过怎样的故事，只记得他们都是那种沉默寡言，笑起来温暖腼腆的孩子。

这只鼓在加德满都的街头映入女生的眼帘。没怎么讨价还价，廉价的它就背负在女孩行囊侧畔，一路耐受着喜马拉雅山麓的坎坷颠沛，一路颠沛过尚在修建中的中尼公路。

　　鼓到拉萨的时候，人却不在了，永远留在了拉萨河畔。

　　……

　　那么年轻的一个男孩子，一句话都没留下，就永远消失在了拉萨河湍急的漩涡里。所有人都在难受，所有人都不愿相信他就这么没有了。

　　据说，他是在河边拍照的时候，多往河滩里走了两步。

　　就两步。

　　两步就走完了一个轮回。

　　或许他只是个来人世间历劫的天人，菩萨把他收回去了。

　　……

　　他死去一年后的一个中午，我盘腿坐在那个姑娘小小的饰品店里，分抽着一根白沙烟。我一眼看到了角落里这只鼓，鼓面上落满灰尘。

　　轻轻搬到膝旁，轻轻敲响它，因震动而轻轻扬起的灰尘腾挪在光明中。

　　那么奇怪的低音，厚重得好像叹息，又像割在手臂上的钝钝刀锋。

　　我把它抱到藏医院路灼热的下午阳光里，翻飞手指，最坚硬的四二拍也化解不了它固有的冷峻，最华彩的马蹄音抡指也化解不了它固有的坚定。

　　光明甜茶馆复杂的气味，乞讨的小普木晒皱的面颊，踟跦问心的安多喇嘛喃喃的藏语百字明咒，轰鸣的4500越野车牛一样喘息着行过我身前。

　　我汗水涔涔乱掉了呼吸，手掌红肿隐隐作痛。它斜靠在我膝前，像块石头。

　　姑娘叼着烟头蹲在马路牙子上打哆嗦。她说："你背走吧，背走吧，送给你了，赶紧走，赶紧走吧……"

　　逆着暴虐的阳光走在藏医院路上，我怀中是阴郁的冰冷。

　　我背走那只鼓以后，没再和那姑娘怎么接触过，谁也没躲着谁，谁也没主动联系过谁。

男孩忌日那天，我背着鼓去拉萨河，往水里丢花祭他。那么湍急的流水，花却滞留在水面，魔术般地原地打转。

兄弟，我不敢敲响这面鼓，怕惊扰你永久的酣眠，亦怕扰了众人的沉默。

在岸边石头上，点燃一排烟，低着头，和大家一起低颂《金刚度忘经》。

兄弟，后来我背着你的鼓流浪到了珠穆朗玛峰，在日喀则它让我收获了使我内心得以强大八年的一次感动。

兄弟，后来我背着你的鼓又浪荡了一次川藏线，敲鼓给康巴姑娘听，敲鼓给支教义工听，敲鼓给格萨尔王说唱艺人听。我在德格巴帮乡借来唐卡师的笔，在鼓面上画了七宝花纹，写了一行字：伴我行天涯。

兄弟，我背着你的鼓回到了丽江，坐在布拉格餐吧门前的阳光里，敲着鼓写了一首歌，叫做《陪我到可可西里去看海》。

兄弟，后来我背着你的鼓去阿尼玛卿，去锡林郭勒，去德令哈，去巴音布鲁克……敲给血性的巴盟人听，敲给撒拉老人听，敲给弹冬不拉的哈萨克听。我背着你的鼓去了狮城新加坡，坐在克拉码头的桥上唱哭了一个叫小钻石的不良少女，让她放弃了自杀的念头……

兄弟，我背着你的鼓体验了各种交通工具，游历了大半个中国，一直游历到阳朔。

然后，我在西街上遗失了它。

丢鼓的位置在一座石板桥的桥头。

我开工半小时后接了一个电话，手鼓就并排放在身旁。等我挂了电话，它已不见了。

我把电话回拨回去，迁怒于那个远在连云港的熟人，再挂了电话以后，我为自己的无理而懊恼无比。后来过年过节的时候，他给我发过短信，我没脸回复。

31

鼓丢了以后，我沿着西街找了几个来回，又找了县前街，一直找到天黑。我去派出所报案，一个民警问我："到底是什么样子的？长得像盘子吗？"我画图给他看，另一个中年民警问这只手鼓值多少钱，当他知道大体的价位后很善意地宽慰我说："要不你别找了，再买一个好了。"

　　我有买，后来买了不止一只，最远的有从西非海岸漂洋过海而来的整块木头雕的，最贵重的有从突尼斯订购的骆驼皮鼓，可都没办法替代它。托尼泊尔的朋友给搞一只一模一样的，她们捎回来一对金属坎布拉手鼓，告诉我说："不好意思，你要的那种材质的手鼓，几年前就没人在加都兜售了。"

　　第二天离开阳朔前，有新认识的朋友请我吃啤酒鱼。我被鱼刺扎得嗓子生疼，停了筷子，慢慢梳理满心的懊恼。

　　好像是丢失了朋友托管在我这里的一件贵重东西，我满心内疚，好像失信于人一样。不知道是谁拿走了这只鼓，或许只是一次恶作剧，只为开玩笑吧，或许出于种种原因没有找到我还给我。

　　我不怪你，要怪只怪我自己。

　　我不止一次和人说，多希望能再敲响它，可再没找到一只有那样音色的鼓。不少人笑我矫情，唯独我的兄弟丽江鼓王大松表示理解我，大松送我一只尺寸相近的托宁手鼓，后来我一直敲那只漂亮的托宁，敲了好几年，一直敲到 2011 年游牧民谣全国巡演结束。漂亮的托宁声音清脆又通透，有一种涉世未深的干净，和深沉忧郁的它完全是两极。

　　希望拥有它的人能够善待它，别蘸水擦洗它，潮湿的天气莫用吹风机烘干它，鼓皮是会开裂的。它或许还在阳朔吧，又或许在天涯海角的某一个小酒吧。

　　不知它后来伴谁行天涯。

　　我上次去阳朔时又坐在了那天唱歌的桥头，没再背鼓而是背了一只 Hang drum。

　　我的兄弟老张坐在旁边弹吉他，成捆啤酒和我们的碟片摆在面前，一个叫大狮子的深圳帅哥帮我们收银子。那天晚上热闹到爆棚，几十个人围在我们身旁合唱。

我们唱：

妈妈要我出嫁，把我许给第一家，第一个他是混丽江的人呢，妈妈我不嫁给他。

妈妈要我出嫁，把我许给第二家，第二个他是混拉萨的人呢，妈妈我不嫁给他。

妈妈要我出嫁，把我许给第三家，第三个他是混阳朔的人呢，妈妈我不嫁给他。

妈妈要我出嫁，把我许给第四家，第四个他是个老流浪歌手哦，妈妈我不嫁给他。

妈妈要我出嫁，把我许给第五家，第五个他是个小客栈老板哦，妈妈我不嫁给他。

妈妈要我出嫁，把我许给第六家，第六个他是个破酒吧掌柜哦，妈妈我不嫁给他。

妈妈要我出嫁，把我许给第七家，第七个他多么的有安全感啊，但是他不爱我呀。

（哎）第七个有车有房有信用卡！但是他不爱我呀！

……

第二天就要出嫁的可笑同学在一旁笑，笑得脸都要烂了，她的老公法师在一旁唱得比谁都要起劲。

法师在阳朔开懒人窝客栈已多年，他已经不记得我了。我曾推开他家客栈的门，问："请问你们见过一只很丑的手鼓没有，上面有一行字。"

当年的法师对我说："兄弟，别着急，喝杯水先歇一歇。"

他递给我一杯水，我喝完后什么也没说，就匆匆跑去下一家了。

如今的法师应该早就忘记了这一幕，他在合唱的间隙递给我一瓶啤酒，问我："大冰，第一次来阳朔吧，觉得阳朔怎么样？"

阳朔挺好哦，这个小城是我往昔人生某一段的终结者，就好像欠着一笔债一样，它提醒我需要还。只是，我还干净了吗？

弹吉他的老张当晚酩酊大醉，拽着我讲他即将辞去的工作，即将开始的新生活，即将面临的命运转折。我心不在焉听他说着，一边听旁边"小马的天空"里的鼓声。现在的阳朔和丽江一样，已经有很多人开始玩手鼓了，整条街上鼓声此起彼伏。我在想，如果每一只手鼓背后都有一段深邃的故事，这座热闹的小城是否能承载得了呢？

第二天，可笑同学和法师同学婚礼。他们人缘好，全国各地飞过来观礼的朋友近两百人。我主持完仪式后，指挥大家把法师扔进游泳池里。他刚爬上来，又被丢进去。水花溅得池边的人们满身都是湿的，大家高兴得哈哈大笑，法师在水里一起一浮，白衬衫贴在身上，勾勒出发达的胸大肌，两点全露，他捂着胸口也高兴得哈哈大笑。

滴水之恩当涌泉相报。

法师，当年的一杯水今天用一游泳池水来报，够不够？

……

弹吉他的老张回到重庆后辞去了设计师的工作，在江北开了一家叫"末冬末秋"的艺术酒吧。开业的时候，我去重庆找他玩儿，他未能免俗，在酒吧里也放了两只手鼓。老张又喝得酩酊大醉，摇摇晃晃抱着吉他唱一些三俗的歌。

我搬起其中一只手鼓，坐在舞台边上舞起双手。灯红酒绿的重庆夜晚，酒吧里满满当当全是人，人们并不怎么听歌，都在开开心心地喝酒聊天，划拳扯淡。

人群里有一束目光久久地看着我，我抬头，那张似曾相识的面孔立马转去了别处。稍后，又转回头来，冲我微笑了一下。

我早就不使用登山背包了，早就习惯了拖着拉杆箱跑来跑去。我还没变老，但心里已经装满了，很多东西满得已经溢出来了，很多事情已经记不太清楚了，很多人也已经模糊了长相或姓名。

有些债以为已经了结了，看来还没还干净。

我就不上前和你打招呼了。

抱歉，你为他买的那只鼓，被我遗失在了阳朔。

……

相续

我还会再去阳朔。

同样是知名旅行目的地，阳朔没有腾冲香醇，没有平遥古拙，没有兴城质朴，没有敦煌肃杀，没有双廊清高，没有沙溪清幽，没有元阳别致，没有兴义原始，没有荔波秀丽，没有喀纳斯壮丽，没有涠洲岛亲切，没有鼓浪屿矫情，没有台儿庄雕饰，没有丽江浮华，没有凤凰艳俗。剔却屏绕的山景，它甚至没有北京后海银锭桥畔来得耐人寻味。它哪儿都不如，但哪儿的特点它都兼容一点儿。

五味杂陈的阳朔，或许这也是某些人中意它的原因吧。

酒喝干，又斟满。

人生本无定数，回首已是天涯，五味杂陈的劣酒，总好过温吞水一杯吧。

[流浪歌手的情人]

**苦难后的大军，他获得的是一杯清澈的水，以及一棵叫做幸福的植物。
愿你亦作如是观。**

大军是我的兄弟，年龄比我大，一口漂亮的络腮短髯。他喜欢压低帽檐，呼呼哈哈地闷笑，腼腆地把自己藏在胡子里。

他的胡子比一般人的头发都要来得黑亮硬挺，我拔过一根，用来剔指甲缝，居然剔得很干净。

大军是仫佬族人，因为他的缘故，我一直坚信那个民族的男子都是帅气到可怕的胡须男。后来，我在广西参加过一次依饭节，发现我之前的认知不仅没错且有不足。

大军留胡子的时候长得像梁家辉，某些角度简直一模一样。无论眼神或者举止，一种不经意间的十足明星范儿。口音也像，规避不了的广西口音像足了拧着舌头讲普通话的香港艺人。《寒战》上映的时候，我坐在巨大的荧幕前嘿嘿笑个不停，一看见梁家辉出镜就乐，我和旁边的人唠叨，"真像哦，太像了，简直一模一样。"旁边的小明冷不丁地抬起一根手指指着屏幕问我："他穿西服也这么有范儿吗？"

……我的兄弟大军，年近四十的男人，他从未穿过西服，他一辈子穿过的衣服加起来再翻倍都抵不上梁家辉的那一身西服的季末折后价。屏幕上梁家辉的条纹套装是有插花眼的，袖口的纽扣是可以开合的，是配得上 3.0 以上排量的豪车出席任何一场香槟酒会都不露怯的，每一平方尺的单价是一定超过房价的。

而我的兄弟，他最贵的衣服是一件皮夹克，颜色诡异，材质可疑，做工粗犷，针脚奇异，由于经年缺乏保养，硬得像盔甲。他经常脱下来把它立在地上，是的，是立在地上，稳稳地扎撒着两只粗壮的袖管，阴郁得像个无头的甲士。

有次下冰雨，他拿来当雨衣，雨停后脖梗子上一圈棕色。我说："我擦，皮衣还有掉色的。"

他指着那件皮衣说："是啊，不经历风雨都不知道你是这种本色。"

那件皮衣犀牛一样地坨在我们面前，霸气地，腾腾地蒸着热气。

我觉得他的本色还是我第一次见他的时候穿着的那条牛仔裤。他一直穿了六七年，两只膝盖处从里往外磨出了两个洞。前两年他自己动手把它改成了七分短裤，每当边缘磨损成小草裙的时候，他就把它改得短一点儿，再短一点儿，直到隐约露出平角底裤的边儿。他一年四季穿着，冬天也不例外。

我的兄弟大军很穷，万幸，他也从未奢望把西装革履所折射的生活，作为这场人生旅程的行进目标。他自有他的本色，自有他的随遇而安。

我的兄弟大军是个流浪歌手，真名叫安军。我和他认识在七八年前的丽江。

那个叫做丽江的丽江

那时候我在丽江的身份也是流浪歌手，每天在四方街的青鸟酒吧和小石桥的布拉格门前卖唱，搭档是后来的丽江鼓王大松。那时候全丽江只有三四只手鼓，大松有一只，我有一只，两个人叮叮咚咚地敲着，一边唱些奇奇怪怪的歌，旁边摆上啤酒，每天从下午开心心玩到黄昏。

有时候，有人会背着冬不拉加入，比如野孩子乐队的张佺，有时候穿着婚纱的人会蹲在我们面前取景，后来还带着新生的宝宝回丽江看我们。

灼热的阳光、啤酒和音乐……那时街头卖唱是件有趣的事情。

我和大松蹭住在菜刀客栈里，同吃同住，卖唱的收入有富余的时候就拿来请人吃饭。那时结交了太多形迹可疑的过客：在手腕上画手表的抑郁症青年、从不穿鞋的老教授、有自杀倾向的上海小白领、极端的环保主义者、当了一辈子国安的刀疤男、修茅山术的北欧女子、轻车简行的知名CEO……

来了又来，来了又走，各种川流不息。有一次，一个陕西口音的过客微笑地打着饱嗝说："一饭之恩只能来世相报了，我正在被通缉……"

大军就是那个时期认识的，是大松从街上捡来的。

我正蹲在院子里，用炒菜铲子挖坑种三角梅，他背着吉他和手鼓侧身过铁门，满脸满眉毛的微笑，趋步过来用力地和我握手，回头问大松："那个，你们今晚真的吃腊排骨？唔，腊排骨的味道还是很好吃的。"然后，他很诚恳地看着我说："我很会蒸米饭。"

他不仅会蒸米饭，还很会吃米饭，他把吃饭叫做"干饭"，干掉的干——必须咬牙切齿地发音才能契合他说这个词时候的神韵。

多年过后，我认真总结我认识的各色吃货们：有的奇能吃辣、有的嗜食生食、有的蹭了半辈子的饭，还有的简直是山寨版的蔡澜。而在饭量上，大军是其中当之无愧的冠军。他吃米饭是不用碗的，一般是用汤盆，冒尖的一小盆，菜铺在上面。他有把专用的勺子，用了很多年，小花铲那么大，我有一回试了一下，根本塞不进嘴里去。

他对朋友表达感情最极致的措辞就是："我那里还有菜，我热一热，再炒一锅饭。"然后，他咂咂嘴，仿佛已经捧起了碗，整颗脑袋都已经笼罩在了饭香中。

我没见过一个人吃饭的时候有他那么享受的，他甚至是眯起眼睛陶醉其中。

我自小长在鲁地，筵礼家教甚严，养成的习惯是箸不过颌、碗不离桌，大军不一样，他太原生态了，永远是把碗擎到脸上，45度倾斜着那只小盆，与他对坐看不见他的嘴。而且他有个很神奇的本事，会翻着手腕儿在饭桌上挨个盘子练擒拿，他可以一筷子夹走小半盘菜，这简直是神技，反正我怎么练都练不会。

很多信徒在正餐前会默语诵祷，南无诸天真神，他也有这种仪式化的习惯，每次吃饭前都会虔诚地说："吃饱了才有力气讨生活。"

他顿顿都说，哪怕是宵夜的时候。但这句话我一直没当回事。

刚相识的时候，我发现只要他吃饱饭以后，歌都唱得无比动听。他一般用一首《红河谷》开场，有时候是《浪子心声》，然后开始唱原创：

姑娘和小伙子相依偎倚／你们的旅途快不快乐

如果他是真心喜欢你／那你要好好把他来把握

我多么希望和你们一样/带着爱人四处去流浪
假如她是真心喜欢我/那我要好好把她来把握……

有了大军的加入，卖唱一下子变得热闹了许多，也明显地引人注目了许多，很多人来和他合影，"梁家辉梁家辉"地喊他。他摆了一个琴盒在面前：边走边唱，支持原创。

那时候一般他弹琴，我或者大松打鼓，大家轮流当主唱。印象里几乎每次卖唱都会被里三层外三层围观，偶尔，人群中会有漂亮姑娘时隐时现地注视，琴盒里也偶尔会有鲜红的百元大钞，每首歌结束都有喝彩声，不时有人会递过来两瓶啤酒：兄弟，唱得好着呢，喝口酒润润嗓子。

那个辰光的丽江是个美好的小地方。有一个对美好地方的定义是：兼容并包，友善且和睦。

我很庆幸，曾体味过那个曾经美好的丽江。

好吧，我说的不是丽江，我追忆的、感慨的、毕生寻觅的，只是一个叫做丽江的丽江。

你难道不是吗？

街头卖唱的岁月

那时丽江古城的流浪歌手很少很少，随便往哪儿一戳都是个小地标。不像后来，纳西族的小弟弟们练了三个和弦也满大街地跑来跑去卖唱，手鼓打得山响，吉他抡得像电风扇，也学当年的我们，也在面前点红蜡烛。但生猛无比，为了争地盘经常打得头破血流，有时候还拿吉他打对方的头，吉他啊！那可是吉他啊！有趣的是，他们面前也都摆着个琴盒，上面的字是一模一样的：边走边唱，支持原创。打小在旁边城中村里长大的流浪歌手，那满身历尽沧桑风尘仆仆的感觉真是学都学不来，膜拜一个……你问他唱的是什么，他也气宇轩昂地说"原创民谣"……好吧，许巍的《蓝莲花》是你的原创，五月天也是你的民谣……

这种情况，是在大军来丽江半年后慢慢开始泛滥的。他很无奈，一些不懂事的小歌手在他经常定点卖唱的花台上泼油，他就拿外套兜来土铺在上面，然后垫着外套卖唱。第二天土上又是一层油……

于是被迫换地方，把大石桥边最黄金的位置让给那帮别着刀子卖唱的兄弟，他找一座行人稀疏的小桥，萧萧瑟瑟地开唱。偶尔趁着人家没开工的时候坐回老位置，做贼一般，一边观望一边开工。但那时往往夜色已阑珊，行人渐渐微醺，肯放下钞票的少，借酒来踹琴盒的多，他也不生气，反而问人家喜欢听什么歌，要不要听首原创。但喝醉的人很多不知道什么是原创，于是他就唱《再回首》，唱得醉酒的人泪光晶莹、浑身颤抖，然后哇哇大吐。

我说："我擦，这个世界怎么了，这么多浪子。"

他说："他们的心累了。"

大军和我不一样，和大松也不一样，每天不挣到一定的额度他是不肯收工的。

收成好的时候，他是笑眯眯的，半夜坐在小火塘的角落里，笑眯眯地逗逗单身女游客，问人家是不是从成都来的。有时候连着数天风雨如晦没办法开工，他神经质地一口接一口叹气，抠手指，各种坐立不安。他应该是很缺钱吧，可奇怪的是花钱的时候一点儿都不吝啬。

那时大家吃住在一起，午饭在院子里自己做，他抢着跑忠义市场买菜，洋芋或空心菜，永远是这两样。晚饭在小馆子解决，他又抢着埋单，不过是几份米线、两盘冷拼，抢得和干仗一样，卖唱的收入越差，他埋单的次数就越多，谁都拗不过他。我那时候瘦，他说，大冰多吃点儿，多吃点儿，还用筷子给我夹菜。

他不会用公筷，也并不知道那时候的我有信用卡和存款，还有一个电视主持人的身份。

于我而言，最初街头卖唱是件好玩儿的事，是种新鲜的人生体验。

从拉萨唱到丽江后，每天的卖唱慢慢演变成了仪式化的例行日程，履行得比吃饭睡觉还要认真，不唱就好像少了点儿什么。而大军加入后，街头卖唱又慢慢地变成了一种必须要履行的义务，我很喜欢看到生意好的时候他那副怡然自得的成功人士的嘴脸，我希望他能多赚点儿。年复一年，后来只要在丽江，就会每天去帮大军打鼓，一直到今天。

可是光卖唱能挣几个钱呢，每天吃点儿饭、交个房租就口袋空空了，抽烟基本靠蹭，喝酒基本靠赊。我有个流浪歌手兄弟叫金刚柱子，第一届雪山音乐节的时候结识的。他燃臂供佛，左胳膊上有三个大香疤。柱子有一首描写流浪歌手生态的歌叫《接着操练》：

那一天房东大姐说/你再加五十块钱/下一个月我的脸上又多了一丝疲倦/一天天啊东奔西跑为了赚点小钱/吃一点饭买个拨片/换几根琴弦……

柱子后来出家，不能弹吉他让他很难受，听说还俗后一直继续安贫乐道接着操练，但依旧交不起房租。

丽江的卖唱市场竞争渐渐白热化，考虑再三，我和另外一个兄弟路平决定盗版自己的音乐作品。最初，我们尝试着做了一批CD，用最原始的手段DIY，去批发电脑光盘一张张地翻刻，刻坏过路平一台光驱。封套是牛皮纸手工糊的，封面手绘。

定价的时候，我们有分歧，老路说："10元一张。"

老路啊老路，丽江粑粑都5元一个了……

老路说："那15元一张。"

老路啊老路，风花雪月都20元一瓶了。

老路说："贼他妈……30元！"

老路啊老路，愿意掏30元买一张流浪歌手专辑的人，还会在乎多掏20元吗？

老路和我最初50元一张卖原创专辑的时候，一直是低着头弹琴的，完全是一副昧了良心的模样。奇怪得很，卖得出奇地好，第一天卖出了16张碟，这相当于单纯卖唱一个星期的收入啊。晚上数钱的时候，老路、大军、大松围成一圈，一张张做贼心虚、红扑扑的脸……这么多年过去了，想想就好笑。

可是，后来有一天我坐在我济南的家中，一张张整理两岸三地N个知名歌星的签名EP，撇着嘴念那些龙飞凤舞的赠言时，我念起当年那些未曾沾染人间烟火的民谣，我依旧浪荡天涯的兄弟，那些放声高歌的青春，仅仅只值50元吗？

大军是丽江第三个卖原创CD的，他简直就是为此而生的。他那不叫卖，快成批发了，我见证过他一天卖23张专辑的时候。他说："这简直就是在捡钱啊。"他开始在专辑上签名，不管买的人乐不乐意都觍着脸跟人家说："说不定有一天会有收藏价值。"好玩儿的是，不乏很多受宠若惊的脸频频冲他点头，然后各种讨价还价。

大军一直很感谢我当年的倡议，他说："大冰，你是个改变了丽江流浪歌手产业结构的人，你真厉害，你真不愧是上过大学的。"哥，这和上不上大学有关系吗？我大学学的是油画好不好。可他坚持认为我这个举动让他起码少奋斗了五年，我打小不喜欢人家和我矫情，经常一句话堵他回去："都丽江了，还奋什么斗。"

那时候我是个偏执的青年，还不是很懂生活。

后来有很长一段时间我没回丽江，生活重心转移到西藏。经年累月背着包，一座接一座地去转山转湖，从阿尼玛卿岗日到马湖鬼湖，断过肋骨也断过手指，经历了人生中最无牵无挂的一段时光，很快乐，算是第二次童年。再回丽江的时候，在古城口大水车旁遇见大军，他远远地搓着手开心地向我走来，边走边喊："哎哟……大冰回来了！晚上来店里吃饭。"他的脸笑得像一朵花。

"店？什么店？你都开店了啊，大军，你哪儿来的钱？"

"你太久没有回来了，我卖唱卖CD挣出来一家小酒吧。"

"大军大军，老路呢？"

"老路也挣出来一家小酒吧，还买了一把新吉他。"

"大军大军，大松呢？"

"大松开了家小鼓店，又能艳遇又挣钱。来，我帮你背包，吃完饭咱们开工卖唱去，卖唱完了跟我去酒吧开工。"

大军的店在酒吧街，他盘下来一家小小的二楼店铺，开了一个小得令人发指的小酒吧，做了一个令人发指的巨大招牌叫海轮风，木头楼梯也陡峭得令人发指。我摸摸原木的吧台，窄小的桌子椅子，二手的音箱、电熔的麦克，像模像样的话筒架。想到这一切都是卖碟换来的，我忍不住地乐。我问他，这是个什么风格定位的酒吧，他想都不想地说，原创民谣。他捧着碗说："又能挣钱又能唱自己喜欢的歌……我的人生简直圆满了，大冰你下次来我应该就能请得起你吃松茸炖鸡了……"

我到今天都没吃上他承诺的松茸炖鸡。没多久，大军的酒吧就倒闭了。

三个月，还是半年，我记不清了，他赔得很惨。他的原创民谣到底是没干过那些张嘴"拉萨的酒吧里呀什么酒都有……"闭嘴"你有一个花的名字美丽姑娘卓玛拉……"的酒吧街驻场歌手们。

丽江的酒吧街是中国南部人流最熙攘的一条街，那些跟着导游小旗的人们来自全国各地的二线以下城市，一水儿地热爱"凤凰传奇"的人们，人家喜欢的是声嘶力竭的"中国好声音"，不待见低吟慢唱。而所有的酒吧为了拉客，往死里拼音量。没人是来消费音乐的，音乐在丽江的酒吧街不过是一块块桌布，用来铺上各色洋酒、各种杯盏，以及各种黑丝大腿和各种装逼、各种吹牛。

在这块桌布上情欲是王道，连桌布本身都是浸渍着荷尔蒙的，歌手会在演唱的间隙不遗余力地撮合单身男女们，顺水推舟的女人们矜持地笑着，我见过她们钱包夹层中偶露峥嵘的避孕套。

每个酒吧门前都站着盛装民族服饰的年轻小MM："大哥找艳遇不，大哥来吧，我们家的漂亮妹子最多……"触目惊心的纳西普通话，撩人得很，意志稍不坚定，脚步就会偏移方向。

我始终觉得丽江酒吧街的酒吧不能称之为酒吧,那些锣鼓喧天的酒吧,比大多数城市的夜场都要来得热闹和浮躁。相比之下,北京后海银锭桥和当年三里屯酒吧街是那么的纯洁。现在想想,在这样的地方想靠清淡的民谣谋生,无异于腌臜处种莲花,唉,喂牛牡丹反被踹,大军的选择本就是一种活该。

于是,大军重新回归街头。

破屋偏逢连夜雨,街头的生意开始难做了。自打丽江古城开收古城维护费的那天起,城管执法的力度骤然增强。流浪歌手被当成非法流动经营者,每天被撵得狼奔豕走。对策也迅速出现了,诞生了一个新的岗位,专门负责望风,一见制服出现,立马风紧扯呼,暗语相赠。毕竟道高一丈,人家执法队员换了便服,夹在听歌的人群中鼓掌,还蹲下来问问碟片的价位,然后笑笑地抓住吉他:"不好意思兄弟,琴没收了。"

就这样,出现了流浪歌手和城管执法队员之间的激烈对抗,半年的时间连着发生了好几起流血冲突。一把吉他往往意味着一个流浪歌手的全部身家,愿意为此拼命的,大有人在。

大军也被数次没收过吉他,我目睹过一回,据说那是一把跟了他十年的吉他,他和旁人不一样,完全不反抗,低着头收纳碟片、口琴、摇铃,脸上一抹笑,逆来顺受的一抹笑。

被同行欺辱,被游人轻蔑,被制服制裁,他永远是淡定相对,这几乎让我以为他是个有信仰的人。

我不想卖碟了。

于我而言,在丽江卖唱更多的是一种生活方式,并非真的要靠几张CD来维系生活。世道艰辛,谋生不易,再和大军卖唱的时候,实在是不忍心把自己的碟片摆出来。我多卖一张,无形中等同他就少卖一张。但他不肯,每每坚持两张专辑并排放在面前,有人要买他就说是两张一套,一套一百元。问津者往往嫌贵,问只买一张可不可以,他就力推我的碟,还替我唱专辑中的歌。他那时并不知晓我其他的职业身份,我每每尴尬万分地接过钱,左也不是右也不是。

他从未有求于我，只是用一种最朴素的江湖道义来处世：哪怕让自己唯一的谋生手段打折，也要兼顾兄弟的温饱。后来，他知晓了我的根底儿后，依旧是卖唱时力推我的碟片。我说，我不缺这个钱啊。他说，你开销一定很大，挣点儿钱换张返程的机票也是好的哦……

这都不是钱不钱的事，我知道，这些年他只是习惯了如此待我。

行文至此驻笔片刻，感慨良多。

江湖十年灯，摇摇曳曳，映照过不少人情练达、世态炎凉。

这条路上，同行者良莠皆存，秉侠义古风者于其中不过二三子，大军是其中一人。于情，他是个兄弟，于义，他算一位落拓街头的君子。

我是个好交朋友的人，号码簿里一度几千张名片，我也是个酷爱折腾的人，十年来大起大落，风光过，落拓过，经历过几次巅峰和低谷，也经历过几次生死。起起伏伏间的倥偬，翻翻手机，屡屡发现能打个电话聊聊心事的人其实并没有想象中那么多。

33 岁后，在给自己的朋友圈子做加法时，我开始越来越谨慎。

该做做减法了。

筛盘摇来摇去，留下的才会是金子。

拍一部胸无大志的电影

那个艰难的时期一起卖唱的还有后来 D 调酒吧的路平、跑调酒吧的靳松、小植、凡间酒吧的晴天等等一批人。大家因为民谣音乐相识，后来这些人被誉为丽江民谣的代表，分别开了自己的酒吧或火塘，组了自己的乐队，有了稳定的收入，在豆瓣上开了自己的音乐人小站，开始全国巡演，在地下半地下的民谣圈里一个接一个扬名立万。

往事经年，个中亦有阋于墙的兄弟，而当时那种相互扶持集体劳作，一瓶饮料分着喝的时光却永留我心，故而在记忆里，那个时期的卖唱，有了一种有福同享有难同当的意味，恍如聚义梁山。

大军经常扮演烂好人的角色，有些初到丽江的歌者找到他，希望和他结伴卖唱，他从不懂得拒绝，等到人家轻车熟路了，堂而皇之地在旁边另立门户，抢白得他没了生意。教会了徒弟饿死了师傅，猫和虎的寓言故事他亲身验证了一次又一次，只好一次次作战略转移。从最初的大石桥到布拉格门前，到后来的万子桥、三眼井，越退越游人稀疏。他只好靠拉长卖唱的时间来换效益，之前是每天唱两个小时，后来加到三个半。

2008 年奥运会前，我回丽江避运，当时路平的 D 调酒吧已经开得有声有色，之前一起卖唱的兄弟们以 D 调为根据地，继续着半共产主义的生活。

世俗的眼中，这是一群胸无大志的人们，每天喝茶、弹琴、微醺、恋爱，在青石板路上消磨着寒冷的年华，几乎算是一群站在入世和出世边缘的一群异形。曾经我一度这么认为：大家在一起不过是共同简述一种生活方式，不过是一场慢生活。

我从未听他们当中任何一个人和我谈起过梦想二字，除了大军。他的那个想法生生地把我吓了一跳。

大军在某个夏天的傍晚对我说："我想拍部电影。"

这个男人对电影行当策划执行的了解，几乎等同于一个清朝人对高铁运营系统的认知，而且这个男人又是一个那么一穷二白的流浪歌手而已。

我说，你开玩笑吧，你有病吧，你开玩笑也开个靠谱点儿的玩笑哦。你也太吓人了吧，你……

没想到更吓人的还在后面，他居然真的就摸摸索索地开始干了起来。

不知他查了多少百度信息，跑了多少次新华书店，他居然在短短一两个月内完成了一个独立制片人基本应该了解的一切。他从丽江旅游学院找到了一个热血文艺青年当视觉导演，从文联找到了一个同样热血的文艺女中年当编剧，还挨个和一起卖唱的歌手兄弟们打招呼：

"你来当个剧务吧，你来演个角色吧……"他还找开摄影工作室的朋友借灯，找开黑车的朋友借车拉道具。

他简直是在赤拳入白刃，空手套白狼。

他那时候把路平酒吧的二楼当成临时办公室，那里连张桌子都没有，大家盘腿坐着整夜开会。我参与过一次他的剧本策划会，我相信除了我以外，那都是一群一辈子没开过几次会的人（除了小学班会），策划会开得和相亲茶话会似的，小桌子上摆着花生和类似喜糖的东西，每个发言的人居然还都一本正经地起立，发完言还集体鼓掌。他们把路平的账本拿来，在反面记录会议纪要，当书记的人字不好，写了一会儿就不认识自己之前写的字了，于是撕下来重写。每撕一张，路平就一哆嗦，撕一张就一哆嗦。

剧本讲的是一个丽江混混和一个孤儿院病童的故事。一大一小两个人，两条平行线偶尔交错，然后小孤儿在丽江混混身上寻觅父爱，丽江混混为了病童，去履行了一个不可能完成的承诺。失去生活方向的中年男人、垂危的孩子，两个人彼此颠覆了对方痛楚的人生。

剧情不是多么起伏跌宕，也没什么矛盾冲突，算基本成立吧。但论及分镜头方案的时候，简直是要把一锅海鲜疙瘩汤泼了一地，各种不靠谱的想法纷纷暴露了出来：他们计划把家用DV绑在竹竿上当摇臂，用滑板代替轨道车，居然还画了分镜头画稿，上面中景接中景接中景……我坐了一会儿，觉得这基本是在扯淡，我怕管不住自己的嘴，忍不住会大放厥词，就偷偷先行尿遁了。一下楼，看见路平默默地坐在火塘边，捧着残缺的账本，默默运气。

后来，路平在片中饰演了一名反派。

片子开拍的时候我去了新加坡，在克拉码头和一个叫小钻石的姑娘玩塔罗牌，并学会了调制正宗的"新加坡司令"。再回丽江时，大军的片子快要杀青了。我很惊奇他是怎么做到的，跟着去看了最后的两场戏。

大军扮演的是那个丽江混混，有个脏脏的小男孩儿演病童。那个小小的男孩儿像小猫一样乖，眼睛比嘴大，大耳朵薄薄的，几乎是透明的，站在大军身边刚刚到他的腰。

那场戏是拍一次分离：大军和小脏孩儿四目相对，然后各自转身留下背影。按照计划，两个人对视半分钟，转身后分别走出 20 米出画，但实拍的时候发生了一点儿变化。那个小孩子转身后愣在那里，一动不动的，忘了走，也忘了回头，仿佛整颗心都被摘走了。那种茫然若失，揪心得很，任何导演都难以导出他那副体态神情。我的鼻子忽然酸得很，一下子回到了童年最无助的瞬间……四下里一片安静，终于有个担任剧务的姑娘呜咽着哭出声来。

我问："大军，你是从哪儿找来这么棒的小演员的？"

他说："我去孤儿院取景，这个孩子趴在栏杆上看着我……他饭量不小，以后一定能长个高个儿。"

我有个小小的疑惑，我不记得丽江孤儿院的围墙有栏杆。但我知道我的兄弟大军不会和我说半句假话。我没再追问，去吧台给他调了一杯"新加坡司令"，他尝了一口问："你不觉得太甜了吗？"

这部电影的名字叫《我想飞》。高清视界、奥运之美，松下高清影像现场电影节四等奖——是这部电影所获得的奖。

出人意料，居然获奖了。

几乎是零投入的公益电影，当然不可能走院线。但据说在部分城市的观影会上反应热烈，由此也引发了一小股针对滇西北地区孤儿院的志愿者风潮，但几乎没人知晓这始于一个丽江流浪歌手的一次疯狂梦想。无论如何，此举善莫大焉。

该大片儿在丽江的一个电影吧里曾放过一次，大家一边嘻嘻哈哈地看，一边啃着瓜子和辣鸭脖。大军也跟着一起看，看了一会儿跑出去啃鸭脖子了。有几个人坚持看到了最后，看完演职员表上自己的名字后，心满意足地走了。

然后，此事告一段落。

奇怪的是，大军之后再没提过自己拍过电影这回事，好像没发生过一样。他的梦想完成了，完成了就放下了，放得还很干净，甚至没当成人际交往时的谈资。

有时候，我不确定大军是少根筋还是足够智慧。行于心而不驻于心，在这件事儿上，他活得比我见过的大多数人都洒脱得太多。

我曾揣测过，是否这个电影里的故事曾经真实发生过，是否真实的主角就是大军。

他或许是因为未能对某一个逝去的小生命完成承诺，才想在光影中虚拟地画上一个句号吧。若我揣测的是真的，那么，那些胡子拉碴满面风尘的男人，内心该是多么的柔软。

那个脏脏的小孩子，后来经常会来找他玩，不怎么说话，只是依偎在他身边。大军给他炒饭一次打四五个鸡蛋进去，还给他揩鼻涕，亮亮的鼻涕丝儿黏在手指上，他一点儿也不嫌弃，仿佛他就是父亲。

生一张 16 万元的专辑

他还做过一件傻缺的事。

他一直二到现在，或者未来。

他循环不停地二着。

我们一开始卖碟都是找支电熔麦克，跑到朋友酒吧里录现场版，然后把 Demo 用电脑光驱刻录出来。我们把这种碟叫毛片，取其手段原始、技术粗糙之意。往好里说是原汁原味，但给专业音乐制作人听的话，无异于一次性饭盒里盛着夹生饺子、没褪干净鸡毛的黄焖鸡。可一般购买者谁在乎这个啊，再说民谣听的是歌词内涵，本就和技术品质没太大关系。

我坚持以上看法和想法，一直到现在都懒得在配器和录音上下太大功夫，即便录歌也万分抵触各种 Midi 手段。

他却不，卖了两年毛片后，轴劲儿上来了。不过是一个日日混嚼谷的流浪歌手，却把所有的积蓄全部拿出来，东求西告地筹钱，奔成都，跑广州，租录音棚，买版号，托朋友找知名的音乐制作人，自己监棚给自己录制专辑。他花干净了身上的每一分钱，带着母带一路搭顺风车回丽江，饿得马瘦毛长，一见面就和我抱怨广州的碗太小菜太贵。

我听了下他录制的这张专辑，叫《风雨情深》。厚厚的外壳，铮亮的黑胶盘，制作精良，内外兼修，编曲和录音不亚于一个出道歌手的专辑品质。我问他共多少钱，他说没多少。

"那到底是多少？"

他假装满不在乎地说："16万。"

说完，脖子都是僵的。

16万！一辆Smart微型车的价钱，一套发烧单发，一个二线歌手一场商演的报价。一个中产阶级或许可以满不在乎地报出这个金额，但无产阶级的大军你满不在乎个什么劲儿啊你？16万，一张碟你卖50元，卖3200张碟你才能回本吗？你能保证丽江天天不下雨吗？这里半年是雨季！你能保证琴被没收的时候，碟片不会被没收吗？

我替他心痛，马后炮地骂他："花个一万两万元的品质比之前的Demo好点儿就行了，你有几个钱能糟蹋？你不需要打榜，又不需要拿金曲奖。"

大军很包容地看着我说："可那是我自己写的歌啊。"

我形容不出那种眼神儿，好像他是个戴红箍的，我是个随地吐痰的。

"那好吧，那我帮你推推歌吧，说不定哪一首忽然爆红网络，半个季度你就回本了。你说好不好，我说，你觉得呢？唉，我和你说话呢，大军……"

他"嗯嗯嗯"地应承着，聋子都听得出那种敷衍。

"你和我敷衍个什么劲儿啊！你又不用担心欠我的人情。你不是缺钱吗？你是缺钱还是烧钱？"

我知道他是个没什么世俗野心的人，但作为一个在实用主义者中长大的人，我不是很明白这些折腾所为何求。

后来我发现，这次折腾只是刚刚开始。

新碟出来后，他继续以卖唱为生，计划着还完了债，攒够了钱再出第二张！他甚至已经把第三张碟的封面都找人画好了。我计算了一下投入产出比，回想了一下自己认识的那些心狠手辣的理财经理，没有一个黑心理财经理的手段有大军对他自己狠。他是跟钱有多大仇啊，摁着自己脑袋，大头儿朝下往井里栽。

一起卖唱的兄弟们一个接一个地开店了，一个接一个地在丽江租得起院子了，他依旧在三步一亭、五步一岗的流浪歌手们的夹缝中讨生活。他自己给自己规定了每天的销售额度，每天下半夜才收工回家蒸饭，每天卖唱的时间几近五个小时。

或许是因为品质的提升确有药效，他名气慢慢地越来越大，开始有人慕名来听他唱歌，主动买碟。我后来认识一些朋友，很会唱歌，他们当中有些人甚至可以好到在"中国好声音"的舞台上称王称霸，在"快男超女"的舞台上加冕桂冠，可如果把他们都放在没有反送音箱的街头，我坚信没有人能唱得像大军那样动听，一个都没有。

你见过不做作不装逼不孤傲清高也不谄媚满脸的流浪歌手吗？

当下的大军就是。他唱歌的时候简直可以用不卑不亢来形容，你若给他鼓掌，他面带微笑、宠辱不惊。他收钱的时候几乎是一种理直气壮，他说："我的碟好啊，什么电脑都能放出声音来……"他说这句话时，我常常暗暗咽下一口血，眼前飞过一只乌鸦，尾巴上拴着个牌子，上面写着：16万元。

自从开始卖新碟，他就变得很有亲和力，甚至会很自信地赞美认真听歌的人们："哎呀，谢谢你专门来听我唱歌，我的碟好啊，什么电脑都能放出来……你长得这么漂亮，你是从成都来的吧。"

在他的脑子里，所有漂亮的姑娘都是从成都来的，哪怕人家讲的是广东话。

关于姑娘，我知道和他有关的故事有三个。

睡着的人怎能叫醒另一个做梦的人

小洋芋是上海MM，典型的公司白领，挤地铁、吃盒饭，在朝九晚五的日子里理智度过漫漫人生：理智的同事、理智的家人、理智的生日派对和相亲、理智地麻木不仁。

于是，她攒了年假来丽江放空，没想到遇见了他，一开始是艳遇，然后骤跌进了真爱。大军是她的安眠药，她心甘情愿地跌进了一场深睡眠。

小洋芋毅然决然地辞职，告别所有清醒的日子，剃了光头陪他浪荡在丽江街头。

昂着的青皮脑袋，就像一颗圆圆的青皮西瓜，半蹲在他旁边打手鼓。他唱歌，她就打鼓，双眼微眱，乍一看像个刚还俗的大尼姑。

颠覆一种生活方式，爱上一个流浪歌手，跟他卖唱在街头，是小洋芋的修行。

她从不喊大军的名字，只喊一声"喂"，大军却很喜欢喊她的名字"小洋——芋"，胡子拉碴的男人拉长声音喊，有种微妙的温柔。他给她起的这个外号，实惠又管饱的意思。

这个有点儿二的姑娘，一点儿也不像是个爱上流浪歌手的文艺女青年。她胸部饱满红唇也饱满，嘴上永远叼着半支烟。看人的眼神直勾勾的，爱喝酒不爱说话，别人讲笑话的时候，她永远是冷冷地破梗的那一个。

我坐在自己的小酒吧逗客人玩："有只鸟在天上飞，它只用一只翅膀飞，你们说为什么？"她在一旁不等别人思索，立马接口："因为它愿意！"

"还有一只鸟也在天上飞，它只有一只翅膀……"

她依旧不看脸色地接话："因为它很坚强，唉，这个冷笑话我早就知道了。"

除了大军，她说话做事都不太在乎其他人的感受，一点儿也没有上海女人的缜密精致。20 大几发育良好的大姑娘了，依旧仿佛一个叛逆期的不良少女。

我却觉得懂她，她只是理智的日子过得太久了，刚刚开始体验青春期。她正试着在自己的梦中选择自己发育的方式。有好几回，我看着她，忍不住想伸出手去拍拍她的肩膀，像拍 17 岁的自己那样。

她在丽江结识的朋友不多，天天糖黏豆一样贴在他旁边。对他却是发自真心地好，屁颠儿屁颠儿的，再饥一顿饱一顿也受得，再不遮雨的出租屋也住得。眼耳口鼻舌身意，她关闭了部分感官，并未觉得苦。

我常去他们租住的小木屋蹭饭。楼下是厨房，有口好大的锅，楼上除了床和琴，别无长物。床单是扎染布的，摸上去粗粗的。他们搞来一块灰色的地毯铺在地板上，算是沙发、餐垫和茶海。那是个梦幻的小屋，起风的时候，整栋小木头房子会有节奏地轻轻地吱吱嘎嘎，像是一对耐力持久的爱侣，缠缠绵绵地在行周公之礼。

和所有情侣一样，两个人也吵架，一个生气了"噔噔噔"在前面走，一个背着吉他急促促地后面追，把青石板的路踩出一连串清脆的响。不吵架的时候，两个人偶尔会勾着小指走过大石桥，甩啊甩，把清寒的日子搅拌得浓郁而稠。

他们动过成家的念头，一起回过上海，返回丽江后却不曾提及和家长们交涉的情况。用脚后跟也能想出大军所遭遇的尴尬，在上一代人眼里，不管他长得有多帅气，终究不过是个流浪歌手。

他发梦攒钱做专辑，她理所应当地配合，手打鼓打裂了就缠上胶布继续打。那些白日梦，别人再劝他，她也不劝，她不是支持或理解他的追求，只是理所当然地配合。睡着的人怎么能叫醒另一个做梦的人，于她而言，丽江本身就是一场梦游。

她在丽江街头晒黑了脸，修持着这份亦幻亦真的感情，整整陪了他两年。

后来两个人的梦做完了。

按照大部分丽江爱情故事走向，小洋芋顺理成章地回归十里洋场。

他俩之间或许有过生离死别，但非外人能知晓得了。此类有始无终的故事在丽江不稀罕，常住民有自己的一套伦理体系，那是锋利而冰凉的一套体系：无所谓谁对谁错……不过是一场擦肩而过。

我却还记得小洋芋写的歌词：

我会一直陪着你/不管刮风还是下雨/晴天时候陪着你/阴天依偎在一起/你是我今晨的奇迹/漫长的一天我们在一起/如果上天安排你明天离去/走遍天涯我要找到你……

少女情怀总是诗，小洋芋的这首，写给的是一个叫大军的流浪歌手。

大军老唱这首歌，不论小洋芋在的时候还是离开后的数年。我听不出歌声中有什么变化，他唱得很坦然。有人故意提起小洋芋，来暗贬这个故事的有始无终，他不解释，我却能懂他。

我有个杭州朋友叫负小一，他说他从不会把"一直""永远"这样笃定的词挂在嘴边，他说："除非到死之前那一刻，人都没资格轻易使用永远二字。"

我有个济南弟弟叫纪宇，他肋骨上的文身是："我命由我不由天。"

我有位师父叫释寂德大和尚，他开示我时说："有一种逻辑关系叫信心、愿力、修行。"

小洋芋呢？

爱做梦的小洋芋，梦醒了的小洋芋……滚啊滚进了丽江红尘，又滚回了另一个红尘的小洋芋哦，你说梦话时秉承的是怎样的信心？

为何那么快让自己遗憾地醒来？

2010 年，小洋芋重回丽江，不过已然是游客的身份。她皮肤变得白嫩，留起了长发，还穿着宝姿的套装裙。小洋芋重新变回了那个清醒理智的小白领，坐在我的小酒吧一根接一根地抽烟，大声地笑大口地喝酒。

她坐的不是我的小酒吧，是她已经放弃了的丽江。

我见不得那些欲盖弥彰的伤心，把她撵了出去。

自此再也没见过她。

熙熙攘攘的丽江，相忘于江湖的人们，安安全全的清清醒醒的不爱做梦的人们，我自此再也没见过这个曾经爱梦游的女人。

别把浮躁生活当成长

我觉得小斑马和大军之间的故事，是她艺术人生中罕见的一次疯狂。

故事很简单：艳遇。

小斑马是一个北京女歌手，薄有微名，容颜姣好，有一首作品网上甚火，算是个冉冉升起的小明星。

按理说在那个浮夸的圈子里，浮沉的男男女女都是理智而功利的。

在那个圈子里，口服海王金樽的男人把人脉资源看得比亲情重，伴醉的女人永远记得遁去洗手间PS自己的容颜，不男不女的人潜藏锋芒却比鸷鹰还要利爪尖牙，所有人都是阿加莎笔下的潜在大反派，所有人都是斯坦尼斯拉夫斯基的好演员，包括她在内，这个漂亮的小明星。

她来丽江度假，听了大军的歌，惊艳于他独特的男人气，看上了他，或者说上了他。

同行圈里人一开始没当回事，后来惊讶于她撕掉了机票、推掉了工作行程的举动。

他们不可理喻她的离经叛道，说她脑子进水了。

吃腻了筵席的人偶尔也会爱上吃盒饭的，这是我的理解。就像热衷于爬雪山的往往是北上广的中产阶级，人缺什么就会想什么，然后在心里把那点儿新鲜感无限放大，怪只怪现世的平坦生活没有太心跳的起伏。

意外的是，他也接受了她，或者说不意外，吃惯了盒饭的人偶尔也会迷恋筵席的……你看，多么坚硬冰凉的辩证法。

我心里一直把大军的生活状态看作一种修行，也一直认为他的人生态度不会为什么东西所动，故而一开始没太当回事儿，管天管地管不着兄弟艳遇……但没想到的是，大军动了真格。

她一次次飞来丽江看他，撕机票，各种对未来的许诺，各种依依不舍的眼泪。这份来自陌生世界的温度融化了他固有的修行。于是，某一天睡醒后，他买了生平第一张机票。吉他都没拎，去了北京。

我擦，吉他都没拎！吉他啊！

那段时间，靳松和小植正在北漂。他们在南池子大街的胡同里租了间小房子，简陋无比，他俩吃住都在里面。和所有北漂一样，为了一个模糊的未来踮起脚尖去碰运气。

时逢中秋前后，我路过北京，就去探望一下他们，正好碰上大军风尘仆仆刚刚抵达。他说，怎么机场离天安门这么远？比丽江到大理都远。

他忙着洗脸、刮胡子、梳头发、整理衣服，完完全全就是一个初次约会的高二男生模样。他尝试着和我谈这个女歌手，描述她的美丽，"我就没见过这么好看的女人"。他又向我问起通县的房租，向我打探环线地铁该怎么坐。

我惊悚地发现他隐隐约约有扎根北京的打算。那么多人壮士断腕才得以逃离的北京，他打算一脑袋撞进来。

我坐下来和靳松、小植玩会儿音乐，他也兴致勃勃地加入，非要让我听听他的新歌。那些新歌曲调都是欢快的，甚至欢快到轻佻的程度，他不停地说："大冰鼓可以打快一点儿，快起来吧，快……"

……你妹，之前老是嫌我打得快。

间隙，我用手机给大家合影，他坐在其中，表情像个闯进婚宴的陌生人。

转眼到黄昏，我想请大家去喝点儿，大军说不去了不去了。然后，他问靳松借琴。

他说："我晚上有约会，我要给我女朋友一个惊喜。"

女朋友？都女朋友了？

我和靳松说："大军约会的不仅仅是一份奇异的爱情，他约会的还有'北京'二字，以及这两个字背后所涵指的那个陌生的世界，他今天是个机会主义者。"

靳松是个很木的人，他的反应速度很慢很慢，他用筷子拨弄着一盘炒菠菜，考虑了很长一会儿然后说："我们都一样。"

一语成谶，几年后靳松帮我印证了这句话，那是另外一个故事了。

是夜，大军没回来，他买了第二天最早的车票回了丽江。

机会主义者的大军和那个漂亮的女歌手的故事，戛然而止在那个晚上。

又一个韩剧经典剧情：斯人已为人妇，那不过是一次出轨。

作为一个旁观者，我不否认她的温度，却无法认可她的纯度。

曾经一只脚踩进过那个圈子的我，见闻过太多"有守门员也可以进球"的种种实例。某种意义上，爱用下半身思考的人们会认为大军不仅没吃亏反而占了天大的便宜，可是我觉得他只是莫名其妙地被当了一回进球前锋：以为那是颗从天而降的玻璃心，到头来，不过是颗偶尔钻进他脚下的橡胶球。

那起初的时候，大军他是怎么想的呢？他在来北京的路上，心里想要的其实是什么呢？

也未必单纯只是爱情吧。

2012 年，有个叫宋冬野的民谣歌手在豆瓣上声名鹊起，我特别喜欢他的一首歌叫《斑马斑马》，尤其中意其中一段歌词：

斑马斑马/你回到了你的家/而我浪费着我寒冷的年华

斑马斑马/你还记得我吗/我是只会唱歌儿的傻瓜

你的城市没有一扇门/为我打开啊/我终究还要回到路上……

这段歌词给我带来了一个和大军相关的意象：他走在闷热的长安

街上，路过一个个巨大的楼宇阴影，哼着歌，两手空空。

当年冬天，靳松和小植也离开了北京，终止了他们机会主义者路线的尝试。此后的他们重新回归到滇西北的风花雪月中，弹琴唱歌喝茶慢生活，安安静静地怡然自得。我替他们庆幸，却一直对靳松当初那句话耿耿于怀，他曾悲观地说：我们都一样。

我的兄弟呀，哈哈哈哈，中弹后再把疤痕当作一次成长？一生那么短，我们为什么非要这样。

这个故事，我想讲的不仅仅是艳遇、斑马或失望。

站在某一个角度，我只是感觉很多东西一开始本可以规避：比如一段康庄的歧路，一个貌似绚烂的机会，比如一个虚妄的方向。

就像歌里唱的那样："不要让我把浮躁的生活当作成长……"

一颗爱上榴莲的甜瓜

这个女生，我们称她为流浪歌手的情人，老狼那首歌的每句歌词都与她无比贴切。

她给大军生了个孩子。

大军终于遇见了一个从成都来的姑娘，她是个在成都上大学的河南女孩儿，家境殷实，前途光明，是个酷爱旅行的青涩大学生。在含苞待放的年纪，路过丽江，一遇大军误终生。

这些年无论是豆瓣网、天涯网或者人人网，有一类故事经久不衰，总有人写，总有人读：丽江或拉萨，单身旅行的男男女女爱上了一家客栈的掌柜或是一个酒吧的老板，各种义无反顾，各种 Fall in love。短则三五天长则三五个月，扮演完第 N 任老板娘的角色后，迅速地伤心，迅速地逃离，然后在网上书中人前藕断丝连地恩怨，或者把回忆里所有画面美图秀秀成阿宝色。

身为一名资深丽江混混，我目睹的此类故事简直可以船载斗量。在丽江这个奇怪的垃圾堆上，每天，甚至每分钟都有这种花儿在骤然开放，或者嗖呼凋谢，她们都是没有根的。

　　路过的人恣意欢狎，回头却指责古城的艳俗、肉欲的洪流、浪子的滥情，却总不肯正视已身扮演的角色。来期许心动的人们，来体验新生活的人们，来疗伤的人们，本质上你们都是伟大的消费者。别惋叹自己在这个古城里分泌的多巴胺，本质上，那些都是你构架故事的一部分，古城以及里面的常住民都是配角，本质上都是在被你消费。你以为只有你受伤，只有你损失吗？浪子就不是人就没有心就不配期许真爱吗？你以为只有自己在埋单吗?!

　　足够有勇气的话，初心够净洁的话，你会这么矫情吗？

　　和那些艳遇消费者不同，第三个女孩子爱上的是流浪歌手大军，赌上的是自己的整个青春。

　　她嫁给了他。

　　她基本算是慕名来听大军唱歌的那一类人，本想在街边站一会儿，买张碟要个签名就去吃丽江粑粑、冰粉凉宵、烤玉米炸洋芋的。结果第一首歌听完，人就傻在月亮下面了，整个世界都变成了空气，只剩下一个抱着吉他的胡须男坐在水云间。

　　她那时的神情，应该和别的过路女人不同吧，胸腔里有咚咚的雷声，眼睛里有星星，脸上还带着没完全代谢干净的孩子气，新买的薄薄绣花裙扑扑簌簌在晚风里……没喝酒就醉得双颊绯红。

　　一个晚上的失眠就让她长大成人了。她的身体还是孩子，却有了一颗百转千柔的女人心。她开始尾随着他，一个夜晚接一个夜晚默默地听他唱歌，眼里全是敬仰和爱意，心中满是绮丽童话的序言，人却永远远远地站在角落。

　　就像洪启的歌词说的那样：

　　我站在你梦里看着你把我想/我站在你心里看着你的迷茫

　　我望着你身影寂寞时摇晃的模样/我想着你唇红黑夜里孤独的流淌

我站在远远的那个角落／我蹲在远远的那个墙角

我站在你妈妈看不到的地方／等着你……

一夜夜辗转不寐，一天天跟踪尾随，那个遥不可及的男子是星系的轴心，让她沿着轨道不停公转，让她不停自转到晕头转向。爱煞了这个男人，却始终没勇气上前搭讪，她在他身上耗光了累世劫攒起的暗恋。

直到某一个擦肩而过的五一街转角，两个人同时停下脚步，一个垂下眼帘一个抬起眼睛，两两相望。

这一望，司马光砸缸。

她回去终止了学业，告别了热衷于读陆琪大妈的玩伴们，把所有漂亮衣服送人的送人处理的处理，背着铺盖卷儿来了丽江。她甚至还拎着一只超大号的电饭煲。她说："从今天起，我给你做饭吃。"

大军应该是她爱上的第一个人，她是一颗爱上榴莲的甜瓜。

奇妙的是，她居然获得了双亲的祝福："去吧姑娘，好好和他过日子。"

她很认真地去过她的日子了，她给他生了个孩子。

我见过她的父亲，一个和蔼的小老头，一笑满脸的皱纹。老头把小外孙放在膝盖上，骑马一样地颠着，身旁一壶普洱茶。他说："两口子么，肉吃得，菜也要吃得……"

老人家应该阅历过半世沧桑无常，能欣许这门亲事，真是个神奇的老人家。他向我夸孩子的下巴长得像大军，我吭哧了半天不敢接话，见惯了大军满脸的胡子，现在这个小家伙肉嘟嘟的、滑溜溜的，看起来实在不像。大军整天把孩子捧在脸上蹭来蹭去，孩子的脸居然没被蹭破，小孩子真是种很神奇的东西。

一切润滑得像颗巧克力糖果，带有馥郁的果仁儿香，那是童话的味道。

自此，由她陪着大军在街头卖唱，天天听他唱一样的歌，谁也没有她听得认真，推销碟片也没有人比她更敬业，那口气那神情，俨然在推介格莱美金曲。稍微有人表露出不认可大军的音乐的神情，她就目光如电地两把利剑狠扎过去，仿佛有人在剜她的肉。

有一回，我开玩笑点评我们游牧民谣诸位歌者的作品：路平是摇滚底子民谣皮，靳松是苦逼苦逼再苦逼，小植是为赋新词强说愁，大军是糙老爷们儿玩旖旎……

她听了以后几乎和我翻脸，炒的菜里辣椒比平时多了两倍。

我向她告饶："好了，好了，我错了，我眼泪都辣出来了，我错了给杯水行吗……我错了，能不给滚开水吗？"

有她为伴，大军的卖唱生涯一下子变得天雨宝华缤纷而落。和之前的随意吟唱不同，大军抱着琴的姿势居然变得挺胸凹肚。他开始习惯唱歌的时候微微侧向她那一方，开始习惯冲着她呼呼哈哈的男子气地笑。

有被感染的旅人在微博里描写他们：多么幸福的歌者，最忠实的粉丝亦是自己的家人，琴盒里的每一分钱，都是外公为小外孙挣的奶粉钱……这位仁兄认为她是大军的女儿?!这种说法是坚决错误的！虽然很像，但我们要假装不像。

我大体估判过他们两人的年龄差距，香港回归的时候，一个已近而立，一个还在幼儿园里牙牙学语。我一直不知道怎么称呼她好，从没有过对着 90 后小女生叫嫂子的经验。2010 年游牧民谣第一次全国巡演时，大军带着他的 90 后新婚小媳妇儿参了杭州站演出，人前人后不要老脸地脸贴脸地搂着她，那时候宝宝还在肚子里。我送他们去酒店的时候帮忙拎了下箱子，她挺了挺肚子冲我说："宝宝，咱们谢谢大冰哥哥……"我擦，哥哥？我都三十多了，你一个 90 后打算生了孩子还让孩子喊我哥？

每天收工后，大军都揣着钱去给她买裙子。

他披着自己那件古董皮衣，一家一家店不重样地买各种各样的裙子：民国黑裙、彝族长褶裙、棉布白裙、碎碎的绣花裙，很快就挂满了整个衣橱。刚结婚的时候，他给她买修身的裙子，怀孕时他给她定做。据说她躺在床上预产的时候，穿的都是华丽丽的尼泊尔长裙，惹得隔壁临床的产妇尖着指甲一下又一下地拧自己的老公：你看人家，你看人家，你看人家。

她曾偷偷地和我说："大冰哥，要不然你劝劝他……买点儿别的也行哦。"

小嫂子或者老妹儿，我劝什么劝呢？这个年纪的小萝莉们还在淘宝上积攒着买家信用，你却提前成为了一个操劳的小妇人。你的歌手只能给你一间小小的阁楼，一扇朝北的窗，他恨他不能交给爱人的生命，他怕他不能带来幸福的旋律，他不能把星斗变成你手上的钻石，那就让他给你继续买裙子吧，给他一个宣泄爱意的闸口吧。

她穿着他买的裙子，认认真真地爱他和他的音乐，爱到肋骨里。

她的人生白纸一样的单纯，浓墨重彩地印满了他，他是她世界的君主，而她和孩子是他的佛。

丽江人民每天下午的生活无外乎三样：泡茶、遛狗、晒太阳。大军现下每天下午的生活：练琴、晒老婆、遛孩子。他把三者结合为一体，乐此不疲。于是你会看见在五一街主街和王家庄巷交会的那片阳光里，一家三口悠闲地坐在墙根，流浪歌手大军弹琴给老婆听，顺便唱唱川子的《挣钱花》给孩子搞搞音乐幼教。流浪歌手的情人一会儿含情脉脉地看着大军，一会儿看看孩子。不到一岁的孩子吐着泡泡，冲每一个大咪咪的路人咿咿呀呀，路人的相机咔嚓咔嚓地响，笑得胸前波涛汹涌，一边还笑着对同伴说："你看你看，那孩子还戴着墨镜。"

这幅画面长留我心，若你有缘丽江街头得见，也驻足观望一下吧，货真价实的治愈系。

我希望有生之年，大军不会有第四个女孩儿的故事发生。

这一辈子，总有些奇妙的东西会从天而降。
有些落在身后，有些落在面前，落给每个人的东西都不一样。
它们天雨宝华缤纷而落，却难免明珠投暗，世人常不识、不知、不屑。
摊开手心去接一下又如何，总有一样，值得你去虔心忠诚。

幸福的出口，有那么单一吗？

　　写这篇文章时，我窝在济南文化东路松果餐厅的角落里，一边打字，一边和一个脸蛋像苹果一样的服务员斗智斗勇。算了一下，已半年未回丽江。半年未见了，有那么一点儿想大军，没我给他敲鼓，不知道碟片卖得怎样。

　　上次从丽江离开的前夜，大家喝了一夜的酒，靳松弹着吉他，老兵送来烧烤，大冰的小屋清清净净，满地空酒瓶。摇曳的烛火里，我慨叹了那些死在滇西北的朋友，又回顾了这些年共同走过的路。我借着酒劲儿问他："大军，这么多年，有件事我一直没搞明白……你怎么这么能吃啊你。"

　　我没见过他喝醉过，可那次他醉得直摇晃肩膀，他盯着脚尖和我说："我挨过饿。"

　　彼时，他酒气满身满脸赭红。

　　这个男人在仫佬山寨长大，成年之前吃肉的次数两只手就能数过来。年少时迫于生计，跟着同乡在离家千里的建筑工地打工，扛水泥，切割钢筋，在没有保护的脚手架上结束了自己的青春期。

　　他因为饭量大而被工头奚落，为了唱一次街头卡拉OK而生平第一次进理发店。被欠薪，讨薪水被打成重伤，见识了江湖郎中的虎狼药，同乡冷漠的脸，然后带着满腹委屈和对这个世界的不解去流浪。在不同的城市不同的乡村被迫接受不同程度的屈辱，他住过收容所，也住过水泥管，偶尔靠力气换来一些粮食，却始终被饥饿的恐怖笼罩。

　　弱冠之年，在一个遥远的城市结识了好心的流浪歌手，他尊称那人为老师，老师把所会的所有吉他知识倾囊相授——不过是几个最基本的吉他和弦，却由此拯救了他接下来的人生，他说："自打会流畅地扫弦那天开始，我就再没有考虑过自杀。"

接下来的日子，唱过地下通道，也唱过乡村的红白喜事班子，依旧是流浪，路却越来越晴朗，挣了钱就买米，自己做饭，一开始熬粥，后来煮饭，后来偶尔做蛋炒饭，他向我描述那些年每一次吃完蛋炒饭后的那种幸福，"简直和性高潮一样悸动人心，"他说，"我从未浪费过一粒粮食。"

整整十年的流浪，三十岁的时候流浪到云南大理，他那时已经历练成一个对音乐有独到见解的歌者，生活这所学校生生地把他磨砺成了一个感慨万千的老人。用往昔的岁月当引子，他开始自己写歌编曲。这个半辈子活在琴弦上的男人，书读得不多，歌词却至纯，音乐诉求大有古风，他的歌有别于其他任何温饱之余才去练琴的大师们。沧桑，但不矫情也不苦涩。

他开始在艺术家扎堆的大理有了名气，后来一鸣惊人的民谣歌手川子曾是他的街头搭档。他自己开了家小小的酒吧，娶了一个白族姑娘，有了一个孩子。奈何世事多舛，每天辛苦经营也抵不住水涨船高的房租和形形色色的税费，他的酒吧倒闭了。祸不单行，文化差异又导致了婚姻的破裂，爱人抱着孩子说，你走吧。他说，好吧我走吧，我每个月会邮钱回来的。他后来做到了。

于是，二度上路继续流浪，一路重操旧业卖唱为生，他路过丽江的时候被我们捡到。莫名其妙地，自此扎根在了丽江，依旧做他的流浪歌手，每天唱的都是自己的原创。从卖唱到卖碟，这个饱经沧桑的中年男人的人生在音乐中再一次得到了的升华，他偏执地辛苦卖艺，攒钱做专辑，乐陶陶在自己建筑的那个单纯的音乐世界里。

"真希望有一天我是抱着吉他唱歌时死去，"他说，"我希望这样走完这一生。"

他又说："你是我的朋友，大冰，没有你我现在不会过得这么好，我们在一起真的很开心……我那儿还有些菜，一会儿我去炒一锅饭……"

他醉得前仰后合，跳舞一样炒着饭。睡眼惺忪的小媳妇在他背后切着葱花，满脸的温柔。

我那天捧着大碗，坐在他小木屋的马扎上，吃了一碗又添了一碗，没吃完，到底剩了半碗。他接过来，两口替我吃完。

这些年，那些事他只说过一回，我全都记住了，我想我再也不会问起他的过去。我很后悔那次的发问，但我总结不好后悔的原因。

听歌的人们保持安静，此刻吹来的是什么地方的风。

这从不是个公平的世界，在这个繁花似锦的时代，我们依旧无法规避匮乏之苦，无法逃脱恐怖的笼罩，周遭总是浸渍着或深或浅的苦难。在冠冕堂皇的纸张上，"苦难"这两个字总是和励志，和什么奋发图强的桥段相结合，然后在形形色色的故事里统统指向世俗意义上的成功，我认为这种欲扬先抑是肤浅的。

世俗意义上，大军一定不是一个成功者，他的一生或许都和物质主义的成功无缘，可谁说不成功的人士，就是不幸福的？指向幸福的出口，有那么单一吗？

有人说安全感是幸福生活的基础。好吧，在涉及安全感的层面，他过得亦是你我眼中最没有安全感的生活，没有三险一金，没车没房，漂泊无根的人生，老无所依的将来。是啊，多么没有安全感，想想就觉得心怯。但他又不是活给我们看的，安全感的建立，途径有那么单一吗？

在小市民哲学的罐子里待得太久，我们容易忘记了什么叫鸟瞰。

苦难后的大军，当他香香甜甜地吃着他最爱的大米饭时，当他揽着肯跟随他浪迹天涯的爱人时，他获得的是一杯清澈的水，以及一棵叫做幸福的植物。大军历经坎坷，一颗心却并未畸形，当我把他当下的人生状态贯穿起来品读时，我那么羡慕他那至简至纯的生活，那么羡慕他那些指向幸福人生的出口，这一切，和你我定向思维中的成功无关。

愿你亦作如是观。

大军现在每天还卖唱在丽江街头，如果某个午夜的路灯下你遇见他，请买一张他的专辑，他会有机会多挣一点儿奶粉钱，你会有机会介入一段一感三叹的幸福人生。

谢谢你。

[送你一颗糖]

幸福或许是一颗一直揣在你的口袋里的糖，
可那些奇妙的甜，只能被舔过种种滋味后的味蕾品尝。

一个女人的两个第一次

　　我的姊妹儿可笑说："月月走过很多地方，一个人走了很多年，她是个三毛一样的女人。"

　　我的姊妹儿可笑说这话的时候，我还不曾认识月月。后来认识她后，我发现她有和三毛一样的一头长发，却比三毛漂亮多了。

　　月月不算我的老朋友，到目前为止我们只认识了三年而已。

　　但于我而言，她却是个意义非凡的女人。

　　我浪费了她的两个第一次。

　　分别是她第一次给男人下跪，以及她人生中第一次穿婚纱……因为我而穿婚纱。

　　而这两个第一次都发生在同一个小时里。

　　是我们认识的第一个小时。

　　当时，我带着乐队巡演到杭州，一干天南海北的朋友纷纷飞来捧场，顺便聚会。大家相聚在西湖边喝茶叙旧，有人带着家眷，有人带着朋友的朋友。人刚刚聚拢，开始点单的时候，我忽然接到一个公务电话。电话里同事江湖救急，央求我赶紧去杭州婚庆市场挑选两套有什么什么感觉的婚纱礼服，赶紧送到西溪湿地去拍片儿救场。

　　我一个单身男人怎么可能有买婚纱的经历，还那个"什么什么感觉"的礼服，我怎么知道什么感觉啊。

　　情急之下，我拽上可笑就往门外跑。和蔼可亲的可笑奋力挣扎，死命抓住门把手不肯松手。我说："可笑，你害怕什么？我又不是要让你陪着去买充气娃娃，不过是买个婚纱而已啊。"

　　可笑一边儿用鞋尖儿认真踹我的小腿，一边回答："我才不要陪你去呢，别人肯定会误会的啦，多丢人啊……"

　　我冲玻璃门照照自己的尊容……确实有点儿丢人。那两天，我图省事儿没刮胡子，披着的那件老式对襟棉袄也油渍麻花的，一副活脱脱的中年落魄男人形象，陪这样的男人去买婚纱，实在是不太高雅。

我松开可笑，扑回桌子旁重新捉人。我说："大军大军，把你媳妇借给我用用吧……"

大军90后小媳妇肚子一挺，道："你见过怀孕7个月才去买婚纱的吗？"

我转头央求小植的女朋友："菜菜，跟哥走吧，买完婚纱给你和你们家小植买包子吃哦。"

菜菜还没回答，我忽然屁股一疼。扭头一看，小植正默默用变调夹夹我大腿根的嫩肉……

催命的电话又响了，我不是个善于拒绝别人的人，吭哧了半天也没把无法完成任务的话说出口，反倒是电话那头儿冲我在着急："大冰你倒是快点儿啊，救场如救火啊，懂不懂啊！"

我挂了电话，很无奈地问："真没人愿意跟我去买婚纱吗？"

满屋子的人点单的点单，喝茶的喝茶，完全没人响应。

只有一个女孩子戏谑回答道："买婚纱这么大的事儿，你一点儿诚意都没拿出来，怎么敢跟你走啊。"

我把那女孩子拖起来，面对面站好，立时三刻行了个单膝跪礼。我说："姊妹儿啊，这样够诚意了吧，求解救啊。"

大家哈哈大笑，那个女孩子也哈哈大笑起来，她立马也还了个单膝礼，一边回头笑着跟人说："得！第一次下跪就跪给这么个男人了，我说今儿个怎么就这么寸啊。"

我们就那么单膝对着跪着，谁也不肯先起来。

可笑说："大冰，这就是我老和你提起的那个月月，还没来得及介绍给大家认识，你们俩就夫妻对拜了哈。"

我说："可笑你给我一边儿凉快去！月月，我已经等不及啦，咱们赶紧买婚纱去吧。"

用北京话说，月月是个挺"飒"的大蜜，大长腿大长发大眼仁儿，还有性感的大嘴巴，回头率挺高的一姑娘。可再飒的北京姑娘也有尿的时候，当时我们俩站在婚庆用品大楼前酝酿了好一会儿情绪，才鼓起勇气走进楼里。

不出意料，几乎每家店都把我们当成是已经登记即将婚礼的小两口来招揽，我心里那个别扭啊，又不好意思挨家挨户地发表声明撇清关系，只好加快速度赶紧买两件婚纱后立马闪人。

不买不知道，原来婚纱尺码是那么奇妙，几乎每一家店的老板都盛情邀请你试穿。听那话的意思，你不试穿简直就不是女人，你一个当相公的不让自己的娘子试穿一下简直就不是个人。

我已经不知道自己该扮演个什么样儿的人了，只好任人摆布。

店主人把月月连同一套落地窗帘那么大的婚纱一起塞进了布帘子后面，然后亲切地和我聊天："哎呀，你们登记了吗？婚前检查做了没啊？准备什么时候办准生证啊……"

我这叫一个别扭，简直都不是害羞了，已然是害臊了。

月月在帘子里面叫："哎呀，妈呀，拉链儿挤着肉了！"

店主人一边把我往帘子里面推，一边儿说："啊呀，你这个当老公的还不进去帮忙拉一下。"

我立马开始哆嗦了。

月月从帘子缝里"嗖"的一声伸出一颗脑袋，很紧张地说："你想干什么?!"

我没想干什么啊……青天白日的，我冤死了我。

那次买婚纱的经历永生难忘，绝对心理阴影。

后来，我们抱着婚纱走出大楼时，俩人皆是满头大汗。月月走着走着，用肩头猛撞了我一下，说："哥们儿，我这是第一次啊，怎么就这么浪费给你了啊？"

我扔了婚纱扑上去捂她的嘴，可是已经晚了……熙熙攘攘的杭州街头，路人纷纷侧首，耐人寻味地看着我。

……

这就是一个小时之内，我浪费了月月两个第一次的作案过程。

这个故事结束了以后，我们几乎成了生死之交。恐怖的婚庆用品大楼是个喜庆的鬼门关，这是大龄单身女青年月月和我的共识。

我是个极度热衷恋爱感觉的人，却一直不是很明白婚姻的意义，很多年也没真正动过结婚成家的念头。三十三岁之前，我一直不明白如果一个人内心足够强大，人生足够丰富的话，为什么一定要靠婚姻家庭来维系自我安全感。一直不明白为什么做人就一定要在规定的生理节点去按规则出牌，也一直不明白为什么人要为了结婚而结婚，为了家长而结婚，为了证明自己的成熟、自己看起来不像个孩子而结婚。

我喜欢孩子，尤其爱小小的、乖乖的小姑娘，但如果说让我用放弃个体自由为代价，为了一个孩子而建立一份婚姻关系，用婚姻来换一个孩子，那我宁愿孤独终老。

三十三岁之后，方方面面的世俗压力与日俱增，之前那些想法有所动摇，但也不过是外力，自己内心还是一百个、一千个不明白。

我和月月探讨过这些问题，她捂着嘴哈哈大笑，然后告诉我，"你的困惑和我的几乎一模一样。有种说法说咱们这类人之所以如此，是因为还没找到对的人。"

顷刻，她又改口，"哪儿能是找得到，应该是遇到。"

我完全认同她的观点，但对"遇到"二字的概率表示没有什么信心，月月说她也一样，我们再次找到共识。

有种女人，你不论和她怎么相处都不会有什么压力，这种感觉很舒服。我们忽略了年龄和性别，开始兄弟相称，彼此成为对方的好基友好丽友好朋友。

但很奇怪，这么投契的女人，长得又挺耐看的，居然没和她擦出火花。

后来听说男女之间没有纯粹的朋友关系，我认为那是在放屁。酣畅淋漓地做朋友，总比有始无终地当回恋人要好得多吧，买椟还珠的事儿咱可不干。

我觉得我这种思想境界简直可以再用古诗来诠释一下：

兰之猗猗，扬扬其香，不采而佩，于兰何伤。

一个女人的环球流浪

月月大多数时间生活在北京，她极为随和，爱开玩笑，不笑不说话。

她喜欢盘着两条大长腿坐着，塞着耳机，手里掐着麻花，开开心心地和人嘻嘻哈哈。她指甲剪得极短，不涂指甲油，无论冬夏，袖子永远挽到肘部，左臂上有明显的三条疤：一条是因为在南亚被抢劫，一条是因为在中美洲也被抢劫，还有一条是因为在北京被抢劫。她并不怎么忌讳露出伤疤，这和其他的女生不太一样。

我们认识的时间长了以后，我发现在一众兄弟里，月月是最爽气的一个。我每次到北京，电话一通，她就会开着她的小破车跑来管我饭，约好了几点就会几点出现，仿佛北京的交通拥堵完全不存在一样，我没见过比她更守时的女人。她是个极会体谅旁人的人，一起吃饭的人里间或有一些生活窘迫的穷朋友，她从不会冷落了人家，不会让人家感觉到一点儿的不自在。

我不是个多么成熟的男人，言行举止时常有些桀骜，她包容之余向来都是直言不讳地鞭挞，算是个难得的诤友。

她有段时间兼职当买手，经常跑去首尔扫货，我半夜给她打电话，絮絮叨叨说自己的烦心事儿，她顶着国际长途加跨国漫游陪我煲电话粥，我一打一两个小时，她也不会不耐烦。我那时和最好的朋友合伙开店，自以为真心相待必得善果，故而不设防，未曾想终究为兄弟阋于墙的状况伤透了心。难过时，她是唯一一个懂得如何宽慰我的女性朋友，我难过时喜欢沉默，她就在电话那头陪着我沉默，隔着千山万水地陪我沉默。

众多浪荡江湖的朋友中，我最喜欢听月月给我讲她以前的故事。

月月十七岁开始独自旅行，两年走完了大半个中国。1999 年，她开始浪迹欧美大陆，十几年来独自旅居过 20 多个国家、100 多座城市，然后她回到北京，开了一家小小的服装店，箪食瓢饮在市井小巷。

从北回归线到南回归线，她的故事散落在大半个地球上，

她曾突发奇想地跳上最晚一班"伊丽莎白"号渡轮去维多利亚岛看郁金香，整个 Buchi 花园只有她和满坑满谷的郁金香，她对着花儿哼《花仙子》，没有风，面前的花儿忽然翼动了一下叶片儿，吓得她立起一身寒毛。

她跑去大温哥华北部山区专程偶遇山熊，洗出来的照片上熊眼里有像两个灯泡一样的奇异光斑。她还曾偶遇过一只有性格的鹿，那头雄鹿突然跳上公路，被她的车蹭了一下，雄鹿气愤地瞪着她，嘴巴一张一合，像是在骂骂咧咧。

她刚拿到北美驾照，就敢独自开车走 1 号公路，东西贯穿加美。她借来一辆比她爸爸年龄还大的车，她在加油站吃特价餐，住不起汽车旅馆就睡在车里，车载音响里放了一路评剧。

走过得克萨斯州看见路边出现无限速的路标后，油门几乎被踩到底，她开了一个多小时也没碰到一个人。终于，在近黄昏的时候看到了一座飘着烟的房子，门口有巨大的猫王照片。她走进这个酒吧不到十秒，就被一众五十多岁的牛仔大叔们举过头顶大喊："Oh！ Chinese girl！"这些大叔们头上都戴一顶牛仔帽，胡须粗糙整齐，眼神粗犷原始而温柔。她给大叔们唱评剧："爱花的人，惜花护花把花养，恨花的人骂花厌花把花伤。牡丹本是花中王，花中的君子压群芳，百花相比无颜色，他偏说牡丹虽美花不香。玫瑰花开香又美，他又说玫瑰有刺扎得慌……"

大叔们举着杯子为她干杯，喊："Good！"

她纠正人家，教一帮牛仔大叔喊北京话："巨牛逼！"

她教老外北京话应该很有一套。有一年，她旅居新加坡，为了糊口给《联合早报》撰稿，为了挣出下一程的旅费，兼职教富有的华裔

后代中文。那刁钻调皮的孩子每天被她骂哭，却在多年后专程来北京看望她，被她培训出来的北京口音一点儿也没遗忘。

月月是个生存能力极强的女人。

她说，纽约的雪比咱北京城厚得远了去了。最落魄的时候，穿着一条单裤流浪在深夜大雪纷飞的纽约，风大得能把人吹走，而彻骨的寒冷会讽刺般地让灵魂沉静，沉静得没有了呼吸，沉静到无法思索高楼广厦下自己有多么渺小。第二天清早，被风雪侵略的城市遍布垃圾、遍体鳞伤，她躲到百老汇和卖艺的黑人们一起舞蹈歌唱，亲吻路人施舍的一元美金。

她不否认自己有时候也会孤独。她说 white rock 的炸鱼店里炸鱼美味无比，失眠至凌晨四点的时候边吃边走到无人的太平洋畔，看着深沉的夜海渐渐穿上金衣，又轻浮又荒凉。此后，习惯熬夜的她开始拒绝看天亮的过程，把经常居住的房间装满了遮光帘。等她重新拉开窗帘的时候，也是一条爱情伤痕刚刚痊愈的时刻。

月月是个善于交朋友的人。

她在 LA 当过侍者，掐着腰对峙过帮派小混混，后来那帮人和她成了朋友，其中有人给她送过雏菊花。

月月有个朋友是那个著名的印第安反战妇人。七十多岁的老人，居住在白宫旁的帐篷中已经二十年了。游行示威需要事先申请资格证，资格证于上世纪九十年代末期就停发了，而那个老妇人因为从未离开，所以被视为游行未结束，并不违法。月月每次去看她，都买一杯 2.5 美元的咖啡送她，比自己平时喝的 1.2 美元的足足贵了一倍。老妇人没什么钱来回请，每次都摁着她脑袋，硬给她编一头小辫子。她晃着满头的小辫子，走过一个又一个街区，走回自己清冷的家。一开门，两只摇头晃脑的蟑螂排着队爬了出去。

月月是习惯了一个人游荡的孩子。

她在水牛城的广场上用自己一天的口粮喂过鸽子，鸽子在她鞋尖上拉粑粑，里面居然有玉米粒儿。她专程去看结冰时的尼加拉瓜瀑布，为的是和惠斯勒雪山顶的日出比对哪一个更美丽，然后一个人在瀑布旁吹灭自己小小的生日蛋糕。蜡油滴答在手背上，烫得心里麻了一下，又酸了一下。

她有过各种打工的经历，稍有余钱就去进行各种旅行，一只二手行囊塞满了全部家当。

在班夫闹鬼的百年古堡，她发现床头柜抽屉中的《圣经》是翻开的，她看到一句话，记了小半辈子："不要为生命忧虑吃什么喝什么，为身体忧虑穿什么。生命不胜于饮食吗？身体不胜于衣裳吗？"

她念着这句话给自己缝补外套，却忘记了拔针。一个路人在街头拦住她，温柔地帮她掐断线头。

她说："可惜，他年龄大得足以当我祖父了。"

……

如果有人爱读小故事，月月历经的故事是可以写成系列丛书的，别人羡慕不已的经年旅行，于她而言貌似是再自然不过的日常生活，她从不会刻意去渲染标榜，已然进入到另外一种境界中了。

只是，我一直不知道驱使她这样去生活的力量，来自何方。

我认识月月的时候，她已经安居在北京不再飘荡。我问她："你这种在外面走野了的人，怎么就能狠下心回来了呢？"

她向来有话直说，可那天却嘻嘻哈哈地打了半天太极。

后来我又问过一次。她骂我矫情，依旧没有清晰地回答我。

我第三次问的时候，她沉默了。

隔天，她在微信上用一段文字回答了我的问题：

我的父母从分居到离婚，用了整整二十年，你知道二十年是一个什么概念吗？

他们的价值观无法契合，虽然相爱却相互折磨，同时折磨着无能为力的我。而我自己最初的情感经历亦是如此，挫折之深，粉碎了我对家庭生活的所有向往。这一切迫使我背井离乡去独自生长，绕着地球去浪荡，直到我习惯了这种浪荡。

三年前，我的母亲在韩国找到了我，在仁川机场至市区的大巴上，她看着窗外告诉我，四天前他们离婚的消息。她说，一切都过去了，你也长大了，女儿，回家吧。

回国后半年，她说，你也老大不小了，该考虑结婚生宝宝了。

我不排斥母亲的想法，只是在想，如果我有了一个小孩子，该给他怎样的生活呢？……我怎么会舍得再让他独自在外那么久，独自一个人去成长。

我还没有靠谱的结婚对象，就开始忧虑孩子会重蹈自己的覆辙。这是不是有点可笑？更可笑的是，居然被一个刚认识几分钟的人拽去试穿了婚纱，生平第一次穿婚纱就这么浪费掉了。所以，大冰你打算怎么弥补我？

我回复她：月月，我郑重地向你承诺，无论你哪天举行婚礼，我都会穿上礼服站到你身旁。

一个女人欲扬先抑的成长

2012 年 11 月 11 日，光棍节。我履行了我的承诺，我租了一身礼服来到了她的婚礼现场。

我以婚礼司仪的身份站到了月月身旁。

谁都没想到她会结婚结得这么突然，但她笃定地告诉我："没错，是真爱。"

新郎很帅，那种干干净净的帅。他是音乐世家出身的高端理工宅男，是我见过长得最像韩国明星的工程师，据说追他的女人排队排到护城河扑通扑通往下掉。我自认为穿上礼服后气质高雅，风度十足，可站在他旁边立马被衬成了山寨货。

他对她疼爱无比，逮着空儿就眉开眼笑地牵着她的手，笑得又帅又憨。他一直牵着她的手，婚礼仪式过程中也不例外，把舞台下一堆又一堆的已婚女人羡慕得死去活来。

他们俩是在一次偶然的聚会上结缘的。

理工男默默移走月月面前的酒杯，给她递来一杯冒着热气的开水，腾腾的热气一下子渲滋了她的双眼……一屋子人，只有他在意了她正在感冒发烧。

许多年，她是独自生活、独自成长的女汉子，永远是自己在照料自己。朋友们相处时，也永远是她来扮演姐姐的角色去照料旁人。人人都把她当个爷们儿看，没人会在意她正在感冒发烧。

在腾腾的水汽中，对的人从天而降。

她端起杯子，慢慢地，整杯饮下。理工男再次走过来，拿走杯子，默默加满。

十几年的漂泊塑造了月月独特的气质，理工男隔着她的壳看到了她的瓢，他由外及里、由里及外地爱上了她的全部，爱她有嚼头的楚楚动人，也爱她饱经世事后的懂事大方。他瞬间做出了决定，发心动愿想去怜惜她。

理工男后来给她唱歌："如果我是双曲线，你就是那渐近线，如果我是反比例函数，你就是那坐标轴……"

理工男对她说："我们之前的人生，没有什么交叉点，可是，请允许我从此以后，永远和你身处在同一个平面。"

帅气的男人把情话说得结结巴巴，月月笑而不语，在手掌上写字给他看。

掌心中只有三个字：娶我吧。

他用两杯开水，换了她一颗心。

婚礼仪式上，我问一对新人："你们彼此确定对方就是真爱吗？"

理工男憨憨地看着她，低声说："就是你哦。"

隔着厚厚的粉底，月月脸红红的……她没说话，只是无限温柔地看着他，像一个稚嫩的小女孩看着她从不敢奢望的礼物。

我想我会一直记得他们俩那时的模样，好似两个自小青梅竹马的孩子。

婚礼结束两个月后，月月忽然半夜给我发来长长一段微信：

在我认为自己已经长大成人的十六年后，我终于开始怀旧，并为此流泪。

过去，我一度认为自己的成长是一段漂流木流浪海上的过程，就算终于被冲上海岸，也是筋疲力尽，没有热情和希望的。我也曾一度认为那些年的漂泊是可有可无的，可以随时淡忘……今晚回头看，猛然间，方品味到它的珍贵和回甘。

今时今日，我对着电脑听着音乐淘着宝，偶尔侧过头，看着两米之外床上熟睡的人。我时而微笑，时而流泪，这种爱深厚平静、弥足珍贵，这种从未体验过的幸福感让人疯狂。

回头看看往昔，真心庆幸那些停停走走的流浪，现在眼泪止不住地流淌……我为自己终于获得的这份成熟而无比欣慰。

以前我说，如果我有了一个小孩子，我怎么会舍得再让他独自一个人去游荡。

当下我在想，如果我有了一个小孩子，我反倒祝愿他能得到的，是这种欲扬先抑的成长。

好一个"欲扬先抑的成长"。

谁的人生都不可能一马平川，与其前途未卜时黯然神伤，不如把这条路认知成一场欲扬先抑的成长。幸福或许是一颗一直揣在你口袋里的糖，可那奇妙的甜，只能被舔过种种滋味后的味蕾品尝。

一个女人在她而立之年后，方才获得了她的糖。

每个人的糖都是不同的，它有时是婚姻爱情，有时是目标希望……

有时是生活方式、价值取向，或者信仰。

你猜，哪一颗是能甜到你的糖?.

我们的人生轨迹，无外乎螺旋状矢量前行，兜兜转转，起起伏伏，画出一段又一段的抛物线。

有许多人教我们如何去"正确"地经营这条抛物线，教我们如何去"正确"地获得那颗糖。可谁敢说自己能预测到未知的人生，这个世界又哪儿来那么多正确答案，大多数人的正确答案就一定是属于你的正确答案吗？那些约定成俗的正确路线，适宜你真正的成长吗？

我只想赠"欲扬先抑"四个字给你，希望迤逦抛物线中的你饱经焦虑，饱经迷茫，饱经欲扬先抑的成长。

祝愿成长在抛物线某一段的你，尝到属于自己的糖。

就像月月那样。

[越狱者]

如果一个人还算年轻，当他面对生活时，只会盲从只想"成功"，那于灵魂而言，他的人生是绚丽的，还是贫瘠的？

世界末日过后的第二天。

我坐在济南盒子酒吧的台阶上吃玉米，眼前不时飘过零星的黑色小片片儿，附近应该有人在烧纸祭奠亡灵。落在鞋面上，我就接着它，落在玉米上，我就吃掉它。

武哥出来问："你喝不喝151？"

我说："给我加四块儿冰。"

这时路平给我打来电话，挂了电话以后我没和武哥打招呼，自己踩着积雪回家去了。漆黑漆黑的济南冬夜，一个擦肩而过的路人都没有，厚重沉闷就像那些滚水冲不开的晦涩青春。一大片接一大片的漆黑，敦实地压在肩头和脚面上……终于远远有一点灵明不昧的街灯，于是我边哼歌边走过去。我哼的是一首叫《老路小路》的歌。我喜欢改了它的副歌来唱：

老路唱起的那首歌/为何让我泪眼模糊/为何那些落花流水留也留不住/为何那些滚烫的温度总相忘于江湖/为何总有些遗憾留在酒杯最深处……

路平刚才电话里跟我说："什么时候回丽江？累了就别撑着了，你回来我管你饭，怎么活不是活……"

我能说我很感动吗兄弟？我是个时而厚脸皮时而薄脸皮的孩子，三个小时前，我差一点儿就撑不住了，差一点儿因为各种接踵而来的失败打击而连滚带爬地跌进了人生最低谷。

我能说，你的一个电话把我从崩溃边缘拽回来三寸吗？

我能说……

能说我也不说。我是含蓄的中国人，只会借酒遮面地说，只敢付诸笔端，赖在纸上说。

每个人都一样，从年少时的苍白、年轻时的迷茫、青年时的莽撞自负，到日渐成熟后接踵而来的百样纠结。

不较真儿的人自有他们小市民的安乐，较真儿的人若不想崩溃，就只有调整呼吸去解开那些结。

慢慢地，慢慢地解，痛并快乐着，每解开一个，就豁然开朗三分。

我一边哼歌，一边琢磨着既然大家走过的路那么相同，把老路的来时路写完了，就应该可以解开自己许多结了吧。

这篇文章是一面镜子，里面影影绰绰的，不仅仅是你我的身影。

树上的男人

只要想到路平这个名字，我脑中那幅画面下意识就会出现。

画面上，路平穿着土黄色风衣行色匆匆，墨镜遮目，咬肌发达。右手提着一只硕大的旅行箱，左肩背着乡谣吉他。背后是漫天黄叶，三两片落在箱上，三两片掠过吉他。

在我印象里，他一直是一副旅人的装扮，事实上他也确实如此，甚至来得更过分。

路平的半生，当过三次逃兵：第一次叛逃在西安，他那时是个穿白衬衫的公务员；第二次叛逃在北京，当时他是个方崭露头角的摇滚歌手，满头脏辫；第三次叛逃的时候，他在丽江。

反正无论怎么叛逃，他于这个世界永远是旅居。

路平和我一样，是个资深的丽江混混。而在幸福感三个字面前，他却比我这样的嘴子，走得彻底且深远。

我喜欢卡尔维诺描述的自了汉，他说："要把地面上的人看清楚，就要和地面保持距离。"

我读这话的时候，在心里想象一个金发碧眼的中年男人，他可能穿着西服打着领带，但自己在心里种了一棵树。这个老外手足并用，爬在上面和大部分同类保持着微妙的距离。他抽着大雪茄，看着周遭的过客，晃荡着腿，骑在自我设定的叛逆里，屁颠儿屁颠儿地乐在其中。

我说的那棵树不叫生活智慧，也不结什么果子。我说的那个人也不是路平的超我。

路平在我眼里是只长臂猿。

他有意无意地去规避母体的地心引力，把自己从一个母体甩到另一个母体：西安、北京、丽江……我也不知道他的下一站是在哪儿。

他和我们大多数人不同，对于倡导盲从的世界，他并不惯性盲从。他更习惯让自己晃荡在其中，攥着单程票，也哭也笑，也扮演余则成。大凡这类不苟同于母体的人士，大多注定要经历动荡不安的人生。

此类人士，高而言之，是那些倾心于真理的人们，动荡中他们以济世情怀为桨迤逦前行，却貌似浪费一生；低而述之，有浸身自我人生体验的浪子，在特立独行的生活方式中修身齐家、知行合一地蹉跎时光，却也是貌似浪费一生。

去他的高而言之低而叙之。

这两类动荡不安有次第高下之分吗？我觉得一类是菩萨道，一类是阿罗汉果，都是修行。个中有修为者，都不太在意周遭小市民们的呲嘴呲牙，都我行我素依心寻径……

白开水不益于生活

2009 年除夕前一天的下午，丽江的云低得快贴着头皮，路平骑着小绵羊摩托载我去忠义市场买菜。

在路上，他忽然发表了一大段感慨，大体意思是：直到现在，只要一想到朝九晚五的皮鞋白衬衫内扎腰，窗明瓦亮的办公室……他依旧是一个头两个大。

他很絮叨地啰唆着，口气像一个劫后余生的海难幸存者。

丽江的阳光钻过云彩，针灸着大地。说这话的时候，我坐在他身后，眼睁睁地看着他脖子上的汗毛一根根慢慢竖起。届时，离他的第一次叛逃已经很多年过去了。

我写完这篇文章后曾发给他看，他打来电话："你能不能换个格式……"

我说："你觉得我写得怎么样？"

他说："嗯，写得挺好的……你换个格式发过来，我就看。"

"老路啊，你和微软有仇啊！"

"你当我有怪癖好了。"

老路还有些怪癖，比如爱扎辫子，爱梗脖子，不爱喝白开水。

他最讨厌喝开水，十冬腊月也是咕嘟咕嘟地灌凉茶。

我说，老路你内火旺哦，喝杯开水清清火吧。他拧着眉头看我，我端着开水杯吹白气……他看我的眼神好像我端的是尿。

路平和开水颇有渊源。他在一间油水颇丰的办公室坐到整整30岁，从科员坐到副科，差一点儿坐到正科。他打开水、给人倒开水、每天不停喝开水，然后把开水变成热乎乎的尿。

变成尿的开水在洗手间里抖一抖就没了，体内一阵空虚。就像办公室里白开水一样的日子。再雾气腾腾、入口小灼热的日子，进入食道以后也变成了温吞水，把舌苔冲刷得没滋没味。

养生专家说少喝点儿可乐啤酒红茶咖啡，白开水才是最好的饮料。就像父辈说别做梦了孩子，稳定的生活压倒一切哦。可白开水一样寡淡的日子啊，人味儿都被冲刷得痕迹模糊，血都快被冲淡了。

"去你妈的白开水吧！"老路这么想，然后白开水成了他的宿世冤亲债主。

我坐在小摩托车的后座上冲一群路边的小孩儿做鬼脸。其中一个玩爆竹的小孩儿作势要丢过来，老路手把一歪，俺俩结结实实地被拍在了马路上。

丽江的马路不脏，阳光把柏油路晒得暖暖和和的。我屁股下面舒服得像是有弹性的硬沙发，人一下子就懒得爬起来了。

"喂，老路，不愁温饱的体面生活难道不好吗？"我那时自诩诗人，我骈着问他，"人生的大方向锁定了巡航线路，不用担心前路未卜。副驾驶上永远有教练，也不用操心三岔路口的抉择。前后左右的安全气囊，还有无数辆前车开道、无数辆车同行。50迈的速度，只管坐等啤酒肚坟起就好……这生活不好吗？"

"我知道掌握游戏规则的孩子有肉吃。"他肘子撑地，半躺着说，"可我害怕那个结果。所有一切繁缛的规章，简直就是专门为了和人作对而生的……

我们坐在地上，晒着太阳开始磨牙。

"……你不寒而栗地坐在市侩冷漠的中年人中间，完全不是同类。那种氛围，好像是一间病房。那些微笑的脸，像是一群从扑克牌里钻出来的生灵。"

"然后呢？"

"爷不伺候了。"

"辞职报告怎么写的？"

"没写，那天上了两个小时的班后出了会儿神，然后关了电脑，撅断了碳素笔，一张张地剪断了门禁卡、饭卡以及工资卡。"

我在心中想象了一下那幅画面，路平踩着办公室众人的目光，慢慢开门，慢慢关门，只剩桌位上一杯白开水袅袅地升起热气。

路平却说："才不是，那天没打水，怎么会有袅袅的热气。门也没关，背后有一声清楚的'切……'，也不知道是哪张微笑的扑克牌发出的。"

"老路老路，我也上了那么多年的班，怎么我没你那么强烈的药物反应。"

他递给我一支"兰州"："或许对那间病房的依赖感，对你来说比较重要。"

同一片深犁过的田地，同样的生态环境，总会有些恣意的绿色野火烧不尽。于那块体制而言，路平是株病瘊点点的蒿子。于路平自身而言，那是次改变他一生的发芽。

"好吧老路，大过年的咱们少扯淡了吧，你有打火机吗？"

路平锅着腰，伸直双腿坐在地上各种翻衣兜，半天没翻出来。一只鞭炮忽然被丢到我们身畔，那群孩子挑衅地笑着，忙着在点一长串大头鞭。老路停止翻兜，指着他们说："拿他们能有什么办法，打又打不得……快跑！"

我一哆嗦，那群孩子不怀好意地笑着，用竹竿挑着鞭炮，开始慢慢走近我们。一个个龇着牙，兴奋得脸发红。我和老路尽量从容不迫地爬上车，小摩托一屁股青烟钻出包围圈。炸肉炸鱼的焦煳香弥漫在丽江稠稠的下午时光，暖风包裹在身上，是一床暖和的厚棉被。

在当公务员之前，路平当过兵。他当过班长，拿过集团军作训科目比武前三甲。他平时走路时脖子是笔挺的，一直到现在都可以很轻易地把被子叠成豆腐块儿。

按理说，对循规蹈矩、按部就班的生活，他应该早已习惯。在这理所当然的框架模式中，他哪儿来的那么大的逆反心？对现世存在的超越感，于他而言原点的推动力又是什么？

……我知道路平或许没那么深邃，或许他不上班只是想换种生活方式而已，多少人都有同样的想法或者类似的举动，这方面的故事乏善可陈不算新鲜。

可这些都是因何而生的呢？这种叛逃的初心，源于哪儿？

三十岁前，我好动嘴，却惰于动脑和动脚，总是说的比做的漂亮，上下嘴皮一碰就以为是在思考。2009年春节下午，我坐在飞驰的摩托车上，隐约觉得老路的那一骨节人生和我的人生有点儿雷同，可暖风熏熏，吹得人懒得去深入琢磨缘由。

2011年春末，我结缘禅宗临济宗做了在家弟子。在受戒的前夜，我又想起了2009年的那个摩托车上的瞬间。

当时住在大和尚的院子，和师兄弟们晒着月亮喝普洱茶，我向诸君提及那个疑问，四川的宋师兄说："路平么……厌离心生而已。"

他又看了我一眼说："娑婆罹难，大家都是厌离心，生了又灭灭了又生。"

可我们这些血还是烫的年轻人，谁给我们造了这么重的厌离心？

路平忽然间的决绝导致了事实上的众叛亲离，他完全没有退路了。作为体制的逆子，他几乎被人里里外外地反面教材了一把。

路平微笑了一个星期，苦笑了一个星期，然后跑去南大街狠狠地吃了一大碗羊肉泡，然后买了张绿皮车票去了北京。

走的时候，他右手一只空箱子，左肩一把木吉他——吉他不说话，不会讥讽他，他也只剩这把吉他了。他不是为了什么远大的音乐梦想而辞职的，所以那把吉他于他而言也没什么特殊象征意义。

事实上他离开西安的时候，两手空空。

阳光晒不到的世界

在北京站下车后，路平站在广场展开双臂伸懒腰。沙尘暴前的北京天空优雅地飘扬着透明塑料袋。他想：崭新的生活来了。

这时，有个声音硬硬地戳过来："唉，你，身份证拿出来看一下。"

博大的北京，通过一位警察叔叔向他发出了第一声问候。和其他人一样，他在强大的威仪前，乖乖掏出了身份证。

路平飘荡北京的生活，始于此。

把钱包证件每天压在枕头下睡觉，方便面里泡双汇火腿肠，插队挤区间公交车，在臭气熏天的公共卫生间里洗澡……所有该经历的，他都经历了。但像跨专业修学分，勤勤勉勉，却未必见得不补考。

和很大一群北漂一样，路平也住地下室，那是阳光晒不到的另一个世界。

　　左边隔壁地下室住着一个年轻的男人。或许是受不了生存的残酷，每天半夜会哀哀地哭，女鬼一样。路平去砸门，里面就消停一会儿，过半个小时，又哀哀声起。那个男人总是神龙见首不见尾，他路过的小走廊里会飘着淡淡的"马应龙"膏药的味道……或许他一直在上火。

　　右边地下室住着两个上访的老人。一个每天倔强地蹲在床头用鞋子抽小人，另一个见路平路过，硬塞给他一份手写的材料。卷边的绿格纸，厚厚一打，圆珠笔写的字密密麻麻，一不注意就抹得一手腥蓝。两个老人住了两个月，然后走了两个月，再回来的时候只剩一个人，一身缟素。

　　有天晚上，路平的房门被大力踹开，几秒钟内，拎着砍刀的人站满了屋子。一个正方形的男人歪着脑袋瞅瞅路平说："操你大爷的……不是他。"

　　一群人呼隆隆地来，又呼隆隆地走了。

　　出门的时候，方脑袋又回头对路平说："你也给我小心点儿……"

　　小心点儿？小心什么？

　　路平坐下以后才开始有点儿小哆嗦，他继续泡他的方便面。床单上有个 45 码的大鞋印，也不知道是什么时候踩上去的。那个男人的 T 恤上印着林肯公园的大 logo。

　　如果他是个喜欢听林肯公园的社会大哥该多好玩儿。

　　路平和我聊起一个住地下室的女人。

　　她在忽闪忽闪的灯泡下拦住他，丰满的胸部几乎贴着他，湿漉漉的香味像只小手，从耳后挠着他。女人搓着手，手心里都是汗，欲言又止地和路平面对面站着。

　　她说她想回一趟老家，但没钱了，实在是没钱了。

　　她说："你来我屋，200 元就行。"

　　他低头侧身挤过去，潮湿的地下室通道，满墙的青霉。

她在背后弱弱地轻喊："那你有多少？"

刻意压低的嗓音里，有种委屈的嘶哑。他回了一下头，犹豫了一下，似乎被那个声音撩起了一丝生理反应，她乳沟间的阴影里藏着红线吊着的小小护身符……路平到底还是走开了。

有一次，路平和我聊起这个女人，说："听说她的梦想是当个出人头地的演员。"

我问，胸大吗？漂亮吗？

他没直接回答，说："后来在一个网络视频里见过她……是个南方姑娘。"

赵雷当年和我一起在拉萨开过酒吧。很巧，他有首民谣就叫《南方姑娘》：

北方的村庄/住着一个南方的姑娘/她总是喜欢穿着带花的裙子站在路旁/她的话不多/但笑起来是那么平静优雅/她柔弱的眼神里装的是什么/是思念的忧伤/南方的小镇/阴雨的冬天没有北方冷/她不需要臃肿的棉衣去遮盖她似水的面容/她在来去的街头留下影子芳香才会蓦然的心痛/眨眼的时间芳香已飘散影子已不见/昨日的雨曾淋漓过她瘦弱的肩膀/夜空的北斗也没有让她找到黑夜的方向/阳光里她在院子中央晾晒着衣裳/在四季的风中她散着头发安慰着时光……

这是赵雷最出名的一首歌，唱哭过太多人。赵雷写这首歌的时候，住在北京南城的一个大杂院里，物质上和路平一样窘迫。那里也有个怀揣梦想的南方姑娘，听赵雷说她很漂亮。

不知道为什么，每次听赵雷这首歌，都让我想起路平遇到的那个南方姑娘。

那个南方姑娘在路平第一天搬进地下室的时候给过他一只水果，香气四溢，但叫不上名字，听说是她家乡的特产。

她说："你猜猜该怎么吃……"

6个月的地下室生活后，路平得了脚气，手上也开始脱皮。他的床太低，被湿气贯穿了身体。

音乐就在这一片潮湿之中，自然地产生了。

路平开始一首接一首写歌，他会弹吉他也识谱，满墙都用图钉钉满了他写的歌。不知道为什么，忽然之间有那么多的话想唱出来。他几乎一天一首地写，高产的时候连词带曲一天三首。写好了就随手钉上墙，地下室潮湿，几天的工夫字迹就晕染出毛刺，纸张也被水汽吸附得死牢，像用糨糊贴在上面一样。

当路平把四面墙糊得满满当当后，他开始尝试以音乐为生。

一开始是卖歌，后来给人兼棚，帮忙编曲。他陆陆续续加入了一些乐队，自己也组建过一些乐队，大体经历和其他那些混迹北京的地下音乐人们没什么太大区别。西安盛产好歌手，就像山东淄博盛产乐手一样。地下、半地下的音乐人们有着一套自己的江湖规则，彼此之间习惯了帮扶。所以路平基本饿不死，但也吃不饱。

有时候，他跟着乐队跑酒吧演出。舞台上制造出来的最大响动声，也敌不过台下的一片骰子声。他偶尔开个小专场演出，来的人一边听一边玩手机，短消息的滴滴声飞镖一样扎进吉他的和弦里。

乐队不出名，没什么人尊重他们。有一次，他在台上唱一首写母亲的歌，台下两人旁若无人在热吻。男的将手伸进女的上衣里捏得起劲，旁边有人在起哄："挤出奶来没有，找个杯子接着……"

他停了吉他，怒形于色，骂道："贼你妈！要不要听歌！"

话音刚落就飞上来一个酒瓶子。

老板扔的。

瓶子擦着头皮碎在墙上，溅湿了路平一背，全是混着玻璃渣子的啤酒。

这个世界怎么会是这样的？

他愣在台上，感受着湿漉漉的后腰，打死也想不通。

老板之前也是搞乐队的，不怎么拖欠工钱，一直对路平他们挺客气。

路平说："他那天要敢砸在我琴上，我就和他拼命。"

那家酒吧的老板后来做得很大。现在开的酒吧，算是京城乐队演出酒吧中数得着的大场子。我有一次碰巧和他坐在一张桌子上吃火锅，我倒了两口杯"牛栏山"白酒摆在他面前。我说："我有个结义兄弟叫路平……"

他看了我一眼，没说话，低头端起杯子，一仰头干掉一杯，一仰头又是一杯。

那天涮的是锡林郭勒的好羊肉，我吃了两筷子，就没了胃口。

他们乐队最穷的时候一天吃一顿饭。五个人吃一小锅挂面，打一枚鸡蛋进去，捞起来全是沫沫儿——鸡蛋是臭的。没人想浪费，就那么吃了，盐都没有。

吃完了接着排练。盛鸡蛋的U型纸壳糊满了天花板，死闷的小屋里棉被挂在窗户上隔音，八月底也不敢掀开，不能扰民，尤其不能扰了隔壁大婶子。

北京城的中年妇女比一般的饶舌歌手厉害多了，你扰了她睡午觉，她能不带脏字地把你寒碜进旱厕坑儿里去。你稍微和她顶嘴两句，她立马敢电话招来戴大檐帽儿的查你的暂住证，反正你又不是她儿子，把你发配通县去筛沙子，你妈心痛，她又不肝儿颤。

她不肝儿颤，有人肝儿颤。那些热爱摇滚乐的姑娘们，或者说，热爱摇滚乐手的姑娘们，或者说，热爱和摇滚乐以及摇滚乐手们滚床单的姑娘们。善良的傻姑娘们喜欢装糙，眉飞色舞地抽着万宝路，一脸寂寥地飞着叶子，张嘴就是一连串的乐队名字。她们表现出来一副满不在乎的模样和人舌吻，她们说真爱是个屁，从头到脚的满不在乎。

她们有时候喜欢落魄的摇滚乐手，或者"落魄"二字本身。

有一年雪山音乐节的时候，我和路平遇到过一群彪悍的"北京女摇青"。

路平问我："你怎么看她们？"

我随口说："她们未必是真的叛逆，就像她们未必是真的热爱摇滚乐。或许她们自己都不知道喜欢的是什么，只是想要个标签。"

路平说："嗯，是的，很多时候她们只是些孤独的孩子。"

我又说："她们或许有成为大野洋子的兴趣，却输在没有那个基因。"

路平接话："另一种意义上的慕残人士。这些姑娘的存在，有时候就像那锅面条里打的鸡蛋，让人充满期待的出现，却在起锅时变成沫沫儿。"

哈哈，老路，岂止是姑娘，你那些和北漂有关的日子，大部分不都是沫沫儿吗？

舍得舍得

路平的乐队合了又散，散了又合。有人退回老家了，有人改行卖楼去了，有人跑去给电视台当现场乐手了。日子开始变得越来越长，压根儿看不到未来。锅盖一样敦实而沉重的北京，转眼又是一个沙尘暴肆虐的季节。

事实上，在三个沙尘暴后，路平的生活才有了一点儿绿意。

他吃得上饭了，甚至不用住地下室了，每个月的收入几乎和公务员时持平。名气也慢慢有一点儿了，开始和知名一点儿的乐手们称兄道弟。演出多起来了，演出时偶尔会有粉丝坐着火车从外地跑来捧场，当然，依旧是那些热爱摇滚乐手的善良的傻姑娘。

不管怎么讲，他貌似是在走上坡路了，而且越走越快。

这是北京城神奇的地方之一，对很多人来说，未必会真的成功，但也未必会一直坐滑梯。抛物线随时出现着，任意的一个小上扬就可以让你自己主动扣紧安全带，主动泯杀退意，重新归到轨道中，一圈一圈地循环在北京这个巨大的奇幻的摩天轮或过山车里。

哈，北京是个大Game，北漂们是上瘾的玩家。北京城的游戏规则本身，就是最大的成瘾品。

"老路老路，你上过瘾吗？"让你绑紧安全带又最终解开安全带的那个小峰值，是什么东西？"

路平："唱片公司的签约合同书。"

"真有唱片公司打算签你？那不就是所谓的混出头了吗？你没签？为什么没签？"

路平捧着脑袋想了一会儿问我："你看过《北京乐与路》吗？"

"嗯……可是老路，你又不是那个在签约前夜被车撞死的。"

……

签约唱片公司的前夜，路平买了一斤鸭脖子，坐在路边自斟自饮。触手可及的美好前程摆在他面前，像搁在橱窗里一样，和他只隔着一层透明玻璃。他啃着鸭脖子，眯着眼睛细细地打量着。打量来打量去，打量完了以后，他伸手从包里掏出那一纸合同，揉了揉，用来擦了手。

然后，他把那团油乎乎的未来丢进了交道口南大街路东、大兴胡同口上的那个垃圾桶里了。

那份美好的前程，就被那么用来当了手纸。像当初公务员身份一样，路平让历史轻易地重演了一次。

"老路，你是悟到了什么吗？"

路平说："不是悟到，是夯实了一些想法，我要的只是一段经历而已，我并没有想去追求那样的生活……"

"老路，我没太听明白，你指的是什么样的生活？"

"貌似成功的生活。"

"那什么是成功？"

"在当下，这个词是最速效的洗脑工具，是最广谱的精神鸦片，可以是好车子、大房子、高年薪这么简单，也可以解读为体面的受人尊敬的生活。

"你敢说你不是个实用主义者吗？你能否认最深入人心的标准不是金钱、权利、名望吗？你真心认可这种标杆吗？我只是觉得如果一个人还算年轻，当他面对生活时，只会盲从想追求'成功'，那于灵魂而言，他的人生是绚丽的，还是贫瘠的？"

……

"老路，你一下子把我说难受了。"

我们浪费了多少青春才触摸到那些最浅显的道理：人生经历是可以自我创造的，生活方式是可以自我选择的。

我们大把的光阴被暗蚀消磨，几乎再没有脑容量去真正思辨自己的人生步履。

又或者，我们往往要扮演完一个个规定的角色，才能依仗着生了又灭、灭了又生的厌离心，去博得一个醍醐灌顶的机会。可届时往往人过而立行将不惑，尚有意气，却少了胆气。

我们被一种生活方式所桎梏，以为自己唯一接触过的生活、唯一触手摸到过的生活，就是终极答案。

是什么力量导致了这一切？

我们出了大学的门，挤进了人才市场，从人才市场挤到某张办公桌前，一旦习惯了朝九晚五的生活，就基本停止了思考，放弃了对生命形态的选择，半生只活在一天里。我们懦弱又慵懒地把自己交给所谓安全感，在自认为安全的生活方式中消磨青春、赘肉横生。

那些充满智慧的大多数人，他们经常会善意地发问：你怎么还不结婚？你怎么还不买房？你怎么……

100 条路里，他们告诉你 99 条笃定是死胡同。

他们其实想讥责：你怎么还不按部就班地去走上那条叫做"成功"

的大道。

他们完全体会不到自己发问时的居高临下。他们以正朔自居，习惯性地让自己站在道德制高点上，当下他们卖力地挥舞着标写"成功"的旗，就像他们当年树林一般挥舞着胳膊，用红本子挥舞出各种波涛汹涌时一样的认真和盲从。

可悲的是里面不仅有中年人，更多的是自称屌丝的年轻人。

是什么力量让你我浑浑噩噩地浪费着宝贵的时光，过着只有"成功"没有独立人格、缺少人性尊严的日子？

这是一种怎么样的力量，让那么多人过着无动于衷甚至自得其乐的日子？

这种力量给自己锻造了一副不容置疑的威仪，它甚至规定好了哪些价值观是所谓正确的，哪些生活方式是积极良性的，它排斥多元。

但总会有人惊厥着醒来。惊厥者想：好吧，我既然明白了幸福感可以自我选择，生活方式可以自我选择，那我就用我自己的方式去验证那些所谓的死胡同，去尝试触摸一种有尊严的生活。

于是他们绕着甬道默然前行，转着圈儿，在不同的岔路口，不停地自我选择。

他们时而希望，时而失望，忽而犹豫妥协，忽而坚毅决绝。

老路从西安来北京的时候拎了一个空箱子，走的时候箱子满得合不上盖。他索性用透明胶将它缠成了一只大号的透明晶莹的蛹。他现在打得起车了，他很开心地打车去北京站，吉他和箱子坐在后座上，像一胖一瘦的两个人。

出租车开在长安街上，司机耍着贫嘴逗闷子："我说兄弟，全部家当用透明胶缠啊？怎么着，北京混不下去了是吧，这是打算颠儿哪儿去啊？"

路平一乐，他只是想画个句号离开，真没想过要去哪儿。心是自由的，去哪儿不是去啊。他是只鸟儿，啄开笼子门飞到北京，北京试图给他一份精饲料和一个大点儿的、华贵点儿的笼子，他在钻进去之前，转身拍拍翅膀飞了。那就继续飞呗，时晴时雨，忽暗忽明，忽然就夕阳西下。前程是渺茫的也是辽远的，怕那作甚。

他用夹生的北京话随口答："反正不在北京待了，去哪儿不是去啊。"

司机别过头来飞快地瞥了他一眼，说："想开点哦，兄弟，别记恨北京……"停了一下，又说，"等过两年，记得回来看奥运哈。"

路平眼眶一热，慢慢摇下了车窗。热风抹在脸上，硕大太阳顶在脑袋上，白晃晃的马路，蝉声片片，催眠着白晃晃的北京。

他买了一张最近出发的硬座票，开往千里之外的昆明，他地理不太好，攥着票想：云南应该离陕西不太远吧。

他在进站口排了半天的队，拎着箱子的手先酸后麻木，终于被沉默的人流拥裹着挪进大厅。

路平回头，想最后再看一眼这个城市。但有个声音从旁边硬硬地戳过来："你，身份证拿出来看一下。"

博大的北京，通过一个警察叔叔向他发出了第一声问候，也通过另一个警察叔叔的口，给予了他最后的临别赠言。

我去你妈的万般皆苦

奥运会那一年，路平没能去北京。靳松写了一首歌送给他，就是那首《老路小路》：

小路背起一把吉他/踏上一条离家的路

那是一条混不出头/也不能回头的路

苦乐自知有多少/处处是江湖

悲欢不知有多少/夜夜是孤独

小路变得有些沉默／别人说他有点儿酷

那是因为没有人知道他内心的苦楚……

歌词中有"苦楚"二字，有一次大家讨论过这个词。

我师弟的见解是：大部分时候，人们面对自我，未必会有那么多的喜乐安宁，更多的品味是苦楚，故而要灭苦得喜乐。

宋师兄的认知是：所谓苦，是名苦。既然常说万般皆苦，那眼耳口鼻舌身意能感知到的皆为苦，高兴也是苦，恬淡也是苦，都是空相。

我还蛮认可宋师兄的这番话，《心经》云：无垢无净、不增不减。这是证得般若波罗蜜多后的境界。苦是苦，亦非苦，乐亦是苦，苦和乐其实可以纸上画等号，然后统统橡皮擦掉，再忘记那块橡皮。

但我对宋师兄说："你觉得咱们道理上刚才说得那么清楚，一个个大明白似的，其实你我谁又真正把第一步做到了，你识苦了还是我识苦了？这不是在这儿废话么？"

宋师兄瞪起眼睛："禅门弟子岂不知言及佛法，开口即是错的道理吗？仰佛法之名来彼此法布施罢了，谁说佛法是用嘴说出来的？"

一旁的师兄弟们赶紧围过来拉架："喂喂喂你们说归说别挽袖子啊……有话好商量好商量。"大家一直很担心我们有一天会说着说着掐起来，连昌宝师弟都站了起来摇着尾巴挤了进来。

昌宝师弟是条哈士奇，刚皈依不久。大家就指着昌宝说："你看，你们俩连师弟都不如，起码人家不乱犯嗔戒。"

这时，一个半天没说话的同修，幽幽地说："我偶尔倒是会万幸这份苦楚的存在，不然我会忘记和自己对话，哪怕他是心魔……"

这位同修是路平的好友，两个人经常会默默地对坐一个下午。一个泡茶，另一个喝，彼此沉浸在自己的世界里出神，或许是在细细品味不同的苦楚吧。无常无我的状态，算是一种空吗？他们自己个儿也不知道那空是真的还是假的。

他也蛮喜欢这首《老路小路》的，有时候他捻着佛珠的间隙，会冷不丁地来上一句："老路唱起的那首歌，为何让我泪眼模糊……"

那首歌写于丽江，是路平来到丽江一年的时候。

那时候，路平在丽江五一街下段的拐角处开了一家小酒吧，叫D调。

青石的门脸，青石的墙壁，长榻都是青石砌的。他把它当家，买了电视和电脑，吃住都在酒吧里面，忽然之间就安定了下来。他蓄起了一点儿胡须，人们开始喊他老路。此时，离他最初的漂泊，已经过去四年了。

他从北京一路火车到昆明，在滇南、滇西北飘荡了大半年后，一双破了洞的鞋才踩上丽江古城的青石板。他选择在丽江留下，就像当年从西安选择北京，从北京选择远方，丽江就是那个他找了很久的远方。

于故乡和北京，他是孤独的异类，于彩云之南的丽江古城，他却轻易地就能找寻到人生履历无比雷同的族群。

路平和我、大军、大松、靳松一样，是古城最初的一批流浪歌手，彼此看对方都像是在照镜子。人以群分，无论丽江这锅杂烩汤水有多深，大家都以一个小圈子的形式游离在"浮躁"二字之外，自得地混在浑水里。

后来，我们分别开过D调、跑调、大冰的小屋、第一代江湖、凡间、丽江之歌、低调小馆等一系列火塘或小酒吧，我们不是连锁，却胜似连锁，并以此为根据地，草创了游牧民谣这个民谣小流派。

我曾用矫情的文笔渲染过当时那种状态：

这个世纪初，一群把音乐当干粮的人，从天南海北、体制内外，揣着所剩无几的青春和还未干涸的理想，不约而同地溜达到了彩云之南，溜达到了雪山脚下的小镇丽江。

他们中有的平和淡定，永远一身褴褛布衣；有的堆起满脸胡须，总是低垂着眼帘；有的桀骜不驯狂放不羁，却人情练达和蔼可亲；有的低调寡言，从不向人述说哪怕一丝丝曾经的坎坷沧桑。

他们是这座小城的过客或者常住民，夹杂在无数的艺术家和伪艺术家当中，每天静静地唱歌、喝茶、看书、买菜、赖床、微醺还有恋爱。

他们总是随身带着变调夹。

他们弹琴，叮叮咚咚的，很小声很小声地唱歌给方圆三米之内的人听，他们唱自己的歌，无论是在街边还是吧台边，很小声很小声地低吟。

他们也玩鼓，羊皮的、牛皮的、纸皮的手鼓，不是敲也不用力拍，而是轻轻松松地让手指在鼓面上跳舞。

他们说有吉他和手鼓就够了，在这个拼命强调形式和配器的时代，应该做点减法了。

他们说有三两个人肯认真听歌就已经很够了，他们不奢望被了解，不害怕被曲解，不在乎被忽略……

他们的原创赚取过多少女孩儿的深情凝望，数不清了。

他们的原创勾起过多少游子的哽咽呜咽，数不清了。

他们的原创诱发过多少过客的莫名叹息，数不清了。

他们的原创让多少男人会心一笑，让多少女人莫名缅怀自己曾经的少女情怀，数也数不清了。

清风抚山冈，明月照大江。

他们简简单单地玩着音乐，玩着玩着，玩出了一个民谣流派：游牧民谣。

共同的丽江背景、相同的音乐理念、类同的流浪歌手经历、出世又入世的原创歌词，物以类聚人以群分，没有比"游牧民谣"这四个字更适合用来定位他们这个群体了。

音乐是羊，他们游牧在路上。远芳萋萋的路上，车水马龙、行人匆匆的路上，长亭外古道边的路上，苍茫肃杀的路上，锦衣夜行却自得其乐的路上，扬鞭策马、猖狂高歌的路上，无法回头也不屑于去回头的路上……

他们都喜欢一句话：曾经有一个年代，流浪着的歌手被称作行吟诗人。

这是 2010 年以前，我写过的最矫情的文字。

没办法，现在必须找层防水防风的冲锋衣套上才写得出，我也觉得怪丢人的。

哈哈哈，对不起，敬个礼，请你吃块儿西瓜皮。

……

这么荒凉的时代，敢真正行吟的诗人注定饿死。我不怕死，那我硬着嘴，这会儿在这儿怕什么呢？

我怕看得越来越明白啊！

……

难过的是，老路唱起的那首歌，为何让我泪眼模糊……

那些美好得和假的一样的行吟，我肯说，可我自己肯懂吗？慢慢地，等我懒得张嘴了，是否又绕回到蝇营狗苟的人性深渊处了呢？

老路唱起的那首歌，为何让我泪眼模糊，为何那些落花流水留也留不住，为何滚烫的温度，总相忘于江湖，为何总有些遗憾，留在酒杯最深处。

我去你妈的万般皆苦。

放任自流的小时光

路平玩摇滚出身，有一副铁嗓子，民谣乐弹唱三四个小时和玩儿似的，连口水都不用喝。卖唱的时候数他的战斗力最强，几乎没见过他唱累过。

他卖唱有个特点，从来不和人交流。无论对方是一脸多崇拜的漂亮MM，出手多大方的豪气买家，他只管半仰着脖子唱他的歌，唱完了就闷着头抽烟，从来不接人家的话茬，经常会搞得对方讪讪的。他并非傲气的人，或许是当年那只飞来的酒瓶留下的阴影太重了吧。

所以，不论路平持久力有多么好，他的收入一般都是最少的，这个倒数的名次直到靳松加入卖唱队伍后才让贤。靳松是个除了吃饭唱歌以外，打死不舍得用舌头的人，语言功能退化得厉害。但那份沉默寡言，却很能激发大龄无知文艺妇女们的母性。

那时，我们经常两人一组自由组合出门开工。路平和靳松结伴开工简直是一道不可多得的风景，他们好像两只南瓜一样坨在街角。唱歌的时候还好，一唱完了脸上立马各种凝重，一动不动地坐在那里。除了喉头动，其他的部位就像裹了水泥一样的严肃。

我一直百思不得其解，他们是两个多年组乐队唱酒吧的主儿，什么硬场子没见过，怎么在街头唱首歌会这么如临大敌？搞得和见丈母娘似的。我经常问："你俩是在比谁僵硬吗？你们学学大军好不好？"

我说他们的时候，大军身旁围了一堆人，他正卖力地推销他花费16万打造的奢华专辑："……哎呀，谢谢你来听我唱歌，你长得这么漂亮，你是从成都来的吧？我的碟好啊……什么电脑都能放出声音来……"

我挥手赶走眼前飞过的乌鸦，扭回头来督导身后那两只南瓜好好总结学习。

靳松认真地学习了半天，然后吭吭哧哧地学着和卖碟的人交流："唉，谢谢你来听我唱歌……你、你漂亮……你、你是从贵阳来的吧！"

好吧，最起码他还知道把"成都"换成"贵阳"，贵阳出美女吗？管人家出不出，你"唉"什么"唉"啊，不会用感叹词就别用啊我的亲哥。

"接下来换你了，路平。我告诉你，今天你再只卖三张碟的话，明天干脆去帮老兵卖烧烤好了，我们不带你玩儿了，你要努力啊！你也老大不小的人了，怎么脸皮发育得还是这么薄啊你。"

路平很受鼓舞，坐着扎起马步，努力酝酿情绪。

不远处，一群高跟鞋美女噶嘚儿噶嘚儿地扭过来，貌似是一群组团休假的空姐。

"老路，加油啊，这是购买力多么优质的受众群啊。"

他吭哧吭哧也吭哧了半天，半天喷出一句家乡话："贼你妈，额说不出来！"

其中一个空姐停下脚步："乡党，你娃咋啦？"

那个时期，卖唱卖碟是大家的主要收入来源，由于是半共产主义的集体大锅饭生活，街头收益好坏，直接决定着晚饭炒洋芋丝时里面肉丝的宽度和厚度。大家饭量一个比一个大，况且还有大军这样的饭桌大神在，他只要一施展一筷子夹走半碟子菜的绝技，其他人第二碗饭就只能用豆腐乳下饭。所以，我们压力还是有一点儿的。

虽然有压力，但却都没有太把卖唱挣钱当回事儿，基本是边玩边干。很多时候，大家卖唱时喜欢玩即兴创作，歌词现编，看到什么唱什么，想到什么唱什么。路平是吉他高手，不管多即兴地唱，他都配合得很熨帖。

我向来没皮没脸，酷爱即兴唱歌拿熟人开玩笑，比如卖双皮奶的阿坚路过，我就唱：

路过的这个老爷们/他天天去赶集/每天背着鸡蛋筐

卖双皮奶给人七/为什么不是给人吃/而是给人七

因为阿坚舌头短/他是广东滴/阿坚开了家小吃店

上个月刚倒闭/因为客人很怕怕/以为他喂人吃油漆

周围的人笑得捂肚子，阿坚咧着大嘴笑得能看见后槽牙，他卸下筐子说："丢！候啦候啦……大冰类七饭没有啊？类要不要买一杯双皮奶七一七啦。"

我说："阿坚啊，你看你每天卖双皮奶那么辛苦，不如今天休息一下啦。你把双皮奶送给我们吃好了，我们允许你帮我们卖碟，OK不OK啦。"

他是个喜欢听歌的人，闻讯很开心地猛点头，然后又很认真地考虑了一下，说："那我是不是有点儿吃亏？你们都那么能吃……不如买一赠一喽，一张碟送一杯奶喽。"

阿坚之前在广东做生意，赔光家产后，落魄江湖混迹在丽江。我想，他当年破产应该是有原因的。

阿坚已经拉开架势在一旁开工了："哇，他们的音乐真的好靓唔，和我的双皮奶一样靓，哇！买碟送奶！真的好划算的啦，买他们的碟，喝我的奶……"

旁边的路平含着一口奶，艰难地咽下。

那时丽江不大，三两步就是熟人。除了调戏熟人，我们也经常拿路人甲乙丙丁开玩笑。

一次我唱："对面来了一个小姑娘啊，长得漂亮哦，像朵会走路的花，姑娘姑娘你笑什么啊……"唱到这里我给路平使眼色，让他接着编。人家小姑娘揽着男朋友的胳膊，笑意盈盈地靠近我们了，我让他赶紧用歌声留住。

路平一脸严肃地憋出一句："一笑还露着两颗大板牙。"

他是个实在人，但人家小姑娘的男朋友更实在。男朋友恶狠狠跳着脚："我就乐意大板牙！你想亲还亲不到呢！"

即兴唱歌慢慢养成了我们的一种习惯，也因此产生了一些批判现实主义的作品。比如我的《丽江粑粑》：

在丽江风花雪月／都他妈的哄人的

真爱不过是一场童话／童话有时候是吃饱了撑的

不如和我一起唱歌卖唱挣钱买粑粑……

比如靳松的《要嫁就嫁公务员》：

我找过的几个女朋友／通通嫁了公务员

她们说这年代没有安全感／不如嫁给公务员

要嫁就嫁公务员／又有前途又体面

衣食无忧金饭碗／还能混个养老保险……

比如大松的《好袜子便宜卖了》：

公司倒闭了／老板上吊了／好袜子就便宜卖了

两块钱一双／真的很便宜／买了能给中小企业做贡献

你有多少钱／我有多少钱／GDP它到底值多少钱

一双好袜子吧／只要两块钱／咱们到底给谁在上保险……

那时候，川子经常去丽江玩，大家经常一起街头卖唱。后来他出了《挣钱花》、《幸福里》这些歌的时候，我专门买来专辑听。他唱的都是北京，但我听的全是丽江。

路平的即兴，是音乐性最强的。他不爱批判什么，但大家都蛮喜欢他歌里的简单：

我背着吉他四处去流浪／来到了美丽的古城丽江

这里是离云彩最近的地方／这里有那么那么多漂亮的姑娘

我住在不老客栈／心情很舒畅／游客们的单反咔嚓咔嚓的响

青幽幽的河水让我静静荡漾／姑娘们的笑脸笑出一个崭新的他乡……

莲宗净土讲，所谓往生西方极乐世界，并不意味着就是解脱，只是获得了一个带业往生的机会。

丽江是一次机会。

路平和我们背着吉他四处去流浪，带业往生到丽江。

吃掉一扇窗

我爱丽江，也自负地自认为看透了丽江。

于是多年来从不肯真正驻足。每次在丽江住满了大半个月，就必须要离开一次。哪怕每年回去十几次，也不肯一次多留一天，如此这般十余年。

来来往往的折腾，免不了烦劳他们送行又接风。

大军送行的方式是亲自下厨，蒸饭炒菜给我吃。老兵则请我敞开了喝我最爱的樱桃酒。川越会推掉所有的事情，陪我在小屋坐上半个午夜。大松不论我是凌晨或者半夜走，一定亲自送我……他们是一群懂得惜缘的江湖兄弟，素来待我亲厚，久而久之，我亦习惯成自然地坦然受之，把他们对我的好，当成理所应当。

路平送别的方式是请我吃土鸡火锅。

有一年，他租了个小院儿，位置在丽江古城的文明村，推开门就是菜地，那里当时是古城里最偏僻的角落。以他的经济实力，也只租得起这样的位置。当时他正在装修那个小院儿，雨季将至，他想趁着好天气抓紧收尾，于是亲力亲为地昼夜赶工。

当时我没怎么多想，照例约他去北门坡吃土鸡火锅。

我懒，让他帮忙拖着行李，慢慢地爬北门坡。他灰头土脸，胡子拉碴，泪眼惺忪地一边走一边打哈欠，满手的创可贴，满裤子的油漆。我们俩一边气喘吁吁地爬大上坡，一边有一搭没一搭地聊天。

路上来了一个电话，是材料店的送货电话，说一会儿按约定送玻璃，让路平准备好 700 元的材料钱。

路平用一只手捂着话筒，一边走路一边和人家打商量。絮絮叨叨好久，说少送 4 块玻璃，把材料钱压缩到 500 元。

我笑话他："你怎么学得也这么抠门了？装修是一次到位的事儿，不该省的别瞎省。"

他咧着嘴笑笑，然后又换回到常规的木木呆呆的表情。

那顿土鸡火锅花了他 200 元。

他请我吃的，是他院子的一扇窗。

哪里只是和爱情有关

路平有个习惯，从来不过生日。

有一年，我事事儿地从面包港湾买了个蛋糕去给他庆生，他木着脸，打死也不肯吹蜡烛切蛋糕。

我那天很生他的气，觉得他不知好歹。于是把蛋糕端走了，上面还点着蜡烛。

一年后又到他生日时，我想起这事儿，气立马又来了，鼻子不是鼻子眼睛不是眼睛地说了他几句。

他默默地拿过来吉他，给我唱了一首郑智化的《生日快乐》。

他把歌里所有的"你"都换成了"我"。

这首歌唱得另一个我泪眼婆娑。

我的生日让我想起，一个很久以前的朋友，那是一个寒冷的冬天，我流浪在街头。我以为我要祈求些什么，我却总是摇摇头。我说今天是我的生日，却没人祝我生日快乐。

生日快乐，祝我生日快乐。有生的日子天天快乐，别在乎生日怎么过。

我不过生日也很多年了。

也不吹蜡烛，不吃蛋糕，不搞聚会，不接受生日快乐的祝福，谁给我送礼物我和谁急。

很年轻的时候，我爱过一个重庆姑娘，想和她白头到老，但上天没给我这个机会。她消失的时候恰逢我生日。我是个矫情的人，于是把每年生日当成祭日，硬生生地给自己一个自我感动的理由。

第一个三年，每逢生日都专门给她写篇博客当作祭词，然后自己一个人出门吃碗面，谁给我打电话送祝福都不接。第二个三年亦是如此，谁送生日礼物都被原封邮寄回去。第三个三年，依旧是写博客、吃面，自己一个人飞去远方的城市过完这一天。最后一年，写完博客出门吃面的时候，忽然发现一整天没有一个人对我说一句生日快乐。

大家都知道我不过生日，没人电话我了。

我坐在午夜北京的小饭馆儿里，捧着面碗对自己说了句："祝我生日快乐。"

说完以后，手心儿一片冰凉，全是汗。

10 年，这出独角戏唱了 10 年。

……更让人冷汗涔涔的是，这些独角戏所指的，不仅仅只是爱情。

23 到 33 岁，10 年眨巴眨巴眼儿就过去了，回头看看那个很久以前的自己，一个走在寒冷冬夜街头的傻孩子。匆匆忙忙，慌慌张张，东碰西撞，早早就学会了自嘲自讽、自我安慰，还有不知道从哪儿来的一脑袋自我感动。

像是着一袭青衫浸身一场沙尘暴，大风沙铺天盖地地掩杀过后，世间万物都蒙上一层薄薄黄尘，鞋面上也是，头发里也是。不能算是脏，但指定是不净洁了，但盯着看的时候，又会自鸣得意地觉得另有一种饱经沧桑的美。

偶尔，会汗颜这种莫名其妙的幼稚，偶会有心揩去灰尘，转念又想，算了，反正下一场沙尘不定什么时候就来了，等风全部刮完了以后再说吧。

这一等就是十几年，或者几十年，或者原谅我这一生触不到已跑开。

这些遗憾哪里只是和爱情相关，社会生存中的立身立言立心立行哪一项不是如此。

年轻的时候，听陈百强唱："一生何求，得到了的却偏失去，未盼却在手。"

年轻的时候，听郑智化唱："有生的日子天天快乐，别在乎生日怎么过。"

年轻的时候坚信自己听懂了，并满不在乎地去哼唱。现在看看，真真儿的孩子气。

我一直不知道路平不过生日的原因，也不那么想知道了，每个人都是一个独立的国度，不是所有的故事都要和临近的人分享。

我一直在琢磨等到路平下次过生日的时候，我还是会给他买一个蛋糕，点上蜡烛送过去。

他如果还是不接受的话，那就直接扣在他脸上。

然后，扯着嗓子给他唱首生日快乐歌。

我的小姑娘

我和路平的性格属于两个极端，一个是地底火，一个是峰顶冰。彼此都不怎么能接受对方性格中有棱角的一面，按理说，本不太可能至交。

真正拉近我和路平之间距离的，是一个小姑娘。

小姑娘叫心心，苹果一样鼓鼓的脸蛋，又乖又好玩儿。

她从长春来，她妈妈爱她，怕她遭遇感冒打喷嚏流鼻涕然后命丧云南。于是用东三省娘亲之心度丽江昼夜温差之腹，秋衣毛衣保暖衣羽绒衣地把她包裹成了一只粽子，又里三层外三层捆上一根羊毛围脖，她胳膊根本放不下来，只好整天像只鸭子一样摩挲着翅膀，踉踉跄跄的，用两条小细腿捣来捣去地跑。

孩子还在不知冷热的岁数，也还没学会自己脱衣服，一出汗满头腾腾的热气，像微型空气加湿器一样，毛茸茸的刘海儿下面满是细细密密的汗珠。

一般的小孩子只会用手背横着擦汗，她却早早学会了像老农民一样，摊开手掌从上到下胡噜满脸的汗水，胡噜完了还知道往后腰上抹抹。

妈妈爱她，怕她喝可乐饮料患上糖尿病命丧云南，只喂她喝矿泉水。她不爱喝，口渴了就自己偷大人的普洱茶喝去，那么酽的茶，咕嘟咕嘟两声就吞了下去，还知道砸吧砸吧嘴。这么点儿大的孩子喝了浓茶后，立马精神成了猴儿，眉飞色舞地撵鸡逗猫，还满大街地骑哈士奇，吓得半条街的狗慌慌张张地找掩体。

她蹦到打银店里跳舞，陀螺一样地转着圈蹦跶，惊得鹤庆小老板一锤子砸在自己手上。她又去找纳西族老太太聊天，话说得又密又快，快得几乎口吃，路过的大人担心她咬着自己的舌头，一脸问号的纳西老太太冲她摆着手说："不会不会，我听不会外国话嘎。"

这孩子对普洱上瘾，喝了茶以后是个货真价实的响马。她见我第一面时，刚通过自己的搏斗，从一家茶舍的品茶桌上生抢了一壶紫鹃普洱，对着嘴儿灌了下去。老板都快哭了，说："我不心痛这壶茶，喝就喝了，可你不能把我的茶壶盖儿也给捏着拿跑了啊……"

她逃跑的时候一脑袋撞在我肚子上，让我给逮住了脖子。

我逗她，让她喊我爸爸。她犹豫了几秒钟，然后扑上来抱着我的大腿往上爬，一边揪我的胡子一边喊"粑粑巴巴粑粑……"还拽我的耳朵往里塞草棍儿，又从兜儿里掏出那个茶壶盖儿送给我当礼物。

我是真惊着了，这个满身奶糖味儿的小东西……猴儿一样的小姑娘，大眼睛长睫毛扑闪扑闪地看着我，一下子就把我的心给看化了。

她不是个长得多么漂亮的孩子，我做过七八年的少儿节目，粉嫩乖巧的小演员、小童星见得海了去，有些比他爹妈还聪明，有些比洋娃娃还漂亮，但哪一个也没给我这种内心融化的感觉。

我和她妈妈说："礼都收了，认个干女儿好了。"话一出口，自己都吓了一跳。

妈妈爱她，怕不征求她的意见冒昧做决定会让她苦恼抑郁命丧云南。但她妈妈也是个奇葩，把她提溜起来问："这个哥哥帅不帅，给你当干爹好不好？"

旁边的人笑喷茶，我抬手摸了摸早上刚刚刮青的下巴。

小东西扭头来很认真问我："……那你疼我不？"

我心里软了一下，说："疼啊……"

于是，我在20啷当岁的时候，莫名其妙地有了个六岁的女儿。

女儿叫心心，一头卷毛小四方脸儿，家住长春南湖边。

心心的妈妈叫娜娜，是个雕塑家。孩子生得早，身材恢复得好，怎么看都只像个大三大四的文科大学生。那时候小喆、苗苗、铁城和我组成了个小家族，长幼有序，姊妹相称，娜娜带着心心加入后，称谓骤变，孩子她姑、孩儿她姨地乱叫，铁城是孩儿他舅，我是"他爹"，大家相亲相爱，把铁城的马帮印象火塘当家，认认真真地过家家。

娜娜几个姐妹淘酷爱闺秀间的小酌，一堆小娘们儿彼此之间有聊不完的话题。她们怕吵着孩子睡觉，就抓我来带孩子。我说，我没经验啊。她们说，反正你长期失眠，闲着也是闲着。

于是，我负责哄孩子睡觉。我发现讲小猫小狗小兔子的故事，根本哄不出她的睡意，讲变形金刚、黑猫警长、葫芦娃反被鄙视。逼得没办法，我把《指月录》翻出来给她讲公案，德山棒临济喝赵州茶地胡讲一通。

佛法到底是无边，随便一讲就能把她整睡着了。讲着讲着，我自己也趴在床头睡着了。半夜冻醒过来，帮她擦擦口水抻抻被角，夹着书摸着黑回自己的客栈。月光如洗，漫天童话里的星斗。

娜娜觉得我带孩子有方，当男阿姨的潜力无限。于是趁我每天早上睡得最香的时候，咣咣咣地砸门。在丽江，中午十二点前喊人起床是件惨无人道的事情，我每次都满载一腔怨气冲下床去猛拽开门，每次都逮不住她，只剩个粽子一样的小人儿乖乖坐在门口等我，说："干爹，你带我吃油条去吧。"

我说："我还没洗脸刷牙刮胡子呢……"

她说："那干爹你带我吃馄饨去吧。"

我说："恩公，您那位亲妈哪儿去了……"

她扳着指头说："我吃一个两个三个四个……馄饨，我只吃皮皮儿，剩下的你吃，好不好。"

我能说不好吗恩公！

妈妈爱她，怕她不吃早饭发育不良命丧云南，但同时妈妈也很爱自己，怕自己睡眠不够脸色不好看然后命丧云南，于是把这块小口香糖黏在了我的头上。

　　我顶着黑眼圈生生吃了好多天的馄饨馅儿，差一点儿命丧云南。一直到今天，一看见馄饨摊儿就想骂娘。

　　小东西没喝普洱茶的时候还是很乖的，软软小小的爪子握住我一根指头，蹦蹦跳跳在古城的石板路上，左一声干爹，右一声爸爸，喊得我浑身暖洋洋、懒洋洋的。

　　路过的熟人问："这是哪儿捡的漂亮小孩儿啊？"

　　我说："我女儿啊，不信你听她喊我，来，姑娘，喊一个。"

　　这番对话见一个熟人就重复一次，然后细细欣赏对方脸上的骇然，洒家心下居然萌生着一点儿骄傲的感觉。

　　骄傲？人性里的有些东西是不可论证的。明知道不是自己的孩子，可还是愿意各种炫耀献宝。好比拿着别人的泰格吉他跑到第三个人面前炫耀：你看，泰格！其实和我哪儿有什么关系啊。我有时候一边炫耀我的小干女儿，一边觉得自己心智真他妈的幼稚。等扭过脸来看心心的时候，又觉得这种幼稚是完全可以解释的。

　　既然喜欢，就恣当是亲女儿去疼吧。要喝可乐给买可乐，要吃巧克力给买巧克力，要骑哈士奇我去给你满世界撵狗。

　　一整天一整天的，带着我从天而降的小女儿混丽江。她腿短走不快，走累了就放在肩头驮着，夹在腋下挟着，横抱在胸前捧着。更多的时候，让她揪着我衣襟角，我记得我小时候就是这么揪着大人的衣角走路的，但她很固执地把手硬塞进我手心里，让我牵着她走。小小的爪子在我掌心里捏成一只核桃样儿的小拳头，关节硌着我收拢的掌心。

　　窝心的一幕是，下午三四点钟的时候，我瞒着她妈妈带她去吃海鲜比萨饼。她走着走着，忽然自己唱起歌儿来：*池塘的水满了/雨也停了/田边的稀泥里到处是泥鳅/天天我等着你/等着你捉泥鳅/大哥哥好不好/咱们去捉泥鳅/小牛的哥哥带着她捉泥鳅/大哥哥好不好/咱们去*

捉泥鳅……

她声音里丝毫做作都没有，干净得要死，我的心慢慢变成了一坨豆腐脑儿，一撮儿棉花，一小块儿正在平底锅里吱吱融化的猪油。

孩子的歌声，原来真的拥有抚慰人心的力量。

这种天籁后来我只听过两回。

一回是洱海边放猪的几个白族小阿妹，她们唱：娘娘有个小公主喂……歌儿你唱不完……一张嘴，就引得一道神光穿过乱云飞渡的大理长空，结结实实地锤在洱海上。那是一群头上有光环、背后长翅膀的孩子，我想尽办法采来她们的声音加在自己的民谣中，放在第一首歌的开头当人声Solo。其中一个小孩子唱尾句时被口水呛了一下，煞是有趣，每次听都不禁莞尔。

另一回是新加坡吹萨克斯卖艺的残疾老人，他吹了一曲《When A Child Is Born》。彼时，乌节路行人熙攘，我傻在马路牙子上，难过得发抖。闷热的新加坡午后，所有坚硬的光芒都向我涌来，所有的盔甲都失去重量。

A ray of hope/flickers in the sky/A tiny star lights up way up high/All across the land dawns a brand new morn/This comes to pass when a child is born……

当"This comes to pass when a child is born"那句响起时，一瞬间什么都绷不住了，我不过是个丢盔卸甲的败军之将，胃里的肉骨茶在翻腾，满世界铺天盖地的黯然神伤。那个老人是个头上长角、手中擎叉、身穿黑披风的，让人心碎。

可那两回的触动，都不如心心当年有口无心的哼唱。

那时，我们俩站在王家庄巷和文治巷的交叉路口，离低调酒吧不过十几米。没等她唱完，我抄起她来夹在腋下，三步并作两步跑去找路平。

一脚踹开低调酒吧的小木门，我说："路平，你别告诉我你没有录音笔！"

路平正在泡面，受了惊，开水烫了手。他用嘴嘬着烫伤的地方，另一只手在电脑桌上拨拉着了半天。然后说："如果我说我忘了放哪儿了，你会不会很生气。"

"再见！"

"你要录什么？"

我打小有个毛病，一着急就大舌头，话说也说不清楚，他却听得眼里放光。他蹲下身子用西安话问心心："女子，你敢不敢再唱一遍？"

心心被莫名其妙地抄了起来，莫名其妙地被钻进一个洞穴一样的屋子，面前又莫名其妙地伸过来一个莫名其妙的脑袋……她人小脾气不小，正没好气地拿脚跺地呢。

她冲着路平的脑袋张开爪子，伸出两只胳膊，路平以为她要索取一个拥抱，刚也想伸手去抱她，我忽然意识到什么，还没来得及提醒……说时迟那时快，孩子的两只爪子"啪"的一声同时贴在了路平的脸上，估计力道很大，路平斗鸡眼了一下，愣住了。

小女儿两只手掌夹着路平胡子拉碴的脸，端详了一下，扭头问我："大驴？"

路平的脸瘦长……

小孩子一旦来劲儿了，是怎么哄都不肯再唱歌的。我和路平折腾了半天，喂她吃了薯片姜片香蕉片鱿鱼丝……就差请她喝点儿啤酒了—结果人家还是不唱，光闷着头吃。我恨得只挠头，头皮屑掉了一肩。

"到底怎样才肯唱啊，恩公?!"我指着路平问，"如果让你骑大驴的话，你唱吗？"

路平立马把她面前的零食划拉划拉抱走了，慌慌张张地很愤怒地往厨房躲。我揪着裤腿儿把他拽回来。

小女儿嘎巴嘎巴地嚼完香蕉片儿，终于开金口了："我要听故事……"

好么！吃饱了喝足了要听故事了是吧，听了故事就肯唱歌了是吧，等着，爹来了！我拽过来一个墩子，盘腿一坐："话说，六祖慧能在承接衣钵后，为了躲避追杀，一路隐姓埋名迤逦南下……"

小女儿拿香蕉片儿捂住耳朵眼儿："不听不听，不听这个。"

我扭头求助路平，他居然在啃指甲！路平道："大冰，他们说你少根筋，我本来还不太信……"

他琢磨了一下，坐在了墩子上，幽幽地开口："他没爸也没妈，有一天，忽然从石头里蹦出来，一身的铁毛，哎哟，是个猴儿！这个猴儿太了不起了，它光着屁股，打死了一只狗熊，然后它有皮裤穿了。"

小女儿停止了咀嚼。

"这只猴儿遇见了其他一大帮的猴儿，它领着它们找到了一个很大很大的洞，洞口有条从上到下淌的河，它们在里面建了个游乐场，还可以做饭吃，还可以想聊什么就聊什么，一般人根本不知道里面住着一群特别开心的猴儿……"

那个故事讲得好长，那只厉害的猴子掀了桌子打了公务员，被压在了巨山下。有个骑马的人救了他，给他戴上了金箍。他又迷惑又开心，他没得选择。于是违心地跟着那人走向西方，一边走一边想，一切会好的，会好的吧……

路平越讲越进入状态，语调开始抑扬顿挫，手势越来越多，西安口音也越来越重。小女儿捧着脸，听得入神，手指上的点心渣子粘了一脸腮。

冬阳西斜，一道黄色的光斑铺在小酒吧门口。

我走出低调的小木门，点上一根红河，心里念起一个名字。

你看，如果不是命运的捉弄，我们应该也有一个小小的女儿蹲在膝边，听你我给她讲故事了吧。

背后，路平讲故事的声音若隐若现。

"那只猴子跪在马前，人啊，你怎么会怀疑我的真心，我忍却委屈地追随在你身边，到头来，你却这么轻易地放我离去，如果我的心是石头做的，那你的心是什么做的……"

我在门外听着另一个门外的故事，将手抄进兜儿里，跳了会儿踢踏舞。

孩子的妈妈来接她，我在门口拦住她不让进，我说："你听。"

"八戒，你不要再说了，我会回去的，但不是现在，我要晚两天才行……我心里面还在难受哦，等我的难受再减少那么一点点，我立马就出发。只要他肯让我回去，我怎么会不回去。你知道吗？不管他怎么对我，我都不恨他哦，我只是有点儿难过……"

我和娜娜掀开门帘偷偷往里看着，一大一小两个人儿对坐着，中间一盆炭火，小女儿依旧是捧着脸，认真地静静地听，满脸的点心渣。

娜娜说："路平会是个好父亲。"

我说："那我呢？"

她抿着嘴，笑着看了我一眼，又收敛起微笑，在我肩头轻轻拍了拍。

瞎拍什么啊！我扭过头去继续跳我的踢踏舞。

路平唱歌从没唱哑过嗓子，那天却说哑了嗓子。我们叫了外卖，边吃边听他给心心讲故事。

晚上八九点钟，开始上客人的时候，他也不肯停。有些客人待了一会儿无聊地走了，有些客人盘腿坐下，和我们一起听。炭火时明时暗，瓜子皮在火盆里酿出青烟。

小女儿困了，歪在我怀里睡去。路平帮我把她放到背上，踩着星光，我背她回客栈睡觉。

路过大石桥的时候，她半睡半醒的，在我背上轻轻地唱起那首歌：池塘的水满了，雨也停了。天边的稀泥里，到处是泥鳅……

我说："姑娘，没有下午唱得好听呢。"

她呢喃着说："爸爸，明天我们还去找大驴玩儿好嘛……"

从那天开始，每天早上她吃完馄饨皮儿，我吃完馄饨馅儿后，我们都会溜达到低调酒吧门口，晒着太阳等路平起床讲故事。

路平迅速爱上了这个小人儿，除了讲故事，他还给心心弹吉他。那时他在整理专辑，弹着吉他唱歌，然后停下来，客客气气地问心心："您觉得这首怎么样？"

小女儿永远回答他："没有我爸爸的歌好听。"

他就很淡定地，接着唱下一首歌，接着问同样的问题。

晚上酒吧营业的时候，路平会在台上演绎的间隙穿插唱两首儿歌给心心听。慢慢地，他竟然养成了习惯，一直到现在都是如此。后来，低调酒吧 5 年间搬迁两次，这个习惯他却一直没改。

低调酒吧变成了新的根据地。我们开玩笑说：心心是史上最年轻泡酒吧的姑娘。大人喝酒，她喝养乐多。她觉得养乐多很好喝，经常往我们的酒瓶里挨个倒点儿，没人会拂了她的好意，都继续接着喝，但味道实在是很怪。

她一般到晚上十点左右开始犯困。一困了就自觉把脑袋枕在我大腿上，半分钟左右就能打呼噜，吓得整个酒吧的人关了音响，压低了嗓子说话。有些好心的姑娘解下外套，左一件右一件地盖在她身上。

她睡觉爱流口水，我没少付干洗费。

……

娜娜改签了机票，拖到没办法再拖的那一天才离开古城。

悠长的假期结束了。

我和苗苗、小喆、铁城、路平一起去送她们。车停在忠义市场，上车前我们挨个抱了抱她们，小女儿很奇怪地看着我们，问："你们怎么不上车？"

她喊："爸爸过来……爸爸你怎么不上车？"

她喊："路平路平，开车了快上来啊……"

有人和我打招呼，我递给那人一根烟，转过身去和他聊天。

再回头时，车已经开走了。她趴在车玻璃上，眼睛看着地面，眉头皱着，挤扁了小小的小鼻子。

路平说："还好，没哭。"

心心离开丽江两年后，我路过长春，打电话给她妈妈："孩儿她娘，咱姑娘还记得我吗？"

打这电话时，我是有那么一点儿忐忑的，那两年我的人生起起伏伏，诸事扰心状况百出，又本是个疏于靠电话线联络感情的人，已许久没有听到过她们娘俩的声音了。

奇葩妈妈说："她都八岁了……上小学了。如果不记得你了，你可别伤心。"

我说："那算了，不如不见，保重保重。"

她说："你看你，还是那么孩子气……不如我们和心心玩儿个游戏，咱们制造一次偶遇，看看你在孩子心里分量有多重。如果认不出你来，你擦肩而过就是了。"

我闻此语甚为伤心，是真的特别伤心。但还是讪讪地按约定去等她们娘俩。

远远的，看见人群里娜娜卓越依旧的身姿，左手边牵着我可爱的小女儿，唉，抽穗的小玉米秸子一样，都长高了快一头了。娜娜冲我眨眨眼，径直朝我的方向走来，小女儿完全不知情地蹦跶着，嘴里好像还哼着歌。

我放慢脚步，止不住浮起一个微笑。

距离5米的时候，小女儿猛地扎住了脚步。

她死死盯着，先是往后倒退了一步，而后一下子张开两只胳膊扑了上来，搂住了我的脖子。

我抱着她原地打了两个转儿，我说："姑娘姑娘你快勒死我了。"

她小声喊："爸爸粑粑巴巴我的好爸爸……"头埋在我颈窝里，呜呜哭出声儿来。

我说："娜娜你别光自己个儿抹眼泪，赶紧找张面巾纸给咱姑娘撸撸鼻子，鼻涕都蹭我衣服领子上了。"

我说："姑娘姑娘我的好姑娘，你想我吗想我吗"

我的小女儿噙着眼泪，捧着我的腮帮子说："本来不想的，一看见你就开始想了，现在这会儿最想最想了……"

我一手抱着她，一手掏出手机，哆嗦着给路平打电话。电话很久才有人接，路平应该是刚刚睡醒。

"老路，我估计是没戏了……你赶紧生个孩子去吧！要生就生个女儿。"

十二月党人的妻子

三年后，路平生了个孩子。

但不是女儿，是个虎头虎脑的大胖小子，小鸡鸡很大，路平说是遗传。路平给他起名叫"路过"。

我说："你给宝贝儿子起的这个名字，实则是你自己半生的写照。"

他说："我希望是我儿子一生的写照。"

路过第一次剃胎毛的时候就被剃成了个莫西干头，因为他有个奇葩的妈妈，叫小南京。

一直到今天，我都没琢磨明白路平的终结者为什么会是这个叫小南京的女人。这俩人太不搭了，性格反差不是一星半点儿的大，居然就那么过在了一起。

她是个彪悍的女人，听她说话像被微冲扫射。说她是路平终结者一点儿都不夸张，那么低调腼腆的路平，她敢一把揽过来当街舌吻，还吻得有滋有味的，羞得一个卖玉米的纳西老太太差点儿一个跟头仰到河里去。我亲耳听过那个老太太用纳西普通话形容她："哎呀呦，这个女人好生猛的嘎……"

小南京那时候挺着八个月的大肚子，连纳西老太太都觉得她生猛，啧啧。

她怀孕之前基本属于上杂志封面也不寒碜的那一类标准美女，性格虽然麻辣，但还说得过去。但怀孕之后，一下子从麻辣变成了巨辣。她护犊子一样维护路平，但凡有人诋毁路平，她挺着肚子，袖子挽得比任何江湖兄弟都快。路过落地以后，有人敢说这孩子不乖不可爱，她一秒钟不犹豫就张嘴骂娘。

出生后，我去送红包。她歪在床上扬扬得意地喊："你，喊我嫂子！"

再怎么说咱也是混迹丽江十几年的老字号，辈分在这儿摆着呢，什么嫂不嫂子的。

我说，我不喊。

她说："你要是不喊你就是个'呆逼'。"

我落荒而逃，自此对全体南京女人肃然起敬。

小南京逼我喊她嫂子是有原因的，她不说我也明白。放眼丽江，完整见证路平数段过往感情史的，连我在内不过寥寥几人而已。

小南京在乎路平，在乎路平对她的认可，进而延伸到在乎路平身边世界对她的认可。她或许是害怕我们拿她和诸前任比较吧。

她和路平的故事，是典型的丽江传奇，也是丽江烂大街的艳遇故事中，罕见的修成正果。

小南京在国际大都市南京开服装店，和民谣歌手路平属于完全不同的两个世界。她有自己的商场专柜，代理了数个品牌，手底下养着一堆娘子军，是个女强人型的时尚大萝莉。

此类中高端女光棍儿我认识不少，她们抹SK2、戴卡地亚、喝依云，但也爱吃驴肉火烧和猪肉大葱馅儿的包子。有时候，去街角买个烤地瓜都打扮得和参加婚礼当伴娘一样，有时候参加婚礼都穿得和刚逛完超市一样。

她们不靠男人养，反正自己能挣钱也舍得给自己花钱，经济上的独立，养成了底气，再演变成了胆气，让她们几乎不怎么迁就男人的审美。故而，她们在气质上普遍带有一种彪悍的性感。

她们不算典型的物质女人，但也肯定算不上庸俗的小市民。有个很奇怪的现象，往往这样的女人是最不缺人追的。但这样经济独立又热爱生活的女人也是不好追的。但喜欢迎难而上挑战极限的男人又是层出不穷的，但小南京又是简单彪悍的……

于是乎小南京单身了很多年，眼瞅着从大萝莉快变成大御姐，合适的人始终没出现。她貌似也没多在乎，一个人傻乐傻乐地把明天穿什么衣服看得比明天和谁约会重要。周围的人好心给她安排相亲吃饭，她和男的抢着埋单，还送人家店里的打折卡。

她一脸坦荡，说："回头记得领着女朋友来买衣服啊。"

男的哭笑不得，脸儿绿了又蓝。

那时《非诚勿扰》刚开始录制，有外联编导觉得她漂亮又有个性，邀约她报名录节目，让她一顿"呆逼"给骂跑了。她掐着腰站在店门口冷笑："你看老娘是那种着急嫁人的人吗？啊呸！"

身后一堆小女员工崇拜地鼓着掌，有的还热泪盈眶。

家人以为她心大，宁缺毋滥坐等金龟婿。外人认为她是看透了，不指望在男人身上找安全感。

直到有一天，她从丽江回到南京。

那本不过是一次乏善可陈的短程旅行，本来坐完索道，吃完丽江粑粑、拍完比着两根手指的照片就可以撤的，但鬼使神差的，小南京想出去散散步。

穿着高跟鞋扭啊扭，居然就从四方街扭到了五一街的尽头。她累了，想找地方歇歇脚。身边有个小酒吧的台阶看着还挺舒服，她一屁股坐了上去。

一个胡子拉碴的男人来开门，头也不抬地跟她说："要不您进来坐吧，别坐这儿了，昨天有条狗在这个位置拉了屎……"

她白了一眼他的背影，觉得这个男人穿得真土，起身准备走……鬼使神差，她又转身走进这间小酒吧，她有点儿口渴，想喝点儿东西。

她当时肯定不知道，距离自己人生翻天覆地的转折，只剩最后两分钟倒计时。

她走进酒吧，找了个舒服的位置坐下。男人在埋头调琴试话筒，她说："来瓶冰红茶。"男人说："麻烦您自己拿吧，我这正忙着。"

她喝着冰红茶，觉得这个老板真他妈不会做生意，琢磨着要不听完一首歌就走，不然浪费了这 15 元钱。

那个男人抬起头，开始唱歌……

第二天，她回了南京，失魂落魄地在机场出口，差点儿被偷了行李。

店里的员工惊讶地发现她居然连着一个星期没心思换外套。另一个店员工纳闷地接过她给的一张音乐光盘，她说："从现在开始，只能放这个音乐。"

员工收起林俊杰、陈奕迅、五月天、凤凰传奇，路平的音乐在南京某条精品购物街上响起。

来往客人疑惑地瞅瞅店里的商品，又听听音乐。员工说，姐啊，半个月了，老放这么催泪的歌儿，客人都不上门儿了，咱还做不做生意了，姐你怎么啦啊。

她冲人家吼："啊呸！生意重要还是爱情重要?!"又冲着镜子吼："你说啊！"

开窍后的小南京拖着两大箱衣服回到丽江，没人知道她是为了一个土土的歌手而行，连路平自己也不知道。

小南京用了什么方法迅速地终结了路平，那是个谜。

小南京和路平相爱后，很避讳说起这一段儿，一提到就脸红。她习惯说是路平主动表白，但我估计是她自己积极色诱。以我对路平的了解，弄死我也想象不出来他主动出击会是什么模样。但路平默认，反正现在小南京说什么他都默认。

据可靠消息，私底下两人的生活也非常和谐。路平和小南京在一起后青春重焕，各项能力突飞猛涨，创造了 2 小时 20 分钟的体能纪录。让人不仅对他，也对小南京肃然起敬。除了体能方面，大家对小南京的音乐天赋也赞许有加，据说她的高音很不错，跌宕起伏变幻莫测。

当时有人耳朵里塞着棉花掐着表算时间，此条消息的可信度极高，我就不说是谁爆料的了。小钟的房间在路平房间的旁边，小钟是个好人，从来不打诳语。小植的房间在路平房间的隔壁，小植也是个好人，也从来不打诳语。我的房间在路平房间的下方，我不算是个好人，但也从来不打诳语。

反正路平现在是个幸福的男人，不仅有人管吃饭了，穿衣服也有人管了。小南京把爱自己的劲头儿转嫁到他身上，迅速把他捯饬成了五一街男装潮流指向标。两个人每天走秀一样变着法儿地换衣服。

　　我喊路平上街卖唱，她说，等会儿，我给我们家老路换身行头。我喊路平去吃宵夜吃烧烤，她说，等会儿，我给我们家老路换身行头。

　　我有回忍不住问她："小南京，路平是你的洋娃娃吗？干吗呢这是？玩穿衣服的过家家吗？"

　　路平变成了一个很洋气的业余华侨，他三个月穿过的衣服比30年来穿过的都要多，而且不仅不用花什么钱还能挣钱，小南京搞了那么久的服装行业，总有办法把路平走秀过的衣服再加码卖出去,她甚至专门为此开了个淘宝小网店。

　　但小南京是个很小气的女人，她很提防女客人。

　　但凡有单身女客人来访，她就进入一级战备状态，各种目光炯炯，各种凛然傲立，各种正室大奶风范。人家女生未必会喜欢路平这种长相资深款的，她却把每一个都当成假想敌。

　　漂亮的上海女生说："我点一支啤酒……"

　　她说："我们家啤酒论瓶不论支！"

　　温柔的成都女生夸："这个老板唱歌不错哦。"

　　她说："那是因为音响调得好！"

　　东北女生问："你们营业到几点啊？"

　　她立马跳起来吼："你想干吗？到几点都是跟我回家！"

　　有一次，来了两个温柔漂亮、气质优雅的台湾MM，静静地坐在舞台前听歌，每首歌的间隙都会礼貌鼓掌。路平低着头弹唱，偶尔会颔首微笑着致意回礼。

　　此时的小南京，那叫一个咬牙切齿，面容狰狞。她绕到舞台侧，伸出爪子飞快地挠了我一下，低声说："大冰，上！"

　　"啊？上什么上？

　　她恨恨地说："你没见你兄弟有难吗?!"

我看不出兄弟难在哪儿，但出于善良的本质，我拎着啤酒硬着头皮坐过去，很诚恳地说："老板娘怕老板喜欢上你们，派我过来二两拨千斤……"

她们笑了，自我介绍叫诗雯和kiti。我们聊得很开心，诗雯给我看手机里的照片……都是些热辣沙滩照，还有结婚照！

这是一对幸福的女同性恋，她们甜蜜地告诉我，这次是专程来丽江蜜月旅行。

我迅速地接受了这一暴殄天物的现实，喊小钟拿酒过来我请客。小钟颠颠儿地跑过来说："老板娘说了，为了恭贺你们俩新婚大喜，未来几天你们都可以在低调酒吧免费畅饮。"

我扭头看吧台里的小南京，她正善解人意、知书达理地，向这个方向微笑着。不由得让我由衷赞叹她过人的听力。

小南京很爱路平，但说实话我不看好他俩。

她和路平的缘起是太典型的艳遇故事了，典型的丽江艳遇都是花火，烧得越炙热，越易见灰烬。

小南京经济独立，习惯了都市生活，我不信她能真习惯箪食瓢饮的清贫。以她过往的职业履历，她能沉下心来打理一家破破烂烂不挣钱的小酒吧？或许她和那些蝴蝶一样的女人无二吧，只是来采集点儿新鲜的故事，过过当老板娘的瘾而已。总之，我不信她有决心和恒心。

很快，路平和小南京有幸成为了两只小白鼠，古城是实验室，上天给出了一个实验方案。

实践是检验真理的唯一标准，丽江际遇是检验真爱指数的不二法门。

对丽江浸淫不深的人们总习惯把那里夸成世外桃源，幻想那里一切都是云淡风轻，没太多尔虞我诈。又或者，他们张嘴就惋叹丽江的商业化，民风糜烂，纯粹不在。

十几年的浸淫，当下我不夸它也不骂它，唯叹它，叹它的神奇。

丽江的神奇，显性上是因其对多元价值观的包容，对各色游子过客、浪人散人的收容。自负又自卑的纳西文化和自恋的游民文化在这里互为寄生，放纵和深邃交织在一起，组成它分裂型的人格。它自我构架了一个现代版的稷下学宫，却不规避世俗烟火。它自我酝酿了一座真正国际性的城邦，却促狭地自我解构。若用拟人化的修辞，在我心里，它是个貌狎实狷的孩子气的老人。

深一点儿的层面，丽江有心无意地吸纳、生产着一种凌驾于世俗审美之外的大巧大俗。重建审美后带来的欢愉，有心的人于此皆可体验到。我们是黑白灰世界里碌碌半生的一群人，有心破局，无缘觅境，直到遭遇彩色的丽江。正因如此，很多人会爱它胜过爱自己的故乡。

另一层面，它的神奇构架在其独特的江湖性上。当下的中国，古风江湖早就荡然无存，唯在丽江地，还能寻摸出那点儿久违的江湖伦理。开客栈的、开酒吧的、卖茶的、卖艺的，皆为江湖客，皆行江湖道，一切桥段皆为江湖事。

丽江本就是场江湖。这是个映山映月，却又深不见底的江湖。它有自我衍生出的一套暗潮涌动的生产机制，边自我建筑边自我修复，甚至缜密地预留了自我毁灭、涅槃重生的种子。你看，多么神奇。

十年丽江行，我迷恋这个江湖，亦可窥见月阙风摧的那一天，但不确定能驻守到涅槃的那一日。故而，我把大冰的小屋的招牌特饮起名为：相忘于江湖。

既是江湖，怎会没有恩怨。有些是触及伦理的恩怨，有些只是简单的拳来脚往。

路平和小南京同样难免遭遇江湖。事情来得很突然，路平需要跑路了。

路平经历的是一种很奇怪的跑路。

一群酒醉游客在路旁挑衅他的唱功，他一忍再忍。忍无可忍后凝重起身，放好吉他。对方见他作势要动手，一下子暴怒了，一个流浪歌手还敢和穿巴布瑞衬衫的动手？于是有的指着鼻子来抓领子，有的伸腿踹向他的下身。

路平当年是野战军的军事标兵，膂力过人。一个右摆拳KO了对方。又一个上来，又是一个左摆拳……

很多在丽江挨揍的游客，都自认为自己在自己的城市有着不菲的影响力，要么有钱要么有权，甚至朴素地认为这种影响力可以绵延到丽江。殊不知在这方化外之地要横的，只会遭遇更朴素的丛林法则。

短兵相接后，挑衅者们一个托着下巴跪在路边淌口水，一个仰在路面上一动不动。剩下的几个左一个右一个地打着手机搬救兵。其中一个蹲下来，掰开肥肉，探了探那人的脖子……忽然脸色大变。

死了？

周围的人皆心头一凛，路平立马转身疾走。

考验小南京的时候到了。

最坏的情况即将降临，时逢年底严打，路平被剃光头戴脚镣关单间几乎已成定局。多少结发夫妻在这种关头都不得不忍痛各自飞，何况只是一场艳遇的小南京。再怎么说，她也是个生意场上精明无比的女商人，利害得失间的权衡一定比普通文艺女青年来得要理性，她的离去几乎已是定局。

小南京当机立断做出了选择，她第一时间买了离开丽江的票。

买的是两张票。

她来丽江的时候拉了两个大箱子，走的时候一个都没带。她把所有的漂亮衣服都丢在了房间里，腾出手来帮路平拎乐器。路平夺下她手里的吉他箱子丢开，她又去捡了回来，固执地双手拎着。

两个人带着三把吉他，离开了丽江。任何联系方式都联络不上他们，自此消失了许久。

我记得我上初中的时候有一个很二逼的女同桌，她有一对巨大的咪咪，喜欢发花痴。最大的梦想是回到古代，把处女之身献给一个通缉犯，陪着人家亡命天涯。后来她嫁了一个搞金融的青年才俊，2007

年股市崩盘的时候，她义无反顾和人家离了婚。

据说很多姑娘都犯过亡命天涯的花痴，但大部分会在成年后痊愈，变成另外一种生物。这个叫小南京的女人敢真走出这一步，着实让人惊讶。

那段时间，我在内外蒙古游历，手机有一搭没一搭地开机，事发后一周才得到这个消息。回到济南后，我联系了一家相熟的律师事务所，咨询了相关量刑标准，预约了律师服务，并找来家政打扫了房间，一直等着路平给我打电话。

但他始终没联系我。

那个律师朋友说："他是怕连累你，你有个仗义的兄弟。"

他仗不仗义我不在乎，但他那个粗口连篇、带点儿俗气的女人，却是我见过的最浪漫的姑娘。

自此，我再不敢把他们两人的相爱说成是艳遇。

……

日复一日，音讯全无。

我很想路平，托缅甸的江湖弟兄找他，和去往柬埔寨的朋友也打过招呼，但始终没有他的消息。多年前，我和路平有个在珠穆朗玛峰脚下的定日县城开酒吧的约定，我怀疑他借道藏地，遁去了尼泊尔。但常驻加德满都的朋友说，从没见过一个西安口音的驴脸流浪歌手出现。

初夏的时候，我去南京公干，一个人坐在玄武湖边喝汽水儿。闲极无聊，拍了张照片，发了条乱七八糟的微博：

我本无家更安住，朝辞白帝彩云间，故乡无此好湖山，玄武湖水咸不咸……

没多久，收到一条陌生号码的短信。

短信里小南京说：

你现在打车来虎踞北路的话，还赶得上吃点儿剩菜。

……

时隔半年，我在国际大都市南京的一家兰州料理店里见到了我的兄弟路平。

和一对逃犯贤伉俪共进晚餐是件很有意义的事，我们双方本着和平共处、睦邻友好的原则，展开了愉快的会谈。席间，我礼貌称赞道："路平你娃太了不起了，你俩吃什么吃的？都胖成这副熊样儿了？"

路平嘿嘿笑着，说："你仔细看看小南京的肚子，她现在是个有内涵的女人。"

我哎呀一声乐出来："恭喜啊！俩逃犯，亡命天涯的路上还不忘干革命抓生产。"

小南京奇怪地问："我们从丽江直接回南京的，没亡命天涯啊……"

"你们一直住在南京？"

"是啊，住我家里。"

我很礼貌地擦了擦冷汗，由衷叹道："小南京，你是个呆逼吗？"

根据《中华人民共和国刑法》第三百一十条，对窝藏罪的规定为：明知是犯罪的人而为其提供隐秘处所、财物，帮助其逃匿或者作假证明包庇的，处三年以下有期徒刑、拘役或者管制；情节严重的，处三年以上十年以下有期徒刑。

小南京从一开始就很清楚自己冒的是什么风险，但她铁了心要有难同当。不是没人劝她放手离去，她都给骂回去了："你这么想，就不是人。"·

小南京怕路平被抓住后枪毙，害怕他撒手人寰、驾鹤西去而无骨血遗世，故而非要给他生个孩子。路平不从，她就来硬的……我见到他们时，小南京已有四五个月的身孕。

此等事宜，非寻常女子所能为之。

那让我想起一段历史。

十九世纪初，俄罗斯十二月党人起义失败。

十二月党人身为贵族，却为废除自身的贵族特权，为社会的进步而斗争，彻底地背叛了他们所出身的那个阶级，背叛了他们曾经捍卫的那个制度，自觉地将国家和民族的命运与历史的趋势联结在一起，献出了自己的幸福甚至生命，令人十分钦佩。然而，更令人钦佩的，是十二月党人妻子们的崇高行为。

起义失败后，沙皇尼古拉一世命令他们的妻子与罪犯丈夫断绝关系，为此他还专门修改了沙皇法律条文里不准贵族离婚的法律：只要哪一位贵妇提出离婚，法院立即给予批准。出人意料的是，绝大多数十二月党人的妻子坚决要求随同丈夫一起被流放西伯利亚。

尼古拉一世紧接着又颁布了一项紧急法令，对她们做出了限制：凡愿跟随丈夫流放西伯利亚的妻子，将不得携带子女，不得再返回城市，并永久取消贵族特权。

这一法令的颁行，无异于釜底抽薪，这意味着这些雍容高贵的女性将永远离开体面的生活，离开襁褓中的孩子和至亲好友，告别昔日一切理所应当的辉煌。

但已经没有什么力量能够阻止这些高贵的女人了，她们接二连三、义无反顾地去往西伯利亚，去到她们丈夫的身边，并陪着他们死在那里。

其中一个叫穆拉维约娃的妻子说："为了我们的爱情，让我失去一切吧，名誉、地位、富贵甚至生命！"为了获得这份失去一切的机会，她斗争了一整个月。

美丽的法国姑娘唐迪在巴黎听说前男友伊瓦谢夫被流放到西伯利亚的消息，立刻以最快的速度赶到俄国，并向当局申请到西伯利亚去与情人结婚。几经周折，她得到了这份赴死的许可。他们在牢狱中结了婚，几年后，在冰雪和疾病的折磨下，一对异国情侣倒在了西伯利亚的茫茫荒原，人们收拢她斑白的头发，回忆着短短几年前的她曾是多么的明艳动人。

特鲁别茨卡娅公爵夫人是她们中第一个在西伯利亚监狱里与丈夫相会的。当她在前往西伯利亚的路上途经莫斯科时，人们为她举行了盛大的送行宴会，有一个深深倾慕着她的诗人也在场，两年后，诗人根据她的经历献给她一首长诗，叫做《波尔塔瓦》。

那个诗人是普希金。

十二月党人妻子中最后辞世的亚历山大拉·伊万诺芙娜·达夫多娃说过这样一段话："诗人们把我们赞颂成女英雄。我们哪是什么女英雄，我们只是去找我们的丈夫罢了……"

是哦，她们哪里是什么女英雄，她们只是忠于爱人罢了。

她们未必懂得丈夫们所为之舍生取义的理念和目标，但她们肯摒弃浮华肯用生命去诠释什么叫做爱情。

小南京读书不多，俄罗斯十二月党人妻子们的故事，她一定是不知晓的，但她无意中却步了先人之后尘。

她不是贵族，却几乎称得上侠女。伴君遁天涯这件事上，她迸发的侠气和周遭的烟火气形成鲜明的对比，亮瞎了对丽江爱情故事嗤之以鼻者的钛合金狗眼。

热衷于艳遇的人们习惯把彼此当作过客，既然是过客，就没什么为之驻足的道理。

路平说，如果方向一致，两个命中注定要结伴同行的过客是不会擦肩而过的。

那是什么样的方向呢？携手同行的又是一条什么样的路呢？

路平给这个腹中孩子起名叫路过，小名过儿。

我起初不懂这个名字的寓意，后来越品越有滋味。

一直到过儿出生，都没有警察叔叔拿着通缉令来抓路平，这让路平和小南京很奇怪，后来辗转打听到原来根本没立案，因为那天根本就没人就此事报案，虚惊一场。更奇妙的是，那个躺尸的哥们儿只是被揍晕了而已，躺了一会儿就自己起来吐酒去了。不仅没死，而且听说颈椎病还得到了缓解。

我曾建议小南京给那个挨揍的人立个生祠牌位："小南京，俗话说试玉需烧三日满，某种意义上他帮忙加了一把柴，不然我们怎会有缘见得你的真本色。"

小南京给路过喂着奶，笑笑地，慢悠悠地说："大冰，你还是不肯喊我嫂子吗？"

她叛逃的东西，叫宿命

很多年前，路平在丽江的第一个女朋友从美国来，祖籍广西南宁，叫菲菲。

她是个很乖巧的女孩子，胳膊和腿又白又细。她有先天性心脏病，基本不怎么动，走路也很慢，再着急的事也像散步。说话也很慢，北方人听来，她的普通话有着浓浓的白话口音。

由于中气不足，她有种别样的温柔。

菲菲很会煲汤，货真价实的靓汤，卖相和口味都上佳。她对瓦罐的耐心比对任何人都持久，可以盯着慢火一盯一个下午。

蓝幽幽的炉火吞吞吐吐，她就那么盯着出神，一出神出一个下午，手里捏着一本书，却并不读。丽江的阳光隔着窗棂晒在她脸上、身上，她穿着紫围裙，短发齐耳，像个民国少女。

路平和她相处的头一个月，她煲了二十多种配方不同的汤，迅速地让路平喝胖了。路平很惊讶汤养人的程度，同时欲罢不能。

菲菲不出神煲汤的时候会很勤快，穿着拖鞋吧嗒吧嗒地走来走去，热衷于杯杯盏盏、洗洗涮涮，却从来不让路平进厨房。"妈妈说不要让男人干厨房的活儿。"她对老路这么说，于是老路只负责喝汤，生生喝成了个品汤的行家。

男人总有些虚荣心，那时路平经常领着不同的朋友回家喝汤，他不是很懂炫耀的技巧，只在喝汤的时候咕嘟咕嘟发出各种声音，来的人越多，声音就越大。

路平整整喝了一年的汤，从冬天到冬天，然后再没喝到菲菲的汤。

菲菲头一天晚上默默地收拾好了行囊，然后在第二天早上和路平道珍重：她要开车去西藏。

我问过路平，你们当时在吵架或冷战吗？他说，没有，没有吵架，没有分歧，甚至没有一点儿征兆，她说走就走了，头都不回地走了。

菲菲就像是一个潜伏许久的特工，带着满腔秘密去执行一项惊天的任务。冬季走滇藏线是种玩命的举动，菲菲想玩命，没人知道是为什么，路平也不知道。路平没劝动，就没死拦着她，他不是一个善于说服别人的人。

为此，他终生都在后悔。

菲菲自驾游到雨崩的时候，被暴雪阻路，人和车迅速地被圈禁在天地乾坤一片混沌的白色中。她没什么自救经验，也不懂得烧备用轮胎取暖，感冒引发的肺水肿让她开始咯血，整整三天四夜才被解救。她一到暖和的地方，就休克了，额头都摔出了血。抢救的时候发现，重症感冒加高烧已经直接诱发了她严重的心脏病。

医生用她的手机打回丽江，路平只穿了一件衬衫冲去接她。一路上，每隔十几分钟就打一个电话问情况，值班大夫耐心被耗尽后，关了手机。他打不通，以为白床单已经盖在了菲菲脸上，差点儿崩溃在大具桥头。

回到丽江后，路平开始给她煲汤。路平心急，灶火开大了，煲出来的汤她并不爱喝。她侧躺在床头出神，神情和在厨房时候一样。汤摆在床头，一会儿就飘起了白白的油花。

路平应该是那时学会了做饭，他吃了三十多年的面条，一辈子西安男人的胃，粥粉肠饭本不爱吃。为了她，他专门去买了菜谱，研究做细火慢工的广式菜，刀切了手，弹吉他的时候裹着纱布，上面一点红。

整整三个月，血色才重回到她面上。但元气伤得厉害，偶尔会吐血，殷红的一小口团在木地板上，像块儿南红玛瑙。

她开始和路平吵架，吵得很凶。

134

她让路平很痛苦，他总弄不清吵架的原因，总不明白自己哪里错了。他试着沉默相对，但觉得委屈无比。她好像是为了吵架而吵架，像完全换了一个人。

我见过一次他们的争吵，两个人面对面蹲着，菲菲猛地站了起来，摇晃了两下，晕了过去，顾虑到她的心脏病，没人敢去动她，任由她躺在冰凉青石板路上，朝天仰着煞白煞白的嘴唇。我忙着打120，一回头，路平一脸死一样的阴郁。

菲菲晕倒的次数越来越多，每一次都好像活不过来的模样，脚踝和膝盖永远是淤青的。她好像不是很在乎自己下一次晕倒是否能醒过来，开始每天晚上换着酒吧去喝酒。整瓶的澜沧江矮炮，她一仰脖就倒了进去。一开始还会有人劝，但很快也没人劝了。

一开始，我说，菲菲我不能卖你酒喝，出了人命我负不起责任。

她就当真找来纸笔写下生死文书：我今天在大冰的酒吧喝酒喝死了和任何人没任何关系……她一边写一边还问要不要按个手印。她不笑，我分不清她是在开玩笑还是在较劲儿，只好让她喝。

路平没什么对付她的招数，只好在她经常出没的很多地方都放了速效救心丸。我也因为这件事情，才对如何照料心脏病患者有了些基本的认识，那都是路平告诉我的。

她开始喝酒，就不怎么和路平吵架了，甚至也不怎么讲话了。

路平隐隐约约感觉到，自己的存在或许在某个层面羁绊了她的脚步。于是，他不再拦着她，他说你想去哪儿就去哪儿吧，记得回来就好。

她不说话，盯着他出神，忽然两大颗眼泪渗了出来，吧嗒吧嗒地滴在路平手上，滚烫的眼泪烫伤了两个人寒冷清冽的年华。她最后给他煲了一次汤，忘了放盐，然后去了新加坡。

接下来的故事，几乎等同于电视剧。老路是个悲情的男主角，到剧终都没翻身。

菲菲走后，起初路平给她打电话她还会接，但她从不会主动打给路平。偶尔通话的时候也是淡淡的，路平问她过得好吗，她说："还好还好。"

菲菲到新加坡后重新找到了一份工作。在试用期结束后的一天，她毫无征兆晕倒在了茶水间。新加坡医院的检查结果是：她最多还有一年的生命。

这一切，路平当时都不知情。

一个星期后，等他辗转知道这个消息的时候，已经联系不上她本人了。她的同事说，菲菲的父母亲接她回了美国，着手准备心脏移植手术。

他给她发邮件，MSN留言，一直没人回复。他跑去给自己的手机充了足够两年用的话费，24小时开机等着。有时候，他在街头卖唱时手机电池报警，他吉他也不带地满世界跑去找插座，随身带着充电器。

终于，有天早晨她打来电话，说了一声"路平"就不再说话，只是用指尖在听筒上轻轻敲着，敲三下停一下，敲三下停一下。

他喊："菲菲你要记得回来，就算是死了也要记得回来找我！"

她不讲话，小兽一样，一口一口粗重地呼吸，指尖在听筒上继续轻轻地敲着，敲三下停一下，敲三下停一下。

路平后来说，菲菲的敲击是在说：我爱你。

他坚信这是她对他的表白……

可我猜她是想对路平说：忘了我。

那个电话是菲菲在进行心脏移植手术的前一天打的。我想她延续生命的信心或许已经衰竭到寂灭边缘。她是想向爱过的人告别吧，最后一次听听他的声音，喊一喊他的名字。

她或许内疚过自己给路平留下的拓痕，希望他磨去痕迹，忘记她的存在吧。至于路平能否做到，那又是另外一回事了。

那个电话之后，菲菲就杳无音讯了，路平当她死了。

他在古城走夜路不再打手电，半夜抽着烟，独自去灵异事件辈出的北门坡散步，总希望她能来找他。那时候，北门坡老有人遇见打着红伞的游魂，但据说不是女人，是个白须老头。

时间过去了很久，当路平预存话费慢慢花完，他又要每月存钱的时候，电话又打来了。那时候，低调酒吧已经有了新的女主人。

这是个阴郁而奇特的电话。

一个中年女人先在电话里说："你好路平，我是菲菲的妈妈……"

然后，电话被抢了过去，菲菲的声音隔着万重山水响起在他耳边："喂，你叫路平是吗？他们说你是我的前男友。"

一切事物荒诞得好像跌进了八点档的台剧：菲菲经历了接连数次的深切治疗，重新有了一颗能长期跳动的心脏。但长期大剂量药物治疗，以及手术中的某种原因，大脑机能部分受损，丧失了一大段人生记忆，包括路平。

没错，传说中的失忆。

我顾虑过读者对这段故事真实性的质疑。但作为整个故事的旁证者，我只想用一声"我操"来慨叹世事的无常。冥冥中仿佛果真有一只手，戏谑地把人生捏成各种光怪陆离的模样。

奇异的丽江，说来就来说走就走的过客，说死就死的兄弟，说出家就出家的老友，说失忆就失忆的菲菲……见惯了周遭的跌宕，路平和菲菲的故事我真心不觉得多么离奇了。关于她的遭遇，知情者不止我一个，健在丽江古城的混混里不少人都知晓。有人说也好，她一直在逃，现在算逃彻底了，就此罢了吧。也有人说，如果这事儿发生在我身上，我一定要去再见一次菲菲，重新开始。

我觉得前者都有颗胆怯又冷漠的心，后者都是嘴子。

在那个电话中，菲菲的妈妈努力想让路平接受这一现实。路平轻易就信了，几乎没有一丝疑惑，他很礼貌地问可否单独和菲菲聊一会儿。

他和她聊了不到五分钟，就挂了电话，两个人礼貌互道再见。

说完再见，出现了几秒钟的沉默。路平的心猛地跳得飞快，他屏住呼吸，试着在听筒上轻轻地敲，一二三，一二三……

那边却已经是忙音。

路平写了首歌叫《我的心被遗弃了》，如果你有机会听，会体味到一种沉重的锤击，像把锤子一样砸在后背上，各种闷痛。

对你的思念/就像风筝断了线/画了一颗大大的心

独自站在雪里面/你到底爱不爱我/你快点告诉我

不要让我承受这死去活来的折磨/我的心被遗弃了/遗弃在大雪中

很冷的天冻瞎了我/我的心被遗弃了/遗弃在大雨中……

路平早年玩摇滚的时候玩得很重，改玩民谣以后，很难再从他的歌里听到摇滚的影子，唯独这首歌例外。民谣是轻轻的淡淡的诉说，尤其是我们共同隶属的游牧民谣，大家都不愿意在词曲上走极端。但当他嘶吼这首歌的时候，我和其他兄弟们从不会皱起眉头。

我想我是懂他的。每当他唱起这首歌的时候，我会停下敲鼓，安静看着他的侧面。看着那些咬肌、那些青筋、那些粗劣的歌词从他嘴里掉下来。有一种难过，难得难以诉说，这首歌是他唯一的泄洪堤口。

在这个故事中，路平不是狱卒，但菲菲一定是逃狱者。她叛逃的东西，叫宿命。

菲菲如履薄冰的生命置身在一只巨大沙漏中，沙子不急不缓地从上往下流着，沙沙作响，永远在提醒着她的时日无多。对于这种钝刀割肉的感觉，她恐惧也不服气。她偶尔也曾屈服盲从，听着沙子响声默默出神，默默煲着汤。偶尔，她会决绝叛逃，搅起沙尘飞扬迷伤周遭众人的目光。

若你是她，你又当如何面对？

菲菲最终叛逃成功，奇迹般地重获了一颗稳健跳动的心。她也奇迹般地屏蔽掉了关于那个旧世界的诸多剧情桥段。重生的菲菲，活泼地跳跃在没有逻辑性的记忆碎片上，现在的她煲汤时还会出神吗？应该不会了吧。这应该算是某种次第的解脱了吧，真是有趣的娑婆大梦，有趣的因缘具足。

至于路平，我从未安慰过他，只在一次微醺后拍着手鼓即兴对他唱过一首歌：

老路老路我的兄弟/你这个只会唱歌的傻瓜/自始至终的角色/只是只黯淡的空酒瓶子/你没做错什么/但这个世界有只翻转沙漏的魔爪/对于前世面色苍白的她/你也隶属于那恐怖沙漏的一部分啊/对于今生面色红润的她/你不过是个背影模糊的路人甲啊/老路老路啊/我指着你的鼻子说这番话/谁让你是个理应没心没肺的浪子/谁让你选择在月光下的青石板上晾晒寒冷的年华/谁让远方不够远信心不够大/谁让这个独角戏需要个背影模糊的路人甲……

后来，路平结婚生子修成正果，但从不喝汤，他像不喝白开水一样抵触喝汤。

大冰的小屋曾经卖过一年的广东汤，号称可以暖手暖心。很多人慕名来喝，甚至从傍晚就蹲在炭火旁等。他却从不染指，给他盛一碗他也不喝，只是摆在面前笑着看。

有时候，他会说："姜放这么多，这哪儿是汤啊……"

是的老路，这不是汤。不过一碗似曾相识的回忆而已。

不喝拉倒，哦，兄弟，你不喝我也不喝，咱都不喝啦。走马江湖的过客，驻足丽江的浪子，那些铭心的苦涩或回甘，谁他妈愿意再度端起，再度真心咽下。

谁没点儿难过的往昔，谁没有几段锥心的回忆。

貌似恣意生长的我们，实则精进在一条寻觅幸福的路上，在找到句号之前，不停地经历着顿号逗号惊叹号省略号……

百转千回，轰轰烈烈，走马灯一样的各色故事，酸甜苦辣五味杂陈的往昔。

可这，我的兄弟，不都过去了么，这不是都会过去的么。

如果所有这一切的故事全都没有遗憾的话，那这一场青春还有什么意思呢？

[西藏往事]

浪荡天涯的孩子中,
有人通过释放天性去博得成长的推力,
有人靠历经生死去了悟成长的弥足珍贵。
我始终认为在某个层面上而言,个体人性的丰满和完善,即为成长。

民勤在春秋时是秦和西戎的辖地，东邻腾格里沙漠，北连内蒙古巴丹吉林沙漠，西接祁连山脉。我没去过那个地方，那是我兄弟成子的故乡。

我有两个过命的西北兄弟，一个是兰州胖子大松，一个是民勤散人成子。

成子和我一起在海拔5120米的那根拉垭口旁经历过生死，他是我弥足珍贵的江湖兄弟。

成子六岁时生父罹患胃癌过世，欠下一屁股债。十一岁时母亲再嫁，继父的前妻亦是患病离世，膝下尚有三女一子。继父虽对成子极为关爱，但四个异姓弟妹并不接纳他和母亲。成子早早就忘了如何去争宠撒娇，学着如母亲一样忍辱负重。

他和大松一样，都是个早早就没有了童年的孩子，也和大松一样，不甘心一直活在儿时的抑郁中，一旦成年，立马热衷折腾，自觉或不自觉地投身于热闹的人生之中，来弥补童年的缺憾。

他在学校领导过罢课，在铸造工厂组织过罢工，在公司谋划过集体跳槽，在拉萨大昭寺广场上组建过一个神奇的"拉漂"组织。

成子曾经是我的队长——拉萨大昭寺晒阳阳生产队的创始人。

浪荡天涯的孩子中，有人通过释放天性去博得成长的推力，有人靠历经生死去悟成长的弥足珍贵。天性终究逸不出人性的框架，对生死的感悟亦如此。我始终认为在某个层面上而言，个体人性的丰满和完善，即为成长。这份认知，是以成子为代表的第三代"拉漂们"给予我的。

成子癫狂叛逆的前半生几乎是一个时代的缩影，他刚刚启程的后半生几乎将是一个传奇。

他的成长履历貌似异端个例，实则是一场关乎人性本我的修行。

142

成子是 2003 年 6 月 18 日进藏的。

当时他被公司派往西藏开拓市场，算是变相充军发配。从兰州坐火车到青海格尔木，再换乘汽车前往拉萨。一行 7 人被高原反应折磨得死去活来，唯有成子和司机表示对高原反应毫无压力。司机长年往返已经完全适应，初次进藏的成子则不明原因地安然无恙。

翻过唐古拉山口抵达海拔 4700 米的那曲。成子的眼前出现了一幕幕似曾相识的景色，他疑惑，并且觉得好笑。司机打趣道，那你应该去一次拉姆拉措，在冰湖上看看自己的前世今生，说不定前世你是藏北高原上一只羚羊。

对于这种打趣，当时成子说："切！"

十年后旧话重提，成子说："嗯……"

在拉萨安顿后，成子迅速处于一种放养状态：母公司的资金链出现了问题，没人管他这个充军的小卒子，任由他自生自灭。返程的路费也没着落了，无所事事的成子靠晒太阳聊以度日。他一点儿也不着急，迅速扎根在了大昭寺门前的墙垣下。

那时，飘荡拉萨的神人很多，大都是常驻拉萨的全国各地的神人。神人们有一个共同的特点就是酷爱晒太阳——和后来络绎不绝的背包客不同，那时候晒太阳的人没几个背单反穿冲锋衣，甚至戴墨镜的都很少。

那时拉萨远没有现在热门，买布达拉宫门票不用早起排长队，东措青旅刚起步，赫赫有名的平措康桑还没开张，资深的吉日青旅里半夜还有大老鼠啃鞋子，仙足岛还不到三家客栈，宇拓路午夜十块钱的烤羊蹄可以吃饱吃撑，翻过色拉乌兹就可以逃票去看色拉寺的喇嘛啪啪拍着巴掌辩经。

我们晒太阳的那面墙还没人管它叫"艳遇墙"。

那时晒太阳的"拉漂"是群好玩儿的人，分为几个不同的小圈子。每个小圈子类似于一个大家族，大家带着不同的往昔依偎在拉萨的阳光下，同吃同住，相互扶持守望，过着半共产主义的生活。名字在这里被简化成了最简单的符号，大家彼此之间只称呼外号，没人在乎你曾经的社会标签，除非你刻意倾诉，不然也没人刻意关心你的过往。

　　起初，不同圈子的人彼此是不太热衷交际的，基本是各玩各的，见了面只是笑笑打个招呼，然后各晒各的太阳，各发各的呆。

　　十年前的大昭寺门前是个让人忍不住去发呆的地方，那时的阳光是可以用来直接呼吸的。受想行识、眼耳口鼻舌身意全部被重启置于绚烂的阳光下，诵经声喃喃不绝，此起彼伏磕长头的人们近在咫尺，煨桑的烟亦近在咫尺，看到的，嗅到的，听到的……不自觉地就让人沉默沉静深思。

　　我爱那时的大昭寺，没那么多所谓的背包客，没那么多咔嚓咔嚓的单反，没那么多猎奇的表情。有的是散落在广场不同角落的呼吸缓慢的一粒粒灵魂。我们靠着墙，相互依偎着，斜歪着躺着。有时也把自己摆成一个大字，永远滚烫的大理石地面，烙饼一样烙着我的大腿、我的后背、我的后脑勺，我苍白匮乏的青春年月。

　　那时大昭寺旁偶尔还会走来一只放生羊。它坠着红布条儿，慢条斯理地随着人们转经，偶尔路过我们的身旁，偶尔彼此淡定地侧目凝视一会儿。听说八角街历史上放生羊的数量一度不少，但我只赶上了尾声，只见过两回。我不确定那是不是同一只羊，阳光把羊毛刷洗出透明的边缘，那只羊简直是笼罩着光环。它似笑非笑地看着我好一会儿，看得我毛骨悚然。那羊不怕人，也不叫，比狗还通人性。

　　那次以后大昭寺旁的放生羊绝迹，有个上一代的"拉漂"大姐和我说："拉萨的一个时代快结束了。"

　　这句话到2007年火车开通时我才觉得自己明白了。但到2008年3月之后我才发现自己真心明白了。

　　现在是2013年了，我发现我其实早就彻底明白了。十年前，最后那只放生羊盯着我往死里看的时候，我其实就已经明白了。

……

陌生人请给我一支"兰州"

　　成子天生一副爱折腾的脾性，他出现在大昭寺门前后，像条泥鳅一样三两下就拱开了原有的局面。他很迅速地把四五拨不同流派的人搅和在了一起。成子喜欢用一种奇怪的语气和人讲话，一种介于亲和力和讨人厌之间的语气。

　　我记得他搭讪的第一句话："你有火机没？"

　　我说，我没有。

　　他又问："那你有烟没？"

　　我说，我没有。

　　他哈哈笑着拍我肩膀说："太好了！那我请你抽一根'兰州'。"

　　他掏出一根皱皱巴巴的烟，直接塞进了我嘴里。

　　很多年后，我听宋冬野唱歌，他唱：鼓楼的夜晚时间匆匆，陌生的人，请给我一支兰州……

　　我扑哧一声笑出来。

　　拉萨那个季节晚上九点才天黑，成子当年请我抽烟的时候是阳光明媚的晚八点，我们坐在大昭寺广场温热的地砖上，彼此是彼此的陌生人。

　　一根烟抽完后，我们依旧是陌生人，带点儿莫名温度的陌生人。

　　除了拉萨，我再没在这个世界上别的角落，以这种方式遇到过这样的陌生人。

　　成子慢慢变成了那个时期晒太阳的人里的交际花，那扇墙慢慢变成了一个半固定的沙龙，沉默的人们以他为轴心，开始彼此开口聊天。聊天人数逐渐增长，由起初几个小圈子拓展到部分厮混拉萨的穷老外，乃至部分操着半生不熟普通话的安多喇嘛。后来，慢慢演变成了大家每天轮流从幸福甜茶馆打一暖瓶八磅甜茶，大家边喝边聊。再后来，几个女生固定每天从雪域餐厅带两块酸奶蛋糕来，大家边喝茶边用脏兮兮的大拇指轮流抠着吃，一边各种断断续续地聊天。

那时闲聊的内容基本涵盖在四个主题下：一是如何省钱逃票，比如如何从八角街的巷子里翻墙进大昭寺，如何蹭墨脱兵站的饭，成子专门找了个本子记录大家的各种心得，那个手抄本一度风行在拉萨的穷鬼"拉漂"中，还被人摘抄精华发到了当时声名鹊起的磨坊户外论坛上，为我国的旅游票房事业狠狠地做出了负贡献。

二是彼此交流一些当时还算生僻的线路知识，聊一些想去还没去的地方，比如阿富汗和撒哈拉，比如当时还没太多人知道的泰北小镇PAI，比如成子一直想去盖房子的色达五明佛学院，比如我的布宜诺斯艾利斯之梦，比如如何去转鬼湖，如何走双湖，比如如何重走当年大卫·尼尔的进藏路，以及陈渠珍的羌塘路。

当时大家想去的地方后来陆续都去了，有不少人实现了当年的梦想，定居在了彼处，每年给我邮寄来五花八门的明信片。只剩下我的布宜诺斯艾利斯之梦，迄今未完成。

三是彼此把有限的藏文化知识互相灌输传授，像萨迦教派曾经的辉煌，波密王的传说，阿底峡尊者的生平，等等。人群中深藏不露的大有人在，好几个人不仅会讲拉萨话，还会康巴藏语和安多藏语，几种不同藏语之间的语音差别几乎雷同山东话和广东话之间的差别。我也是在那时候学会了一些简单的藏语对话，一直到今天都没忘记。

四是聊吃的，包括吃过的好吃的和接下来的饭辙。

那么浮躁的时代，大昭寺门前的闲聊算是一个难得的补习班。

那时候大家都穷，不论在内地有过怎样的经济基础，扎根拉萨后都变成了穷光蛋。没办法，那么大的藏地那么好玩儿的高原，谁不想痛痛快快地用脚丫子度量上几遍，谁不想多爬几座雪山多转几个神湖。人人都有个环球旅行的梦，几年走下来盘缠再省也是个小小的天文数字。那时候"穷游"的概念还没被烂炒成现在这么矫情，揣着足够包车的银子一路蹭车的事儿，大家还都不太乐意抹下脸来干，藏地路险多舛，上了车命就交给司机了，有钱干吗不给人家点儿？所谓能省则省，要省只能从日常开销中省。为了省银子，一天只吃一顿饭的朋友，我见过不止一个。后来"穷游"成了时尚，免费蹭车成了谈资，沙发客成了行为艺术。每当我遇到这些年轻的后来者时，总忍不住和他们讲讲当年那些也打工也行走的拉漂，讲讲生活方式和"生活表演方式"的区别。

当年的大昭寺前，成子是话题的枢纽人物，他总能把含着口水的话题落实在实践层面。他有个很神奇的本事，人再多也能搞到蹭饭的地方。有时候，一天还不止一顿。

成子是个热心肠的人，也是个心思细腻的男人，他每次都喊上一大帮人去所谓的蹭饭，是为了不伤到某几个真正穷光蛋朋友的自尊。很多次他所谓的蹭饭，我知道最后都是他自己偷偷结的账。

有一次我说："成子是个好人。"

成子反问我："咱们谁不是好人？"

在他当时的世界观里，还是坚信微笑是一定可以换来微笑的。

话说，我们谁最初的世界观不是如此呢？

大昭寺晒阳阳生产队

虽然是个好人，但成子也有不靠谱的时候。

2003年冬天，成子生日，大伙儿照例聚集在大昭寺门口晒太阳喝甜茶聊大天儿。他扛来一个巨大的塑料桶，自告奋勇去打青稞啤酒——那时候我们是唯一敢在大昭寺门前饮酒的团体，也算是唯一获得寺院僧侣和藏民默许的团体。成子走之前说打完酒后，大家把酒为盟，成立一个晒太阳的专门社团组织，说得大家无比期待，当然，主要是期待新鲜出锅的青稞啤酒。

我们等了好久好久，墙垣下的弟兄们已晒得外焦里嫩，仍不见酒来过口，急忙组团去寻找。找遍了八角街，寻遍了冲赛康，才在尼泊尔餐厅旁的小酒作坊里发现成子，他早已"阵亡"。

不到下午五点，他已被灌得如同一摊烂泥，不省人事。旁边一堆酒酣胸袒尚开张的康巴汉子弹着弦子围着他的"尸首"载歌载舞。

他错就错在一进门就说自己今天过生日，求求老板娘打个折。

老板娘眉开眼笑地说："哎呀，我老公今天也过生日，求求你连喝带拿，千万别给钱。"

一弹指敬天一弹指敬地，三口一杯，一杯接一杯，于是他便没能站着走出酒馆。

喝醉的人沉得像只狗熊，我们七八个，男男女女连拎带拖才把他再度弄回大昭寺广场，后面还跟着一串又唱又跳的酒气熏天的康巴汉子。怎么弄他都赖着不醒，实在没办法了，大家搞来了一塑料袋冰块，一块一块地塞进他裤子里。真管用，立马就出声儿了，张嘴就喊妈妈，闭着眼睛喊，生动至极。

成子睁开眼就开始演戏，他哀伤欲绝地抓着别人的手问："乡亲们都撤了吗？"

打了个酒嗝，又问："粮食……都藏起来了吗？"

大家说："放心，安心地去吧，组织不会忘记你的。"一边继续往他裤子里塞冰块。

成子说："你们对我太好了……噢！巴扎嘿！"

旁边的康巴汉子拍着巴掌，和我们一起喊："嘿！巴扎嘿！"

郑钧的《回到拉萨》已经很久没听人唱过了，我想起那首歌的副歌：雪山，青草，美丽的喇嘛庙，没完没了地唱，我们没完没了地跳。

该怎么描述那时的欢乐氛围，一句歌词已经是全部。

当天晚上，成子纠集了所有晒太阳的人，在 70 年代酒吧组建了后来名噪一时的"大昭寺晒阳阳生产队"。

王小波曾说："生活就是一个被缓慢锤骗的过程。"

成子在成立仪式上跳到桌子上说："做猪也要做野猪。"

他发起了一个专门以晒太阳为主要目的的组织，领着一群"野猪"坐在生活那柄大锤起落之间的夹缝中。彼时，一定没有人去考虑这个组织所象征的意义，大家孩子气兴致勃勃地过家家酒而已。玩笑一样的组织，后来规模最壮大的时候，队员一度逼近 200 人。除了宁夏，队员涵盖全中国所有省份，包括港澳台地区，个中还有不少来自北欧或南非的洋奇葩。几乎将那时混迹拉萨的第三代"拉漂们"一网打尽。

生产队成立的第二天，内部开始流行一种歪理邪说：晒两小时太阳等于吃一个鸡蛋。

我怀疑是成子自己为了论证晒太阳行为的合理性而杜撰的组织纲领，但当时大家几乎都信了。于是，每天各路队员们聚集于大昭寺门口比赛吃"鸡蛋"——我短暂有过的高原红也是那个歪理邪说的产物，暗红的两团顶在脸蛋上，显得健康得要命，谁看了谁都说我淳朴。

比赛从中午一直持续到下午四五点，众人如同高原操场迁徙的牛羊，转场去吃藏面。随后，打上几壶青稞酒或者酥油茶，继而迁徙回到阳光下的围墙边。

十年后，那面围墙被导游和背包客们改名为"艳遇墙"，墙下晒太阳的后来者们不再琢磨着比赛吃"鸡蛋"，他们压低帽檐、戴着墨镜、捧着单反，复习着拗口的路线地名，心里惦记着那些单身女游客们胸前的那对儿大"鸡蛋"。

下午六点，太阳慷慨的光芒被山岳收纳走一半，天还亮着但不再灼热。生产队的成员们也随即开始一天的工作，有人回去开店做生意，有人摆摊讨生活，有人拿出琴，带上鼓，沿街卖唱。

我那时候在拉萨的身份是流浪歌手，天天傍晚晒完太阳后站在藏医院路口卖唱挣银子，搭档是彬子，后来有了二宝、成子、赵雷。

彬子是北京人，当时和我正着手装修我们的小酒吧浮游吧，装修缺钱，卖唱解决。彬子和我的故事，贯穿着"浮游吧"这三个字的始终，从丽江到拉萨，从拉萨到阿富汗……最初卖唱的时候，龙达觉撒的老板小二哥戴着牛仔帽，露出一口雪白的牙，跑来掺和一下敲敲鼓什么的，我和彬子都特喜欢他家的招牌：龙达觉撒。龙达是过雪山垭口时漫天挥洒出去的彩色经文纸片，觉撒是随风飘荡的样子。

这么多年回头看看，我们几个飘荡藏地的孩子，或喜或悲，各有各的龙达觉撒。

后来声名鹊起的民谣歌手赵雷是在当年生产队中晚期来拉萨的，一来了就高反，一晒太阳就好了。有人说治疗高反最好的方法是卧床休息，照我看，不如在大昭寺门前晒太阳吃"鸡蛋"。

那时天天有一帮藏族大嫂子、小普木捧着脸来听他唱歌，他那时候在拉萨已经很红了。

彬子、我、赵雷一起为生产队整了个队歌，粗俗顽皮，适宜合唱，叫做《没皮没脸》：

我们全是一群没皮没脸的孩子/我们从小就他妈的那么放肆

我们全是一群浪迹天涯的孩子/我们从小就他妈的那么放肆

别人不要干涉我的生活/干涉了你丫会倒霉的/你丫会倒霉的……

寒气渐盛的夜色中，我们边走边唱，一直走进月光照不进的巷子里，漆黑漆黑的小巷子，晦涩得好像过往的青春。我们大声唱歌给自己壮胆，回声却屡屡让人汗毛奓起，再阴暗的小巷子也有走到头的时候。月光在巷子口候着我们，不论脚步加快或者放慢，它就那么不离不弃地候在那里。可成子和我却每每赶在最前面跑出巷子，好像万一走慢了的话，就会被一只无形的手拽住衣襟。

那时候怎么敢慢下来呢，深沉的暮色里，一条接一条的小巷子，有着忽明忽暗的前路。

看不见的文身

大昭寺晒阳阳生产队唯一永久驻守拉萨的人是三哥。

三哥玩了十年户外，打死都改不了新疆口音。他生性彪悍硬汉一枚，有一家小小的文身工作室，开在藏医院路靠近宇拓路的巷子口。很长的一段时期，藏族小古惑仔们都流行去他的店里文身，很多初次入藏、热血沸腾的骑行侠、背包客们也热衷去他那里文点儿六字真言、万字符什么的，但基本上没有不后悔的。他文身有个特点，哪儿明显他给人文哪儿，搞得一帮回到城市里需要上班打卡的人大夏天不敢挽衬衫袖子。我后来在合肥遇到过一个受害者，那位仁兄红着眼圈儿攥着啤酒瓶和我说："真的，哥，我好几年没穿过短袖圆领衫了……"

文着文着，他的名气越来越大，干脆改名叫做三文鱼，一条搁浅在拉萨河谷的会文身的鱼。

三文鱼的入门师父是捷克斯洛伐克的国际名家，后来他自己又四方拜师，包括国内首屈一指的济南烈火堂的老傅在内，他攒了一个排的师父。在大昭寺晒太阳的日子里，他不止一次勾引我文身，说我命硬，背上皮肤又好，非让我在背上文一尊满背全彩马头明王。我说我不文身，如果非要文，那就文上一个不想淡忘的名字。他断然拒绝，说你小子将来一定会后悔的。我来了劲，和他争论了半天。他恼了，踢翻了盛甜茶的暖瓶，扬长而去。转过天来，见到我的第一句话就是："我偏不文！"

我说："好了恩公，我不让你文就是喽。"

他又说："你如果不喜欢文明王，我给你文个阿修罗好了……"

我后来接触过的文身师傅里，有一些轻易地就给人文名字，半点儿没有三文鱼的坚持和执拗。我每次都忍不住和他们聊起三文鱼，有人默然，有人哂笑，有人不置可否。

在重庆，有一个年轻的文身师问："你看过他身上的文身没？"

我没看过，一直到今天也不知道在三文鱼的后背上，文的是明王还是阿修罗，或者，是一个名字。

三文鱼后来也收了很多徒弟，他现在只给老外文身，价码要得高高儿的，依旧是老毛病不改，哪儿都敢文，包括小鸡鸡。我上次回拉萨的时候把一只阿拉伯手鼓留给了他，他把鼓腔上的金属漆刮掉，说要在上面写满八大咒十小咒。

三文鱼皈依了一位上师，文身店挣的钱他每年拿出一大部分供养上师。最后一次离开拉萨时，他开车送我去机场，中途买了肉夹馍给我吃。他把车停在贡嘎机场外，车里放的是大宝法王的唱诵。三文鱼问我："大冰，什么时候再回来？"

我他妈怎么知道我什么时候回来。

他说："回来多好啊……随便做个小买卖，兄弟们在一起慢慢变老，每天磕磕长头喝喝甜茶，一辈子晃晃悠悠就过去了。"

白得晃眼的阳光在我们左手边，起起落落的飞机在我们右手边。

我默默地吃着肉夹馍，满手油腻。

大昭寺晒阳阳生产队的政委叫老G，是个东北人，超有钱。

这里说的有钱，是相对于其他的队员，老G那时身上大约有一两万的现金，是当时"拉漂"中罕见的万元户。他逃婚到西藏，认识了一女孩叫猴子，爱得死去活来，各种海誓山盟。但最后还是分手了。

生产队本来只有队长，没有政委，因为他失恋后视金钱如粪土，整天带着一帮人跑太阳岛打牙祭，所以成子封他为政委。他知道这一帮人都是蹭吃蹭喝不脸红的主，但向来来者不拒。

很快，老G就变成了我们中最穷的，他最后一次带大家吃饭吃的是海鲜，那时候空运到拉萨的螃蟹是80元一只，长得也就鸡蛋大小。老G豪气万丈地给我们每人点了一只，大家欢天喜地地吃，他点上一根烟，笑眯眯地叼着。

他冷不丁地说："真奇怪，钱花光了，失恋也治好了。"

生死一场，地狱之路

2006 年藏历年后，成子找到了一份工作，工作的内容就是在藏区各个县城里各种出差。

这在当时生产队内引起了不小的轰动，那真是份让人心跳眼红的工作啊，可以不用掏路费满世界玩儿。

大家普遍很嫉妒，纷纷讽刺成子的着装，说他穿得像只大老鼠。出于工作需要，他那时买了一身 300 块钱的银色西装，还打了一根深红色的领带，红领巾一样飘扬在胸前。

那时，拉萨的藏族社会青年中很流行穿银色的西服，人家穿上去土帅土帅的，成子穿上去光剩土了。他就穿着那身土得掉渣的西服，穿梭在藏地大大小小的县城间，背上还背着个脏得看不清颜色的双肩背，再配上他那一副穷人乍富、意气风发的表情，真是要多土有多土。

有个阶段，他短暂脱离了晒阳阳生产队，被派往聂拉木公干。聂拉木海拔 4700 米，是个位于喜马拉雅山南麓最靠近尼泊尔的中国小县城，说是县城，城镇实际规模没有内地一个镇大。聂拉木在藏语中意为"象颈"，但汉译名为"地狱之路"。

晒阳阳生产队里神人很多，几乎每个成员都有一次被改变一生的旅行。

成子的那次发生在聂拉木。

在聂拉木的四月，成子结识了来自西安军校的年轻人宁博，宁博是位户外发烧友。他们结伴从聂拉木去樟木，同行的还有成子的一个同事，也是银西装红领带的范儿。

樟木海拔只有 1000 米左右，四月正是夏天，气候宜人。三人在樟木玩得甚为开心，准备从樟木返回聂拉木时，却下起了大雨。当地人按经验推测，若樟木下大雨，聂拉木此时肯定在下大雪，四月风雪是夺命刀，说不定会大雪封山。当地的朋友劝他们等雪融化后再启程，但宁博不肯，他认为两地相距不过区区三十公里，走得再慢，十小时也溜达过去了，更何况自己拥有丰富的户外经验和全套装备，什么大风浪没见过？

宁博执意启程，成子和同事决定陪他一起走。

于是，一个登山客加两个西装革履的上班族构成的奇妙团队上路了，他们运气很好，居然还找到了一个愿意冒险挣玩命钱的四川司机。

从樟木县出发，行驶了三个小时左右后，窗外的雨变成雪，再往前开着开着，地上的雪骤然全变成了冰。车子开始在路上打滑，司机收起刚出发时的风趣健谈，一声又一声地念着阿弥陀佛。雨刷器费力摆动出一个扇面，车窗上满是说不清是雪还是冰的东西。司机口气越来越焦躁，建议返回。宁博年轻气盛，对眼前的境况完全不以为意，三言两语和司机吵起架来。司机说："要么付够我车钱我拉你们回去，要么你们下来自己走，反正我打死都不往前开了。"

宁博是户外发烧友，成子是之前开发过西北众多户外线路的老户外票友，成子的同事是个敢来西藏穿西服当推销员的大银老鼠。三人交换了下目光，同时掀开车门，风夹着雪猛灌进来，他们钻进风雪中淋浴，回手努力潇洒地把车门摔出脆响。

我想，他们那一刻甚至是豪情万丈的。

刚开始的时候，他们一路上还并驾齐驱，有说有笑。渐渐地，所有人都不说话了，耳边只剩下寒风的嘶号。走着走着，三人彼此的间距越来越大。成子体能最好，始终走在队伍最前面，这样后面的人就能够踩着他的脚印走，会安全些。山路旁边就是深渊，而边缘基本被雪覆盖，很难准确判断。后来成子说，他每一步踏出前都心底发虚。行进几公里之后，举目四望完全是白茫茫的一片，没有了任何参照物。山路非常曲折，每走 100 米或者 200 米，就要拐进山脊，无法看到更远的路。

眼看天幕渐暗，周遭依旧是白茫茫的一片。宁博一开始的万丈豪气被无情苍白磨蚀殆尽，他开始不停地追问成子还剩多少路。

成子安慰他说，还有 30 个弯就到了……结果走了 40 多个弯，仍然没有任何抵达的迹象。

宁博嘴唇发紫，再次问成子还剩多少路。成子怕这个年轻人过度惊慌，赶紧说刚才记错了，还有 20 个弯肯定就能到。三人就这样一直在山里绕弯，任凭风雪把希望之光渐渐吹灭，没有任何办法。

成子说，那是他有生以来第一次认真思考"死"这个字。

刚开始雪只没过小腿，后来到膝盖，然后是整条腿，需要用双手把腿从雪地里拔出来才能前进。他身上的西装早已被雨雪打湿，里面的抓绒衣也隔不住水汽，人却没有感到多么寒冷——恐惧和对生存的急迫渴望充斥着他们全部的思维。

雪沁到裤腿里结了冰，走一段路就必须停下来把冰掏干净。三人的间距越拉越大，渐渐地就看不见人影了。落在最后的宁博有些害怕，大声叫了一声"成子！"——喊声在山谷里回荡着，雪山顶上的乌云最先回应了他的呼喊。云越压越厚，发出沉闷的低吼。地面开始战栗，积雪瞬间从山顶倾泻而下。

雪崩！

宁博忘了徒步雪山最大的禁忌，大祸临头了。

巨大的雪的洪流裹挟着动能狂奔而来，几乎再没有什么力量能够阻止。自然的威力在这一时刻展露无遗，三人根本无处可逃。忽然间的变故让人傻在了原地，眼睁睁着杀气腾腾的千军万马由远及近。

……

或许是上天有意眷顾他们，雪球奔落的路径并未与他们重叠，微微的一个曲线后，咆哮着向山谷涌去。雪崩过后，三人怔在原地久久无法动弹。成子心里不停地念着：阿弥陀佛，阿弥陀佛，阿弥陀佛……

人在将死的时候会有什么反应？

后来成子说："脑子里'铮儿'的一声响，瞬间就什么都听不见了，雪山轰鸣几乎完全没听到。"

我问他："说实话，你尿了没？"

成子说："不知道……浑身都是湿漉漉的，不知道哪儿来的那么多汗，和雪崩一样，瞬间就全涌了出来，从胸口到小腿全是汗。"

恢复平静后，山谷已被落雪填塞为小山丘。三人哆哆嗦嗦地翻过积雪，脚下暄软得如同棉花。

宁博真的畏惧了，他带着哭腔说："咱们回去吧！"

成子咬着牙说："都走了这么久，只剩下三分之一路程了，不如就再咬牙坚持一下。"

其实成子心里知道，他们大概只走了一半路程而已。

左右是个死，西北人的悍劲儿上来了，成子心想死也死在朝前走的路上！成子看到宁博仍有退意，二话不说把他的登山包连同所有装备扔到雪丘后面。宁博没有反对，低着头没有任何反应。

成子攥起他的手用尽力气喊："我们都已经走到这儿了，干吗要再回头？山神刚才都不收我们，那就证明老天一定会留我们一命！……要是能活着出去，便是大难不死必有后福……要是死在山里……大家一起结伴做鬼！有什么可怕的！"

成子组织过罢工，组织过旷课，情急之下民勤口音脱口而出，一番激励之下，宁博终于红着眼圈同意继续上路。

这时出现了一个黑点儿，是一辆老旧的带篷卡车，蜗牛一样蠕动在雪中。成子的同事二话不说就爬到卡车上，无论如何不肯下来。卡车上堆满了木头箱子，实在没有地方再多容纳半个人，于是成子和宁博决定撇下卡车，继续徒步往前走。

翻过雪丘，就把雪崩的地方抛在身后了。成子掏出临行前向我借的相机，那是个当年还比较稀罕的小数码相机。他想拍张照纪念这惊心动魄的瞬间，毕竟并不是每个人都能在有生之年遇上雪崩且幸存下来。然而按下快门时，相机却无任何反应，琢磨了半天才发现天气太冷，快门已经被冻住了。他心里开始纳闷，怎么自己身上不觉得太冷，浑身只有麻木和微疼。

走了没多久，成子和宁博发现一群牦牛被困在雪地里，它们躺卧在一起，仅凭全身厚实的毛发抵御那骇人的严寒，牦牛睫毛上有冰，鼻孔的白气一呼出就笔直朝上散开。像是一堆会呼吸的铁雕，而不远处又是一次雪崩的残迹。

咬牙翻过第二个雪崩的地方，他远远看到同事甩开膀子、连滚带爬地向他们跑来。原来卡车蠕动后，没多久就因积雪太厚无法前进，车上的人发现那位同事身上不仅没带干粮也没带钱，说什么也不肯让他继续留在车上！生死眼前时，人性最真实的一面显露无遗，那位同事无奈只能下车来找成子和宁博，希望他们没有走得太远。怎料在雪地里没头苍蝇一样乱走了一通，举目之间苍天白雪，哪有半个人影？他正在心惊，看到牦牛困于雪堆，想着周围或许会有牧民。心怀半点儿希望，紧赶慢赶走了一程，突然看见两个人影，激动得就差大哭一场，死命发力追上。他委屈地拉着成子的衣服，几尺高的汉子抽泣得像个受了欺负的孩子。

三人不敢久留，沿路依旧是白茫茫的雪，没有明显的参照物。成子发现还有一组诡异的水泥柱子立在雪面以上，约隔几十米一根。他们遂以此为路标沿着往前走。但就是这个举动，又差点儿葬送了三人的性命。

还没走到第三根水泥柱，成子突然脚底一空，好在他眼疾手快，反应迅速地急忙横向一躺，但就算这样，两秒钟不到，人也往雪里掉进去一大半，宁博他们见状不妙，死拖活拽地将成子拉了出来。三个人后撤几米，跪倒在雪地上呼哧呼哧地喘粗气，等平静下来仔细一看，三人直感后背发凉——那组水泥柱子是电杆，是斜着横贯峡谷架而架设的。

继续前行，没走多久，看见雪地里露出藏民放牧的牛棚。那牛棚用石块垒砌，分为三层：最上层储存牧草，中层住人，下层是支撑。现已被大雪覆盖，只剩一层半还露在外面。他们满怀希望地走到面前一看，希望的火花再次瞬间熄灭——门户被石块非常仔细地封堵住了。当地藏民熟知山性，知道这样的大雪肯定会封山，所以他们把牛群圈到一起之后便离开了，等积雪融化后再回来牧牛。但不知为何一定要封上牛棚？不过虽然如此，好在还有栖身之所，不至于夜幕降临后继续露宿雪地，否则就真是凶多吉少了。

三人从雪地里刨出一条路，搬开石块，一脚将门踹开。进去看见壁炉，赶紧抱来茅草想生火取暖。但没料到牧民离开之前把烟囱拆了，不仅封门，还拆烟筒，着实让人不解。

火最后没能生起来，却弄得满屋子都是烟。三人怕被烟雾呛死，只好平躺在地上，那烟就在鼻子上方三五厘米处弥漫着。后来，在角落阴影里又发现留有一床硬成壳儿的脏褥子，成子抓了过来，不问新旧净垢就拆为三份，又加盖了些茅草。身上衣服全湿透了也没敢脱，三个人挤在一起聊天，制造些人为的声音以抵御山风在空谷里呼啸所带来的冷寂与孤独。因之前消耗了大量体力，又未能进食补充能量，他们早已筋疲力尽，不一会儿便都睡着。

成子凌晨四点半左右被冻醒，看到亮光从石头窗洞里透射进来。再看身上，热气正沿着茅草的缝隙向上蒸腾。把茅草一掀，聚集在体表的热气向四处逃散，躺在地上的三人就像刚出锅的包子一样。宁博把随身小背包里的衣服拿了出来，成子终于可以脱下身上早已被浸透的湿衣。干爽的衣物让热量得以聚集，他行动也灵活了许多。但袜子依旧让人头疼，潮湿的袜子经过一夜严寒早已被冻硬，此时正站立在地面上。没有火堆来烘烤，只好用身子焐，软化后又凑合穿上，像穿了一层湿泥。

清晨六点，雪还在下。

三人水米未进，饥寒交迫，别无选择，只好继续上路求生。

走了四个小时，将近十点多的时候，依旧没有任何走完的迹象和征兆。

成子开始接近临界点了，起初他只有一个信念：我一定不能死！人怎么可能就这么轻易就死了呢……前半辈子里重要的人和事不由自主地在他脑海里闪现、播放、重复；而此时此刻，他的脑中全然一片空白，就和眼中透映的雪地一样。

　　成子出现了初期的雪盲症状。手脚和脑袋开始像别人的器官一样存在着，嘴唇也沉重得合不上……成子想：快了，快了，这辈子看来马上要走到头了，最后一刻是选择躺下找个舒服的姿势在雪地里等待最后时刻的到来呢，还是依旧往前走，直到一个跟头栽倒不再爬起来？宁博呢？其他两个人呢？怎么完全不见了踪影？什么时候走散的？是我掉队了还是他们掉队了？他们还活着吗？我要不要践行诺言陪着他们一起去死？

　　他慢慢地思索着，佝偻着，机械地走着。

　　时间过得很奇怪，一分钟像一个小时那么漫长，一小时又像一秒钟那么迅速……他就这么一边思索着一边走着……影子怎么跑到身前了？这个光线角度，应该是下午三点了吧。那个远远的东西是什么？四四方方的，像个拙劣的亭子……那是，那是聂拉木的加油站！

　　成子努力转动了一下干涩的眼球：到了?!走到了！

　　紧接而至的是崩溃——血液瞬间涌入大脑，一阵眩晕和恶心！连接心智和肌腱的最后几根弦在这一刻全部绷断。他甚至听到了几声脆响！一个小时前，他几近意志崩溃的时候，离目的地只不过一公里左右。

　　意识似乎不再主导肢体，躯壳凭借的也不是惯性。成子觉得有一只大手在背后推着他，推得他踉踉跄跄地跑了起来，跑过加油站，跑过小邮局，最后一把把他推到宿舍门前。

　　成子后来跟我说："我对天发誓，那是一只手！我甚至感觉得到那只大手的食指和无名指的力道……"

　　成子在门口就开始脱衣服，到床边时，他被自己的湿裤子绊倒在水泥地上。

　　他用最后的力气插上电热毯，躺下的那一瞬间迎来的不是宁静，不是放松，不是释然，甚至不是空白，似乎没有一个词汇能够再现那份微妙感触。

成子睡了半个小时，或许更确切地说是昏迷了半小时后，身上的疲惫才稍有退去。

他躺在床上想，其他的人呢？死了？他想哭但哭不出来，他支撑起胳膊想扇自己耳光。这时门开了……宁博到了。宁博依靠在门框上已经喊不出声音来，他瘫软成了一团泥。成子光着屁股跑下床帮他扒了衣服，又拖他到床上休息。人从一个极端寒冷的环境突然转换到另一个热的环境中容易休克。成子让宁博枕着自己的胳膊，他看着他，生怕他会再次死掉。

这时又一个目光呆滞、仅凭惯性动作的躯壳走了进来，也一言不发，把全身衣服脱得精光，生挤上床躺在成子和宁博旁边。

万幸，三个人都活着走了出来，彼时像刚出生的婴儿一样光着躺在一起，谁都没死。

成子终于淌出了眼泪，后来他对我说："第一颗眼泪像粒荨麻子，扎得满眼满脸生疼。"

十多分钟后，成子同事终于"啊！"地喊了出来，似乎要把肺部的空气都排得一干二净，又像婴儿出世的第一声啼哭——也许对于他而言，那就是一次新生呢。

成子同事后来说十二点左右他已经绝望了，躺在雪地里等死。躺了几个小时也没死成，却被两个开车去找牦牛的藏民发现，看他还有呼吸，赶紧救起。两个藏民喂他喝了牛奶，又狠狠地骂了他一顿，他们停止了找牦牛，直接把他送回到聂拉木。

三个人元气大伤，休养了快一个星期才找回人形儿，万幸，谁也没留下后遗症。

宁博走的时候告诉成子，说不久就会再回西藏找他，要给他带好烟、好吃的。成子只说："你好好的，带条命回来看我就行。"

宁博走后没两个月，成子回到拉萨，辞掉了工作，重新回归大昭寺晒阳阳生产队。他向我描述聂拉木的生死遭遇，唏嘘不已，完全不像之前那个百无禁忌的莽撞青年。但没过两天，成子又恢复了之前拉萨时的状态，一会儿闹着去攀冰一会儿嚷着要组织走雨季墨脱。

我说，你还真是心大，不怕再死一次吗？

不久历史重演，我和成子一起又经历了一次类似的故事，那是另一个和生死相关的故事了。

成子的同事在那次事件后洗心革面地回了内地老家，娶妻生子，回归正常的朝九晚五。宁博没再联系过成子，成子后来也没怎么提起过宁博。

距聂拉木故事将近快两年后的一天，我们一干人自驾车到拉萨河边烧烤过林卡。那时候拉萨的游客开始多起来了，一路上见到不少端着单反拍河水的背包客。有个背着大包的游客走到我们面前冲我们喊："成子?!"

成子很茫然地端详着眼前的那个人。

"我是宁博啊！"

两人像两只海象一样，猛地撞到一起，死死抱在一起痛哭。

我难以忘记那一幕，他们两个人哭得像隔了一个轮回才终于得见的亲人。

宁博哭花了脸，边哭边把他的登山包打开，把里面的东西抖落了一地，都是他专门带来的烟和各种真空包装的食物。

聂拉木分别后的大半年，宁博真的回来找过成子，从聂拉木一直找到拉萨。但因为成子没有固定的居所，辞职后又更换了工作时用的手机号码，所以宁博徒劳而返。第二年，宁博又回到了西藏，他没带任何户外装备，和上次一样，依旧是一大包给成子带的东西。他一下飞机直接去大昭寺前磕头许愿要找到成子，没曾想误入晒阳阳生产队的地盘，机缘巧合让他下了飞机三个小时不到就得到了成子的踪迹，然后他一路追到了拉萨河边，背着大包，痛痛快快地哭花了脸。

老天爷没让他俩死，老天爷也没让他俩相忘于江湖。

神奇的藏地。

两个阿尼

2005 年的一天，我和成子在大昭寺门口晒太阳，旁边坐着一个老太太，藏语叫"阿尼"。看装束，应该是从那曲那边过来朝圣的牧区老太太。

阿尼拿着转经筒和念珠，看一眼成子，诵一段经文，哭一场，如是往复。

我们问身旁一起晒太阳的藏族小伙，让他问问是何缘由。年轻人说阿尼的儿子不在人世了，而成子又跟他长得很像。成子咧咧嘴，摸出墨镜戴上，不敢再去看阿尼。我逗他说你小心点儿，说不定人家会拉你回那曲当儿子。

没过多久，阿尼果真坐了过来，老人家蹲坐在我们面前，伸手摸着成子的衣袖。一起过来的还有一个懂汉话的人，直接问成子是否能遂了阿尼的心愿，做她的儿子。成子吓了一跳，我们也都吓了一跳，大家一起冲着阿尼连连摆手加摇头。

阿尼失望离去，之后一个星期都没有再见过她。

一个星期后，依旧是我们惯例晒太阳的地方，阿尼出现了，她径直朝我们走来。大家慌忙起身打算跑开。

阿尼张开双臂作势要拦住我们，她微微弯着腰，急急跑来。那个微微扭曲的姿势让我一直没办法忘记，更像是要拥抱我们一样。我们站在一边，看着阿尼站到了成子面前。这次，阿尼没说任何话，她取下项上的一串绿松石珠子，最下面是一个纯银的法器坠子，两边是两颗白中透粉的龙纹石。她并不抬头看他，给成子戴上后，便扭头走了。

我们一群人好一会儿没说话。

成子努力表现出一副满不在乎的样子，他摸出英吉沙小刀，把穿珠子的牛皮绳裁断，人手一颗地分送给大家。但他留下了两颗龙纹石，后来一颗做了项链———一直到今天他还戴着。另一颗做了手链，送给了当时和他关系最铁的二宝。

二宝说："成子，这个手链我是不想要的，非要我要的话，你要听我给你唱完这首歌。"

二宝抱起吉他站在东措的院子里，唱了那首《乌兰巴托的夜》：

有一个地方很远很远／那里有风有古老的草原

骄傲的母亲目光悠远／温柔的／她那话语缠绵……

二宝唱的时候，我没敢看成子，我们都没敢看成子。

"骄傲的母亲"那一句响起时，我觉得心里有些难受。

第二位阿尼经常在大昭寺门口的碑后面坐着祈福、许愿、磕长头。

她在大昭寺门前磕了很多年头。基本上我们晒的那五年太阳，都是坐在她身边。

阿尼曾有个女儿，十一岁还是十三岁那年被人贩子拐了，同村被拐了四五个女孩子，只有她的孩子最后没有回来。

她很伤心，就出家了，在大昭寺门口自己修行，在那儿祈福、磕长头、许愿，希望她的孩子能回来。她磕了太多年头了，腰都直不起来了，还是一直在那里磕。她的卡垫是最旧的，膝盖跪压的地方已经薄得像一层纸。

知道第一个阿尼的事情以后，成子每次都会去给这个阿尼带一些吃的。这些修行的人随身也会带干粮和茶，我尝过一回，那个茶的味道像锈铁锅煮的树枝子。

后来，成子过年过节都给这个阿尼买衣服，阿尼不会汉话，唯独学会了"成子"这两个字的发音，每天在大昭寺门前见面打招呼的时候，她就喊这两个字，高兴了的时候，一口一个地喊。

她发音怪怪的，好像在喊"强吱"。

成子说，在大昭寺像阿尼这样经历的修行者非常多，他们到最后估计已经不是在祈祷她的孩子能回来了，可能已经不是在祈福了，只是单纯地为了长头而长头，其他什么都不为了。

成子说，也许阿尼已经没那么痛苦了吧。

我不知道他指的是哪一个阿尼。

四年的光阴路过我们

2008 年 3 月后，由于那场让人伤心的变故，最后一代拉漂们纷纷撤出高原，大昭寺晒阳阳生产队须臾土崩瓦解，队员们散落回无边无际的天涯。

缘聚缘散，缘深缘浅，缘分尽了自当别离。道理我懂，可那时候的我实在是接受不了这种分离。很多人就那么消失了，永远从你的生命中消失了，或许这一辈子很多人也无缘再聚首了。想起来就让人心里乱，一种含悲带怒的难过。

我伤了心，孩子气地发誓再也不踏进拉萨半步。

但没能守住自己的誓言，2010 年三十岁生日的那天，我一睁开眼就往死里想拉萨，想那帮当年的朋友，想大昭寺门前的阳光。脸都没洗，我冲去机场，辗转了三个城市飞抵了拉萨贡嘎机场。

再度站在藏医院路口的时候，我哽咽难言，越往里走，大昭寺的法轮金顶就越看得真切。那一刻，我是个近乡情怯的孩子，匍匐在滚烫滚烫的广场上，一个长头磕完，就委屈地涕泪横流。

端着枪的武警过来撵我，他说："走喽走喽，不要在这里躺。"

我翻手机，挨个打电话。空号、空号、忙音……没了，全没了。

我没皮没脸的兄弟们，我一块儿比赛吃"鸡蛋"的朋友们，都没了。

我去买青稞啤酒，跟老板娘说："今天我生日……"

她看我一眼，说："只批发，不零售。"

一年后，我再回拉萨，在兄弟喜力的暮野客栈结缘了一位汉地来的大和尚，他人很和善，天天带着我去藏姑寺喝甜茶。

　　又过了一年，我随缘皈依三宝，做了禅宗临济在家弟子。

　　皈依的那天跪在准提菩萨法相前我念：往昔所作诸恶业，皆由无始嗔痴贪……

　　我想我是痴还是贪？愿我速知一切法吧，别让我那么驽钝了。

　　师父开示我缘起论时，告诉我说万法皆空唯因果不空。他说，执念放下一点，智慧就升起一点。

　　可是师父，我执念重，如缕如麻如十万大山无尽绵延。

　　我根器浅。时至今日，依旧执着在和"拉漂"兄弟们共度的那些时光。若这一世的缘尽于此，若来生复为人身，我期许我能好好儿的，大家都能好好儿的。我期待在弱冠之年能和他们再度结缘于藏地，再度没皮没脸在大昭寺的阳光下。

　　2008 年以后，我有四年没有见过成子。

　　从西藏撤回来后，成子去了青海，在中建材担任了三年的销售主管。多年的高原生活给了他一脸正宗的高原红，成子屡屡被客户认作安多藏族。大难不死必有后福，他积蓄的福报忽然井喷，业绩一度牛得吓死人，七个人的团队一年的营业额达到三亿七千万。

　　在青海的日子里，成子常跑去佑宁寺转经，那个地方在距离西宁四十公里的互助县，大大小小的寺院散落在山间，山影松涛，红墙金顶，美若仙境。

　　佑宁寺的堪布是个转世小活佛。成子每次去都和他住在一起，同食同寝，忘年相交。小活佛偶尔会对成子讲一些不可思量的话，似开示，又似天眼通后的箴言。他说："以前已经活得够着急了，这辈子就别那么着急了……"

　　小活佛只有十多岁的光景。

　　成子的销售业绩越来越突出，几乎快成了个小小的业界传奇。后来他升职了，但同事的庆功宴没来得及摆，他迅速辞职了。

然后是散尽家产，是真的散尽家产。

　　大家都以为他是要去佑宁寺出家，但他没走出那一步。

　　成子和我一样，虽浪荡藏地多年，却始终没有受密宗的灌顶。他和我一样，从热爱藏地文化，到喜欢佛教文化，到倾向于亲近佛学。当年简单地了解了一些基本法理后，自己知道自己能吃几碗干饭，虽然很敬慕金刚乘的法门，却一直没皈依密宗。

　　成子没当喇嘛，但他确实是被度走了。

　　他在佑宁寺时结识了一位僧人。

　　巧得很，和我后来的经历一样，那也是位汉地来的行脚云游僧。僧人其貌不扬，却威仪俱足。此比丘游历四方，遍访名山大川，随身布囊内藏各地名茶。所经之处若有佳茗，必采而贮之。和尚喝茶，不喜斗茶出巧，喝茶便是喝茶，清和寂静。

　　僧人平日讷言讷语但为人和善，秉佛训过午不食，终日不倒单，是位禅茶一味的大方家。他随缘点化，遇到有缘人，会由茶入禅，举杯间，三言两语化人戾气。成子对他一见倾心，心甘情愿替他背起乾坤袋，以随侍弟子的身份再度上路。

　　僧人是河北人，五十七八岁的光景，几十年前全家人出了车祸，只留他一人茕茕孑立世间。他剃度于赵县柏林禅寺净慧上人座下，出家前供职于茶科所，本就是位业界颇有名望的茶人。出家后万缘放下，唯钟情那一杯茶。他教成子选茶、品茶，系统地传授成子茶艺茶理，成子从他那里承接的茶道古风盎然。

　　成子潜心追随云游僧人，四处挂单，缘化四方。他数度跪倒在僧人脚下，表示希望剃头受戒。僧人总是不置可否，偶尔会和善地拍拍他合十的手，道："孩子，着什么急呢……"

　　说的，和佑宁寺的小活佛如出一辙。

　　僧人禅净双修，成子求教参话头或呼佛号，他让他去念在藏地家喻户晓的观自在菩萨心咒就好，于是成子伴着师父喝茶持咒，持咒喝茶，踏遍名山，遍饮名泉，访茶农，寻野僧，游历天涯如是数年。

一日，二人入川，巴蜀绵绵夜雨中，比丘躬身向成子打了个问询，开口说了个偈子……

念罢偈子，比丘襟袖飘飘，转身不告而别。成子甩甩湿漉漉的头发，半乾坤袋的茶还在肩上。

僧人没教他读经，没给他讲法开示，只教会了他喝茶。

成子没回甘肃，他由川地入黔，自黔行至盛产普洱的彩云之南。僧人曾带着他遍访过云南诸大茶山，带他认识过不少相熟的茶僧茶农。他一路借宿在山寨或寺庙，渐把他乡作故乡，淡了最后一点重返青海的念头。

他给小客栈当管家，去小酒吧当跑堂，去拉面馆打工，去当司机，攒了一点儿钱后，成子在丽江古城百岁桥的公共厕所附近开了一间小小茶社，他此时隐隐是爱茶人中的大家了。他没做什么花哨唬人的招牌，只刨了一块松木板，上书二字：茶者。

小茶社蜗在巷子深处，游人罕至生意清淡，但足够他糊口，重要的是也够他自由自在静心喝茶。他从师父相熟的茶农处进茶，有一搭没一搭地卖卖滇红，卖卖普洱。

2012 年的春节，我在丽江小石桥卖唱，唱的正是那首《没皮没脸的孩子》。他拎着一捆青菜走到我身边，驻足……安安静静地喊了一声我的名字。

离我们上次拉萨的分别，整整 1500 多天过去了。

……

一年后，2013 年春节。我又回丽江过年，跑到百岁坊让他泡茶给我喝。他送我一只奇妙的杯子，说以后专门留给我用，那只杯子是仿钧窑的，雨过天晴云开处的釉色，开片开得如莲花一般，煞是好看。

我想和他聊聊天，怀怀旧，可每抿一口茶，就冲淡了讲话的欲望。两个人默默地对坐着，从午后喝到黄昏。紫鹃、冰岛、宫廷……一道接一道。

路人嬉笑打闹着路过我们，四年的光阴路过我们。

　　成子收养了一只小小的哈士奇，起名叫船长。船长在旁边挤来挤去地冲我伸舌头，粘了我半身狗毛。我盘腿坐着，袅袅的茶烟屡屡让我想起仙足岛清晨的水汽和大昭寺门前的煨桑。

　　成子泡着茶，依旧是一脸多年未曾蜕去的高原红，左手边是孙冕老爷子给他题的"茶者"一词，右手边是陈坤给他写的"悟生"二字。金黄金黄的黑唐卡在幽暗的小屋里闪烁着熠熠的光，那是一幅藏文坛城百字明，画唐卡的人是成子茶社的小伙计，对成子恭敬而亲切，那是一个皈依了格鲁巴的昆明男孩。

　　成子，快十年过去了，那么爱折腾的你都已经拥有了让我遥不可及的成长和宁静，可我呢，还是那个没皮没脸的孩子。这让我羡慕，以及委屈。

　　成子，如果多年前纳木错的那个雪夜，你我就坠入了那万丈深渊该多好。如果生生世世，累世累劫，我们在年轻时就都莫名其妙地死去该多好。

　　成子，大昭寺晒阳阳生产队时期，有一天我们不约而同地放了一个屁，我们拿帽子扣着脸，在下午三点的拉萨阳光里笑得死去活来。那种酣畅淋漓，可能你已经不是很想再要了，但那种酣畅淋漓这些年我再也找不到了……

　　成子忽然开口说："大冰，把烟掐了再喝茶吧，滋味会更好一点。"

　　成子，你可还记得大昭寺广场前你递给我的那支"兰州"烟？

　　……

　　那天是我生平第一次醉茶，晕晕的，轻飘飘得好似要飞起来。我用手指蘸着茶汤，在他的茶桌上写字：壶嘶乱香，茶酽观色，杯新嚼齑，水到曲成……

　　我说："成子成子，你看你看，我的行草写得怎么样？"

　　早春的丽江干燥无比，水渍瞬间就蒸发没了。

阳光照在书上，风从这里路过，
那些看似平实的文字会透过纸背在另一页折射出立体的影子，
那就是光芒吧。

[不用手机的女孩儿]

像秋天里两片落下的树叶，在空中交错片刻，
一片落入水中随波逐流，一片飘在风里浪荡天涯。
我再没遇见过你这样的女孩儿。

她是我认识的唯一一个不肯用手机的女孩儿。

从 2003 年到 2013 年，从拉萨到丽江，我再没遇见过她这样的女孩儿。

走路去珠峰

初次见她是在蜗牛的酒吧，我喝多了青稞酒，去讨白开水。拉萨晚秋的夜已经很凉了，她依然穿着很单薄的衣服，酷酷地抽着大前门。锡纸烫过的头发，包头的线帽，长得像极了瞿颖。那时候，开往拉萨的火车还未开通，混在拉萨的女孩子们还都是爷们儿一样的，一水儿的登山鞋，她却穿着带跟儿的小皮靴，看起来很神气。

不熟，我们没怎么说话，一起坐在吧台边吸溜吸溜喝着白开水。蜗牛裹着毯子在吧台里吸溜，我抄着手趴在吧台上吸溜，她背靠吧台双手捧着大杯子吸溜。三个人用此起彼伏的吸溜声来打发午夜的时间。蜗牛酒吧的背景音乐是呻吟一样的绵长吟诵，我记得是葛莎雀吉的《北奥明法身宫殿》。我们喝水的节奏和着葛莎雀吉缓慢的吟唱，像在练习一种奇怪的瑜伽。

第二次遇见她，是在藏医院路口。她给一个英国作家当临时翻译，满世界采访混在拉萨的人们。她冲我抿着嘴笑，抬起手做了个喝水的姿势。

我说："唉，那个谁，留个手机号码给我，回头一起饭饭。"

她扭头和那个英国作家说："你看，我还是蛮有市场的。"那个穿着雪白衬衫的威尔士女人挑剔地打量了我一眼，矜持地歪了一下头，算是打招呼。

我心说，你丫矜持个蛋啊，我又不是要请你吃饭，你腰那么粗，和头小牛似的……

我和她说："快点快点，手机号给我。你的老板快要拿大蓝眼珠子瞪死我了。"

她跟我说："抱歉啦，我没有手机，也不用手机，要不然你把你的手机送给我？"

我舍不得我的手机，那个爱立信大鲨鱼是我唯一的家用电器，于是很没脸地走开了。

已经是入夜光景了，那段时间治安很差，有人被打劫。走之前，我把随身带的英吉沙短刀借给了她，也没怎么多话，只叮嘱了她这个点儿最好别去的那几条巷子。

天地良心，真没有想泡她的意思，就是想和她这样漂漂亮亮的小姑娘聊聊天、扯扯淡吃吃饭什么的而已。我那时候是个五讲四美、文明礼貌、又单纯又感性、还很随和的文艺小青年。

第三次见面是一周以后，她半夜来我的酒吧听歌。进门就窝进卡垫里，木木呆呆地一个人出神。我唱了一会儿歌，抬头看她不知道从什么地方掏出来一瓶酒开始喝。她失魂落魄，看也没看我一眼，所以我也没管她，继续唱我的歌。我唱了一首郑智化的《冬季怎么过》，唱完了以后瞅瞅她，她缩成一团靠在卡垫上，低着头，一点儿声音也不出，像睡着了一样。

我走过去戳戳她，发现泪水浸湿了整个膝盖。她原来在安静地，哗哗地流眼泪。

这是怎么个情况？这首《冬季怎么过》没什么毛病啊，怎么就把人家给惹哭了？这可如何是好。

冬季怎么过/在心里生把火/冬季怎么过/单身的被窝

冬季来临的时候/我总是想到我/明天是否依然/一个人生活

我究竟在害怕什么/是不是寂寞/想接受它的温柔/又不愿失去自由

冬季是一个迷惑/年年困扰我/年年我都在迷惑/年年这样过……

我蹲下来，说："这个季节来混拉萨的，谁没点儿故事，不管你有

173

多坎坷，也没必要让别人看到你哭成这个熊样儿哦。"

……我觉得我挺会说话的一个人啊，怎么话一说完就把人家整哭出声儿来了呢？

我想逗逗她让她笑一下，别哭出个高原反应什么的最后死在我酒吧，就用话剧腔说："朱丽叶，在秋天是没人会帮你擦去冬天眼泪的。"

她埋着头说："嗯嗯嗯……"

她上气不接下气地说："就是有一小点儿难受，慢慢就好了呢……你陪我出去走走吧。"

我回头看看酒吧里，一桌北欧穷老外已经彻底喝大了，头对头地趴在桌子上淌口水，另一桌是两个老房子着火的中年背包客，四目相对、浓情蜜意、呢喃不休地完全沉浸在二人世界。

我说："好吧，我挺乐意陪你出去走走的，但你要把眼泪抹抹，鼻子擤擤，不然一会儿出去了，别人以为我怎么招你了似的。"

我一边忙活着穿外套一边问她："说吧，咱们去哪儿？"

我琢磨着公账不能动，但钱包里还有五十多块，要不然就出次血带她去宇拓路吃个烤羊蹄儿吧。不是有位哲人说过这么一句格言么：女人难过的时候，要不然带她逛逛街买买东西，要不然就喂她吃点食儿。反正看她这小细胳膊小细腰也吃不了多少……

她泪汪汪抬起头，说："……去个比拉萨再远一点儿的地方。"

我一下子就乐了。

怎么个意思这是？演偶像剧呢？我说，好啊！我随手在身后的丝绸大藏区地图上一点，说："您觉得去这儿怎么样？"我回头顺着手臂一看，手指点着的地方是喜马拉雅山的珠穆朗玛峰。

她目光渺茫地看着地图上那一点，然后点点头说："走。"

那就走呗。

她用力裹紧了衣服，推开门走进了拉萨深秋明亮的午夜。

我把手鼓背了起来，想了想又放下了……最后还是背着出门了。

一个半小时后，我开始后悔。

这时，我们已经横穿出了拉萨城，沿着河谷走在了国道上。拉萨城的灯火早已被抛到了身后，眼前只有黑漆漆的山和一条被月亮照得发白光的路，河一样地绵延曲折，没有尽头。

我心想坏了，看来这小姑娘是玩儿真的。我开始心痛那两桌注定跑单的客人。早知道就该先收钱再上酒，那桌北欧退伍兵指定是要在酒吧睡到天亮了，保不齐明天睡醒了以后他们会自己跑到吧台开酒胡喝。彬子骑车去纳木错了，二彬子找他的小女朋友干坏事儿去了，Niko妹妹要到晚上八九点钟才会来浮游吧……我唯一那瓶为了撑门面才摆出来的瓷瓶派斯顿金色礼炮威士忌肯定保不住了，还有我自己都没舍得吃的新疆大葡萄干，都他妈便宜那帮维京海盗了……

不一会儿天就亮了。我实在是累了，赖在路边呼哧呼哧喘粗气。

开始有一辆辆车路过我们身边，呼呼地卷起一阵阵汽油味的风。我又冷又饿，掏了半天裤兜，掏出来一块阿尔卑斯奶糖，立马飞快地偷偷塞进嘴里。一抬头，她没事人儿一样默默站在旁边看着我。

我瞅着她的鞋，我说："哎哟；厉害啊你，穿个小靴子还能走这么远。你属藏羚羊的啊你。"

逗她她也不接茬，只是拿鞋尖踢地上的石子，踢了一会儿，自己跑到路边，伸出一只胳膊开始拦顺风车。她有个美丽的背影，修长的腿、纤细的脖颈和腰，看起来很好吃的样子……我嚼着糖看着她拦车，心想厉害啊，看来技术娴熟经验老到，是个搭顺风车的老手。

没过一会儿，我们搭上了一辆开向后藏方向的中巴车。司机是藏族人，满车都是藏族人。我挤在一个老阿尼旁边，老人家一身的羊肉味，和所有藏族老人一样，不停转着手里那个尺多长经筒。车每次一转弯，她手里转经筒的坠子就狠狠扇在我腮帮子上，我给扇急了，又不好和老人家发火，只好每被扇一次就大声喊一声："丹玛泽左（呼神护卫佑持的意思）。"

我每喊一次，老人家就笑笑地看我一眼，后来还伸过一只手来摸摸我的脸，说："哦，好孩子。"

她这时终于有了一点儿笑容，她往旁边挪了挪，给我让出点儿躲避流星锤的空间。我紧贴着她坐着，心想这姑娘怎么这么瘦，隔着衣服都感觉到骨头硌人。我问她："你叫什么名字？"

她玩着手指，说别问了，问了我也不说。

我说，好吧。过了一会儿，我又问她："你小名儿叫什么？"

她说："我说了，别问了。"

她左右望望，然后把目光放在了车外。

我说："OK，我不问了……那怎么称呼您老人家？"

她恶狠狠地叹了一口气……

旁边的老阿尼笑笑地摇着转经筒，我舰脸去找阿尼搭讪。我问："阿尼，名热卡（老人家，您怎么称呼）？"

老阿尼示意我等一下再说话，然后很神奇地从怀里摸出一个吱吱响着的手机，开始接电话。

我捅捅她，说："你看你看，你连个手机都不趁，连人家老阿尼都用手机。还是诺基亚的。"

按理说，她应该和我解释一下她不用手机的原因，但她没有。一直到今天，我都不知道这个神秘的原因。

就这样，我在二十啷当岁时，跟着一个不肯说名字也不肯用手机的女人，一路颠簸，从拉萨去往珠峰的方向。

法力无边的羊湖

事实上，我们没在车上颠簸多久，到了羊湖，我们就被抛弃了。

这事说起来该怪我，不是第一次来羊湖，可那天羊卓雍措湖太美了，之前和之后都没见过那么美的羊卓雍措。趁着司机停车、大家下车方便的空当儿，我拽上她就往湖边走。

藏地三大圣湖，纳木错、玛旁雍措和羊卓雍措。我差点儿把半条命丢在纳木错边,还曾如释重负地把一个背了多年的重担放在了玛旁雍措旁。纳木错是神圣的,玛旁雍措是神秘的,至于羊卓雍措,于我而言是美丽而神奇的。

这是句废话,去过羊湖且双目健全的人,没人会说羊湖不美。

那天的羊湖雾气缭绕,美得和假的似的,比大明湖美多了,比喀纳斯湖美多了,比雨西湖美多了。那不是水,是一整块儿大得要命的玉石啊,幽幽的碧色,静止的水面,水面静止得让你觉得这哪儿是液体啊,简直就是固体。一直走到离湖面快五六米的地方,才能看到微风吹皱的一点儿涟漪,微微颤颤的,那湖水像是有弹性的。

我和她说:"这湖今天怎么和一大碗猕猴桃果冻一样?简直可以拿个大勺子挖着吃喽。"

她啧啧感慨着,我也啧啧感慨着。

我们就站在湖边啧啧感慨着,感慨了很久。羊湖是神湖,我跪在湖边磕了长头,祈祷羊卓雍措达钦姆大湖主保佑我接下来一路平安,别出车祸,零件完好地到珠峰。然后,我们踩着石头往回走,这时候发现,车跑了。

所以说,羊卓雍措真的是个法力无边的神湖,我只不过祈祷别出车祸,人家羊卓雍措达钦姆大湖主很负责任地从根儿上解决问题,直接把车给我弄没了。

车上的人应该喊过我们,估计我们走得太远又站在水边,所以没听到。现在,我就是想让老阿尼的转经筒扇我,也扇不着了。

我说:"怎么办,我饿了。"

她指指羊卓雍措说:"吃吧,果冻。"

后来,我们沿着湖边走了一会儿,看见一个新开的小饭铺,专门卖鱼的小饭铺。我俩绕着铺子转了一圈,又开始啧啧称奇。羊湖是神湖,藏民把所有的鱼都当成龙王的子孙,从来不吃,所以不论里面的高原裸鲤多么肥美,也没人煮它们。藏地原住民不吃鱼是个基本常识,这家小鱼馆儿的出现让我们很惊奇。

我咽着口水说:"你看,这棚子连扇玻璃窗都没有,肯定是怕不吃鱼的信徒来砸。"

烧鱼的味道飘了出来，她也开始咽口水。

我说："你吃吗？"

她摇摇头说："你不吃我就不吃。"

我说："那我……吃不吃？"

她说："好吧，那咱赶路吧。"

恩公！不吃鱼，咱炒个菜吃也行啊，下个面条吃也行啊，谁知道前面还有没有饭店了，难道还要绕着湖跑到南岸桑丁寺去找女活佛化斋不成？

我拽着她进屋坐下，其实算不上屋只是个棚子，紧挨着就是厨房。我在油腻腻的桌子上给她画了个羊卓雍措的环湖路线图，给她讲如果我们去桑丁寺找食儿吃的话，大约会饿死在哪个位置。我说，你看，羊卓雍措是个蝎子形的湖……

厨师兼服务员过来点单，一口"川普"："朋友，你们打算来条几斤的鱼？"

我说："我们不吃鱼，只来两碗面条吃吃就好。"

服务员掐着腰说："哦，吃鱼的话，面条5块钱一碗。不吃鱼的话面条二十元一碗。"

……你个天杀的！抢钱啊？

我吃完面条后，想把面碗一起带走，她把我拦住了。付完面钱，我身上只有十块钱了，那个服务员坏，找了我一张五块的，剩下的都是一毛一毛的。看起来厚厚一沓很富有的样子，闻起来一股子鱼腥味儿。她很客气地说："你身上味儿太大了，走路的时候离我远那么一点点儿，可以吗？"

我很委屈很委屈地说："你刚刚才吃了我一碗面！做人怎么能这么没有节操？"

她很迅速地把四个口袋都翻了一遍，翻出来一块口香糖，一串钥匙，一本护照证件夹，一个小卡片相机，还有我那把短英吉沙……然后就什么都没有了。

我真心佩服她，我说："且不说你一分钱都没有就拽着我去珠峰，单说昨天晚上你怎么就敢一分钱都不带地跑到我酒吧里去喝酒，你就不怕付不起酒钱被我把相机给砸了？"

　　我想翻翻她的护照，她打死不让翻。

　　我又跑到路对面摆了好多 Pose 让她给我拍照片儿，她假装拍了半天，后来发现她，其实只拍了一张。

　　后来，羊卓雍措水边的小鱼馆有了窗户，还有了永固的四面墙壁，专门招待专程来吃高原裸鲤的游客。再后来，一度有一个传言说羊湖上了观光游艇项目，还要在湖边设置 200 多个遮阳伞、沙滩椅供游客休息……也不知道最终到底叫停了没有。

　　我念起羊卓雍措达钦姆大湖主的无边法力，很替那些人们担心，主要担心他们停在湖边的车。

像个孩子

　　千辛万苦，走去日喀则。

　　我们从羊湖开始拦车，边走边拦。汉族司机看到我们是两个没背行李的徒步者，根本就不停车。快走死了，才拦到一辆藏族人的车，开了没多久就把我们撂在一个莫名其妙的小岔路边。我们继续走，走得热气腾腾，大汗淋漓，被风一吹立马冷得想蜕皮。我把手鼓扛着，甩着手臂走，她缩着肩膀走。

　　这姑娘有个不好的习惯，喜欢踢东西，她经常一边踢着路边小石子一边走，像个顽皮孩子。

　　途中，我们在路旁的藏族村子里借宿过一晚。她摘下包头的帽子后，女主人很稀罕地摸着她满头的锡纸烫，很惊喜地说："哎呀，羊毛一样……"又拍拍我的手鼓，很开心地说："哎呀……响的哟。"

大姐，手鼓不响还叫手鼓吗？

她和女主人拉姆睡在一起，我和男主人才让丹喝了一晚上酒。才让丹喝高了以后，张嘴说的全是藏语，一边说话一边大巴掌拍我后背。我会的藏语单词实在有限，只能一个劲儿应和："欧呀！（是的）……欧呀！"我心里琢磨，这伙计怎么和我们胶东老家的大老爷们儿一个德行，喝完酒了就爱拍人。但我们老家人不拍人后背，只拍大腿。

早知道那是我们一路上住得最舒服的一个夜晚，我就该讨点儿热水洗洗脸、烫烫脚了。后来的一路上，我一直很后悔没这么做。

才让丹第二天非要送我们一程。他把我和她挤在一辆老摩托的后座上，一直送出我们很远。才让丹走的时候留给我们一小塑料袋油炸的果子。头天晚上喝酒的时候，才让丹表示很喜欢我的爱立信大鲨鱼手机。他像小孩子一样翻来覆去地把玩了很久，但什么也没说。我拎着果子琢磨要不干脆把大鲨鱼送给他得了……后来还是没舍得。所以果子我没太好意思吃，都留给她吃了。

吃完果子以后，我们又走了好久，一直没搭上车。中间有一辆自治区政府的车曾经停下来，给了我们两瓶矿泉水。我看车上还有空位，就说："大哥，捎上我们一段儿吧。"

他说："我们去日喀则出差……"

我说："我们就是去日喀则哦。"

他说："哦，你们再等等吧，后面好像有个车队。"

我们一直没等到后面的车队。那一路都是这样，藏族人的车明显比汉族人的车好搭。她说："咱们不能怪那个大哥，人家还给了咱们两瓶水呢。"

我当然理解，我指指她的鞋再指指我的裤子。人家车里那么干净，当然不太乐意让咱们两个灰头土脸的人上车喽。她的小靴子现在已经脏得看不出颜色来了，鞋头破了一点儿，踢石头踢的。

后来，我们又遇到了两个骑自行车的人，装备精良地都穿着紧身秋裤、都戴着小头盔。我们互相打招呼。他们是计划去珠峰捡垃圾的志愿者。当他们知道我们要走路去珠峰的时候，很夸张地竖起大拇指说："牛逼啊哥们儿，连个包都不背，就穿着这一身儿去珠峰？就这鞋？"

我们俩穿的都是日常棉服，她穿的小靴子，我脚上也是一双靴子。那时我是个很单纯很感性的小文艺青年，为了不让骑行者们看出我对他们胯下轱辘的羡慕之情，我尽量很淡定地和他们说："徒步一定要穿1000块钱的登山鞋吗？去珠峰一定需要专业羽绒服吗？上天赐予我们两只脚，难道这不就是最好的交通工具吗？若说装备，音乐就是我最好的装备！——我们要一路卖唱去珠峰！"

我举起手鼓摆Pose，心想真惭愧，我走了两天还一次没敲过呢，哪儿唱过歌儿啊，光琢磨着蹭车找吃的了……

没想到这番话却深深打动了其中一个骑行者，他留给我一个电话。后来还在天涯社区发过帖子，描述他遇到了两个浪漫的宗教极端主义徒步者，把我们夸得和花儿似的。

几年后，他在杭州萧山机场的安检前拦住我，说他后来没再怎么玩骑行，再出行都是用纯走的。

当时我问，你怎么认出我来的？

他说："你背着手鼓哦！"

我问："你后来还去珠峰捡过垃圾没？"

他说："捡啊！但不再是去珠峰捡，我觉得咱们这代人啊，不能老做象征意义大于实际意义的事儿……"

我急着过安检上飞机，没等他说完就跑了。

又过了几年，宁波PX事件的时候，我在网络图片中看到过他那张愤怒的面孔。

愿他安好。

天快黑的时候，才走到日喀则城边。

那个季节的日喀则比想象中人要多点儿，街上一辆一辆的全是丰田4500。听说是因为那几天扎什伦布寺有个什么活动。我们走到扎什伦布寺前的时候，已经饿成马了，站在扎什伦布寺前看了一会儿，我和她讲了讲世界上最高的强巴佛镀金铜像。高22米，和一座楼房似的……我们往前走，路过一个个小饭店，各种香香的味道，连藏餐馆飘出来的味道都那么香。我心里这叫一个难受啊……我开玩笑说，不行咱们就找个包子铺儿什么的，你掩护，我去抢个包子给你吃吃……

她当了真，拦着说："要不咱看看有什么能卖的吧。"

好像没什么能卖的……那个爱立信大鲨鱼是我唯一的家用电器，舍不得呀舍不得。

后来，我不止在一个地方看到这样一幕：一身冲锋衣的背包客举着一张白纸，写着"求路费"或"求饭钱"，旁边还放着登山杖和登山大包。其中有些是骗子，有些是为了好玩儿，应该也有些是真缺钱的吧。这种事情我从来没干过。真山穷水尽了，把冲锋衣卖了不行吗？把大包里的零碎儿卖点儿，不行吗？把手机卖了，不行吗？

我那爱立信大鲨鱼手机当时在日喀则的时候怎么没卖？

我不是还背着手鼓吗？我不是还有手艺在身上吗？我不是个已经背着手鼓在川藏滇藏线上一路卖唱走过好几个来回的流浪歌手么我？

我和她说："你给我点儿力量，咱们来唱会儿歌挣点儿饭钱。"

她给我一飞吻。

我们在扎什伦布寺旁边的马路边坐下，帽子摘下来，摆在前面。我记得很清楚：晚上九点半的时候，开始卖唱挣饭钱。

我一直很喜欢那些一边摆摊一边行走天涯的孩子，就像我一直很喜欢我那些一边卖唱一边流浪江湖的兄弟。他们是有骨气有廉耻、相信自力更生的孩子。

人可以向往流浪，实践流浪，但流浪是个多么美好的词汇哦，无需和落魄挂钩，也不应该和乞讨画等号，它本应跟你自身的能力和魅力合二为一。穷游这个词儿没错，但穷游的精髓不是一分钱不带白吃白喝，真正的穷游者皆为能挣多少钱走多远的路，有多广的人脉行多远的天涯。偶尔厚着脸皮蹭车是可以的，但每时每刻都琢磨着靠占着陌生人的便宜往前走，那还不如回家坐电脑前学习痴汉电车、东京热来得崇高。

我们坐在日喀则街头自力更生地唱着歌，打算买点儿包子吃。夜色渐深，街上人不多，但每一个路过的人都带着微笑走到我们面前，微笑着听一会儿，然后放下一点儿零钱。

藏民永远是乐善好施的，不论经济社会的辐射力怎么浸渍洗礼，都改变不了藏地文化基因里"布施"这一传统。这一点，是我对藏文化至今为止始终着迷的重要原因之一。大部分时间，他们只是一毛一块地给散票子，但钱再少也是心意，善意的心意。

不一会儿，人品爆发了，帽子里有了大约几十块钱。饭钱肯定够了，我想看看能不能再多挣包烟钱，就没停下。

又唱了四五首歌，这时来了几个捡垃圾的小孩子，背着蛇皮袋子，吵吵闹闹地围着我们。他们听不懂汉语，但很起劲地和着手鼓打拍子。我给他们唱红星闪闪、唱花仙子、唱哆啦Ａ梦，唱我会的所有儿歌，实在没得唱了，就开始唱崔健和许巍。

其实唱什么都一样，这帮孩子未必就听过我唱的儿歌，人家未必不把崔健当儿歌听。他们不会说汉话，应该是一群周边农区来的、没上过学的孩子，叽叽喳喳的后藏方言，和拉萨口音差别极大。

我一边唱歌一边看着这帮孩子们乐，这边的孩子们好像有个习惯，就是不抠鼻子。每个人鼻孔眼上都糊着一块黑黑黄黄的鼻屎牛牛……加上一张黑一道白一道的花脸，那脸真不知道多久没洗了，汗水冲出来的一条条儿泥沟，清晰可见。衣服就更不用说了，我酒吧里的拖把也比他们的裤子能干净点儿。我让她帮忙拍了个照，那帮孩子推来推去的，谁也不肯好好和我合影。

我唱歌的间隙和她说："接下来当是义务演出吧，反正挣的钱也够吃大包子了。"

她身旁坐着一个脏脏的小女孩儿，应该是其中年龄最小的。那小姑娘估计也就五岁的光景，一直吃着手指，盯着她锡纸烫的头发。

她摘下帽子，说："来，你可以摸摸呀……"

我说："你别整那些没用的，这小丫头根本听不懂你在说什么。"

没想到小姑娘听懂了，冲着她的方向，犹犹豫豫地伸出一只脏乎乎的小爪子。她把孩子的手抓住，一下子摁在自己头发上。

小姑娘"咯"的一声笑了出来，所有的孩子都叽叽嘎嘎地笑了起来，然后挨个来摸她的头发。这会儿轮到她笑了，一边笑一边说："哎哟，别揪别揪……"。

玩了有好一会儿，又唱了几首歌。我累了，热乎乎的大包子在前方召唤我。我起身拍着屁股上的土，跟她说："收工，走喽。"

那群流浪儿中有个年龄稍大的孩子，自始至终手一直插在口袋里。他盯着我起身的动作，忽然走了过来……

不论正在看这段文字的人是谁，我都想告诉你，我打这段文字时双手有多么颤抖，呼吸有多么急促和粗重。

整整八年过去了，我已从一个单纯莽撞青年变成了一个圆滑世故的中年人，我早已失去了我的西藏的拉萨。可八年前的那一幕，一直在灸刺着我，一直在提醒着我这一辈子该去坚持哪些放弃哪些，该如何走接下来的路，到死之前该成长为一个怎样的人。

那个孩子掏出了一叠薄薄的毛票，用橡皮筋扎着，大约有七八张。又黑又脏的手，抽出里面最新的一张，递到我面前，放在我手里。

他对我说："吐金纳（谢谢）。"

每一个孩子都学着他的样子掏口袋，往我们手心里一毛一毛地放钱。

他们对我们说："吐金纳（谢谢）。"

他们要捡多少垃圾才能换回这么一点点钱……我在拉萨见过一群和他们一样的小孩子，在街头跟着游客走出去好几条街，只为了等一个可乐罐。他们捡起空罐子，你争我夺地放在嘴边舔上半天。他们要捡几蛇皮袋垃圾才能换来一毛钱，他们要挣多少个一毛钱才能挣够一罐可乐……

可他们听我唱完歌后，给了我一毛钱，还对我说谢谢。

我嗓子发干，眼眶生疼，心口和胃里火烧火燎。我看看站在我左前方的她，她低着头在掉眼泪，手捂在嘴上，又在不出声地哭。

贡觉松，若我来世复为人身，护持我，让我远离心魔，永远是个善良的人。

让我永远是个像孩子一样的人吧。

……

孩子们慢慢变得安静，他们围在她左右，有的蹲在她脚边抬头看她。我和那群孩子一起，看着她哽咽到上气不接下气。

我沉默地看着她，孩子们奇怪地看着她。简易路灯的黄色光晕铺洒下来，我们站在一幅中古的油画里，画外是海拔四千多米的蓝色日喀则，以及满天神佛海会诸菩萨。

我们离开的时候，她手里多了一个带花的头绳。是那个小女孩递给她的，应该是从垃圾里捡到的。她噙着眼泪边走边戴，后来一直戴着，一直一直戴到了珠峰。从她那天晚上戴上起，我就没见她摘下来过。

……

八年了，那个头花你现在还留着吗？

一口真气过萨迦

一路向西走向萨迦，萨迦再往西是拉孜，然后是定日。

越往西走，投宿点越少，当时中尼公路正在修建，能搭的车也少。我们有时沿着路基走，有时绕着走，满身的灰土，脏得像两条土狗。蹭过工地的帐篷，晚上一起吃大锅饭，吃完了给道班的人唱歌。都是些年轻的小伙子，我每唱完一首他们都问："你还会不会现在其他的流行歌？"他们用干电池帮我们充电，已经关机数天的爱立信大鲨鱼一开机，短信箱立刻就满了。

拉萨的同学们在短信里对我抛店舍业的不辞而别表示了由衷的感慨和强烈的怀念，他们纷纷用一些生动的语气助词表达了他们心中激荡着的情愫，并对我重新回归后的情形做出了美好的畅想，情感之强烈，措辞之生猛，让我实在难以复述。事实上，我当时立马选择了拆电池关机。

我说："你要不要打个电话报个平安什么的。"

她说："不必了，我不用手机。"

事实上，我当时唯一的这台家用电器在离开我之前，起到的最后一次作用并不是通信。接下来的旅途中，要不就是有电有插座的地方没万能充，要不就是有电有插座有万能充的地方没信号，再不然就是什么都没有。

有一段路，没吃没喝没车没找到地方住，我们并排坐在石头后面，差点儿冻死在凌晨。我怕她当真睡着被冻死了，就老找她说话，还一个劲儿讲鬼故事，还讲了凶恶的"念"神喜欢出没的红色山崖、恐怖的"赞"神喜欢恐怖的盘羊角。

后来把她给说烦了，狠狠地踩了我一脚。

反正脚都冻木了，我也不觉得太疼。

我们走路慢慢走出了默契，有了一个固定的节奏和方式。一般是我在前面走，她跟在我右后方，大约每走一个小时左右就停下来休息一会儿。没车的时候，路上安静得要人命，有车经过的时候老远就可以听到响动，让人精神一振，等车屁股都望不见的时候，又是要人命的安静。有时候，我实在闷得慌，非常想找人扯扯淡、聊聊天、磨磨牙，但很明显她不是个好的交流对象。我后来想，她真是个难得的话很少的女人，这点很罕见，值得肯定。

其实她值得肯定的地方还有不少，比如体力和耐力。在海拔四千多米地方长时间行走绝对不是一件多么容易的事，尤其是对于一个女人而言。不过说来也怪，这一路我们走走停停，翻山越岭，她居然一次高原反应都没出现过。

我腿长一点儿，有时候会把她落下十几米，她就捡小石子儿丢我，养成习惯了以后，她懒得每次弯腰捡，就装了一口袋。我又好气又好笑，我说："你不嫌沉啊？你张嘴喊我一声又能怎么的！"

陕北人赶羊时有个羊铲，头羊领着羊群乱跑时，放羊娃用羊铲铲起一铲土石，准确地甩到乱跑的头羊前面，挡住它，让它按正确路线前进。陕北民歌《五哥放羊》里不是唱过么：……怀中又抱着放羊的铲。

藏区放羊的时候也喜欢用石头，但不是铲子，而是一种叫"鳄多"的甩石鞭。有牛皮做的，有牛毛做的，可以将鸡蛋大小的石头甩出去一两百米。这种鞭子神奇得很，不仅能拦羊，还是不错的武器。一百年前，抗击英军的江孜保卫战中，鳄多曾大显神威，击碎过一个又一个盎格鲁撒克逊强盗的脑袋瓜子。

我不是羊也不是英国流氓，所以我被石子儿砸中的时候会很委屈。

她有一回丢石子正好打在我后脑勺正中心，太疼了，疼得我虎躯一震菊花一紧。我是真被打急了，扭头噫噫地跑回去抽她，她自己也吓了一跳，连蹦带跳地往旁边的青稞地里跑。我追了两步就不追了，看她好像弯腰在地上找什么东西。我冲她吼："你几个意思啊！还打算捡块砖头扔我啊?!"

她抬起头来，一脸铁青。她也冲我吼："你追什么追，追什么追！——我踩着屎粑粑了"

在萨迦附近休息的时候，她袜子大脚趾的地方磨破了个洞。我们想了很多办法也没解决这个难题，后来我从衣服上想办法拽出来一根线把窟窿扎了个疙瘩。她走了一会儿嫌脚尖难受，自己又把那个窟窿给掏开了。弄到新袜子之前，她走路都别别扭扭的，像崴了脚一样。

那时候有车就搭，搭上藏族司机的车好几次，但语言不通，只要大方向没错人家去哪儿我们去哪儿，于是时常莫名其妙地投宿在一个离大路很远的地方。第二天想尽办法重新找回主路一看，我去！怎么又倒回前天路过的地方了。

我都已经记不太清楚路过村子的具体名字了，那时营养不良口内溃疡，高原反应眼花记性很差。但热萨乡的强工村，这个地名儿我一直没忘。

我们在强工村附近闯入了一次聚会。一群人傻乐傻乐地围着，我傻乐傻乐地敲鼓，有人傻乐傻乐地弹后藏六弦琴，几个半老不老的藏族老人傻乐傻乐地跳起了踢踏舞。全部的人里面，只有她不是傻乐傻乐的，她躲在藏褐后，一直忙着埋头往嘴里塞油炸果子吃……丢死我的人了，怎么就没噎死她？

我跟老人们学了一会儿踢踏舞，我没藏袍穿，跳不出那个味儿来。

后来 2007 年我看 CCTV 的春晚，这才知道那就是著名的拉孜堆谐舞。我从沙发里站起来，跟着节奏踏出舞步，一踩一跺，一踩一跺……除夕的夜里，身后没有人在吃油炸果子，只有一扇开满烟花的落地窗。

天空中的石头龙达

海拔 5248 米的嘉措拉山垭口是我一直无法忘却的地方。

我们到达嘉措拉山垭口的时候已经完全没有个人样儿了，又瘦又脏，已经不知道多少天没刷牙洗脸梳头了，两个人头上顶着两块毡，手都撕不动。

嘉措拉山垭口是中尼公路的最高点。站在垭口处已经能很清楚地看到喜马拉雅群山了，一大堆雪白的峰峦横陈在眼前，完全一览无余，让人很有成就感，高兴得直想笑。翻过这个垭口就是定日县，也就意味着我们的珠峰之旅进入了倒计时。

有人站在垭口玛尼堆那儿往经幡上绑哈达，大风把哈达吹成一条直线，特有仪式感，特让人眼馋，这把我们俩羡慕坏了。

她问我："咱们去把别人系上去的哈达解下来……然后咱们再系上去，这样算数吗？……"

我说："你别说得那么可怜行不行，你让我想想办法行不行……"

她在拉萨浮游吧里哭的时候，我没有感觉到心酸。一路上，不论她看起来有多么饥寒交迫，我都没有感觉到心酸。唯独嘉措拉垭口里她这一句可怜巴巴的话，忽然一下子让我心酸得无以名状。

我说的是实话。

她手里拎着一个塑料袋，里面是吃剩下的捏好的糌粑，她像个赶集卖鸡蛋的农民一样站在我面前。起皮的嘴唇，深陷的两腮，和那个在拉萨的美丽女孩子完全是两个不同世界的人。

让我如何想办法？我只是个站在嘉措拉垭口大风里，和你一样灰头土脸的流浪汉，身无分文只有那半袋子糌粑，我该上哪儿去弄根哈达……

我说："不一定非要系哈达哦。你见过康巴人过垭口是怎么敬山神的吗？他们朝天上使劲儿抛洒印满经文的彩色纸片，一边高声喊着阿拉索索，也就是所谓的抛龙达。龙达多有气势啊！比哈达更有形式美感！况且龙达不一定非要用经文纸片，白纸片儿也行，没白纸片儿树叶子也行，实在不行，石头子儿也行啊。"

我自己从没听说过抛石头子儿也算抛龙达……可我那会儿连一张白纸也没办法给她。我想山神是会原谅这种善意谎言的吧，总不至于打雷劈我吧。

我连忽悠带扯，她还真信了。立马连石子带土地抓了一把朝天抛洒，一边高喊"阿拉索索"……话说还真就那么巧，还真就遭报应了，迷眼了，迷眼了。

风横着吹！迷的是我的眼！

我立马用一声亲切的语气助词问候了她的大伯父，然后使劲揉眼。揉得眼泪哗哗的，我说："等着！回头回拉萨了，我非给弄来十斤龙达让你抛不可……我累不死你个倒霉催的……"

她没理我。

我隔着指头缝看见她又朝天空抛了一把石头子龙达，又喊了一声

"阿拉索索"。

我忽然想起两句歌词：

寻遍了却偏失去，未盼却在手⋯⋯梦里每点缤纷，一消散哪可收。

流星划过珠穆朗玛

我当时唯一的家用电器（爱立信大鲨鱼 R320 蓝色）在离开我之前，起到的最后一次作用并不是通信。我和它分离在定日边检站，它跟着一个开三菱越野的司机走了，它用离去换来了我们最后的上山盘缠，和过边检站的机会。

没有这条大鲨鱼的话，我们指定会功亏一篑在珠穆朗玛前，所以我永远缅怀它。

在大鲨鱼离开我的同时，她右脚靴子的鞋底部分也发出了离她而去的警告。我把手鼓的皮背带裁下来一长条，用罗马式打发帮她捆住了整只右脚。

快到绒布寺的时候，已经能看到珠峰的全貌了，还拍到了日照金顶。我想庆贺一下，就跑去花 20 块钱买了一罐不知道什么年份的健力宝，我们分着喝，从舌头爽到了脚指头，居然有了一种极致奢华的感觉。

晚上，我们住到了绒布寺对面的旅馆，服务员不肯还价，我们赖着不走，磨了半天，被安排到一间烧着柴火的屋子过夜。夯土地面冰凉冰凉的，我们和一屋子的藏族马夫围着火堆默默烤火。火烤得每个人的脸都是红彤彤的，背后和屁股底下却是冰凉的。我轻轻拍起手鼓唱歌，人们安静地听，有个扎着红色英雄结的康巴汉子走过来拽起我，然后往我屁股下面铺上一方卡垫。

那是个漫长的夜晚，屋里是噼噼啪啪的柴火，屋外是呜呜咽咽的喜马拉雅山风。围着火堆的人们跟着我的鼓点儿摇晃着身体，分抽着烟，似睡似醒地眯着眼睛。

她抱着膝盖坐在我身旁，乱成毛线球一样的头发被火光映成酒红色。一整夜，我没唱那首惹哭了她的歌。

半夜，拉她出来看星空。珠穆朗玛的星空之瑰丽，不是笔墨可以诠释的，所有的星星都在闪烁，亮得像亿万颗钻石，让人惊喜的是，居然看到了流星。货真价实的流星，像有生命一样地跑过天空，然后不知道落入哪一国的红尘中。

我说："你相信流星许愿这回事儿不？"

她说："曾经信过，以后或许还会信吧……你说，一颗流星，意味着一个人死去了，还是一个人出生？"

山风扑面，我听不清她说的是"出生"还是"重生"。

我们在星空下站了许久，抬着头，各自审视自己短暂的半生。

我后来写了首戾气很重的歌，用来反衬绒布寺那夜的星空和流星。

撕开夜色阑珊时的稳重／制造点儿沧海桑田后的风／回望稍纵即逝的路径／条条有始无终的爱情／茫然时就喜欢眯起眼睛

我记得我是一颗流星／挥舞昙花一现的谜底／刺探这世界的云淡风轻／棱角渐渐消磨的瞬间／作一片因寒冷而凝固的水晶／我向来逃避所谓的光明

我记得我是一颗流星／传说中我注定败絮其中／外表心如止水内心玩世不恭／堕落在这个明媚的人间／然后在堕落中自作多情

来吧电光火石／滚吧安静的平庸／我只记得我是一颗流星……

天亮后，好心的马夫请我们吃了方便面，又把我们塞进小马车，一路马铃踱向珠峰。

山路曲徊，空气干冷且硬，那时珠峰刚被重新测量过高度，8844.43米，摇晃在马车上，海拔每攀升一截儿，心跳就加快一点儿，我知道，那不是因为高原反应。

终于，我们来到了珠峰大本营。

我们走过一顶顶帐篷，爬上大本营旁的玛尼堆，在风马旗旁迎风抛洒了一把石头龙达。矮矮胖胖的珠穆朗玛峰从丝绸地图上遥远的一点儿变成了触手可及的庞然一坨。

我履行了承诺，带她站在了当初手指所点的那一点上，一个"比拉萨还要远的地方"。一口长长的气从胸中叹出来，心里一下子变得空落落的，不知道该拿什么去填充。

她忽然问我："大冰，你记不记得咱们有多少天没洗过脸了？"

还洗脸呢，我整个人早都馊了好不好……我看看她那锈色斑斑的脸颊，看看她草一样的头发，以及上面的花，看看她那分辨不出本来颜色的衣服和用皮条子绑着的靴子，看看她一路上流淌过的眼泪和曾带给我的心酸，还有她眼中的我自己。

我说："我不确定自己是不是第一个抱着手鼓在这唱歌的流浪歌手，也不确定咱们算不算第一对一路卖唱来珠峰的神奇组合，我甚至不知道在这个高高的玛尼堆上应该献给你一首什么样的歌。"

她说，你给我唱《流浪歌手的情人》吧，哎呀好开心呀，好难为情啊，赶紧唱吧，赶紧唱吧……

她不是这样说的。

她站在猎猎风马旗下，微笑着对我说："再给我唱一次《冬季怎么过》吧。"

她孩子一样背着手，对我说："这次，我不会再哭了。"

喂 你还好吗

你一直到现在都还不用手机吗？

我一直不知晓你的真实姓名。

中尼公路早就修好了，听说现在拉萨到珠峰只需要一天。这条路我后来不止一次地坐车经过，每过一个垭口，都迎风抛洒一把龙达……想起与你的同行，总觉得如同一场大梦。

我背着的那只手鼓早就已经丢了。

八年了，那个头花你还留着吗？

你知道的哦，我不爱你，真的，咱俩真谈不上爱，连喜欢也算不上吧。

我想，你我之间的关系比陌生人多一点儿，比好朋友少一点儿，比擦肩而过复杂点儿，比萍水相逢简单点儿……

一种历久弥新的暧昧而已。

像秋天里两片落下的树叶，在空中交错片刻，然后一片落入水中随波逐流，一片飘在风里浪荡天涯。

我再没遇见过你这样的女孩儿。

[想把我唱给你听]

这是我认识的最幸福的一对小情侣。
男生抱着吉他，剔除所有枝蔓，不卑不亢地活在当下。
女孩子不带一丝铅华，陪伴着爱人身无分文浪荡天涯。

他们是我认识的最幸福的一对小情侣。

男生抱着吉他，剔除所有枝蔓，不卑不亢地活在当下。

女孩子不带一丝铅华，陪伴着爱人身无分文浪荡天涯。

他们是真穷，他们也是真不在乎自己穷。他们在某一个领域里实现着超越自我，并愿意虔心去寻找本我的出口。

在酒吧喝碗小米粥过大年

2010 年丽江的大年初一，我站在大冰的小屋门前啃苹果。一个穿灰布棉袍的女孩子不知道从哪里忽然间冒了出来，她弯着腰，深深地冲我作了个揖，嘴里大声吼着："大冰哥，恭喜发财，长命百岁。"

我被吓了一跳，一块苹果卡住嗓子，"吭吭"地咳了起来。那女孩站直身子，咧着嘴冲我傻笑。她身后慢慢踱过来一个长头发的年轻男孩，身着一件藏青对襟棉袄。男孩颇有古风地冲我抱了一下拳，很自然地冲我伸过来一只手。

伸手的姿势极其类似形意拳的起势——有杀气。

我心头一凛。当机立断咽下苹果，迅速后撤半步，沉肩侧膀力蕴丹田。同时，在电光火石的一刹那，用余光衡量了一下和门口那堆板砖之间的距离。

这些年口诛笔伐的事儿没少干，网上和人也约过架。脑子飞速转着：再怎么说都是些口舌之辩观念之争。我应该没给人制造过杀父夺妻之仇、砸硬盘删数据之恨吧，至于大年初一来寻仇吗？还祝我长命百岁？

长命百岁还是偿命摆睡？怎么个意思？正话反说吗英雄？那恭喜发财就是要踢馆砸场子的意思喽？是祸躲不过，一口罡气在，能把我怎么着！我定睛向那来者望去。

196

……完全不认识他们俩其中任何一个。

那男孩子伸过来的手，手心朝上，五指微弯曲成鹰爪之势，冲虚抱圆，力道蓄而不发。我在心底暗赞一声：高手哦！一看就是练过内家拳的。大凡练家子过招，讲究手是两扇门，全靠脚踢人。以我俩之间不到半米的距离，他不可能使出侧身踹或是高鞭腿这些招式。

难道……难道此人秉承古训，修习的是硬桥硬马的八极拳或查拳炮锤?!

所谓南拳北腿，北派武术虽以腿法见长，但传统上讲究近身技击，踢不过膝。在这种距离，他若不用拳而是抬腿，势必是力道生猛且抬腿必中。若果真如此，我若想自保，只剩一条路走了！豁出去挨一脚，也要死死抱住小腿。

所谓会打的不如会踢的，会踢的不如会摔的。少爷我也在内蒙古锡林郭勒西乌珠穆沁旗学过三个月的正宗博克摔跤！我就不信一个德合勒摔不倒你……摔不倒的话，立马去旁边摸板砖！——所谓赤手空拳的怕拿刀的，拿刀的怕舞棍的，舞棍的怕飞板砖的……

有时候，文字是多么的苍白和啰唆，话说这一切实际上只发生在短短几秒钟之内，可这几秒钟却需要我用一二百字才写得明白。

我暗咬后槽牙，低头死盯他的两条腿。

他脚上穿着一双棉拖鞋，他穿一双三十块钱的居家保暖大嘴猴棉拖鞋怎么踹我?!

难道，难道他不是来揍我的？难道他伸手过来是要和我握手？难道那个女孩子祝我长命百岁不是在说反话？可手心朝上明显也不是要握手的意思啊？

我觉得脖颈子开始发硬人开始发僵，那种感觉极其类似第一次上台主持节目时，当着八百名观众忘词的那种感觉。鞭炮声噼里啪啦响着，我们仨就那么杵在那儿。女孩和男孩穿着棉拖鞋，一脸自然加坦然的表情盯着我……

过了好一会儿，女孩子终于开口说话，她低声提示我说："红包……"

我琢磨过味儿来了，慌忙掏衣兜摸裤兜儿，手忙脚乱地递过去一张人民币。

　　男孩看也不看就接了过来，自自然然地装进一个小包包里。两人冲我一笑，转身站在老兵火塘的门口，女孩子冲里面大吼："老兵哥，恭喜发财，长命百岁……"

　　我很心痛，因为刚才慌忙中递过去的是张红色的大票子。但同时又真心欣赏这两个小孩儿脸上那天经地义的表情，以及女孩子身上民国款式的棉袍子，有板有眼的作揖动作，男孩子那取之有道的伸手姿势……大过年的，一百块钱买个揖，勉强划算吧。

　　当天晚上，我又见到了他们。大约九点半，我坐在小屋里给一帮西班牙客人演示口弦。小男生和小女生探进来两只脑袋，这次是一起吼："大冰哥，新年快乐，万事如意，恭喜发财，长命百岁……"

　　我慌忙冲他们摆手，站起来给他们作揖。我说："两位好汉，没你们这么要压岁钱的哈，我又不是地主土豪，没必要这么接二连三地来分我的浮财哈……"

　　他俩说："你别紧张，别紧张，不怕不怕，我们不是来要杀回马枪的，我们拜了一天的年，数你给的压岁钱多，我们是过来给您多拜几回年的。"

　　怎么个意思？春节吉祥话优惠返利大酬宾？我仔细端详一下他们的表情……不像是在开玩笑。他们脸上的表情，除了真挚，我看不出有其他杂质。就算他们是在开玩笑，那也是多么有趣好玩儿的两个大孩子哦……

　　我心头一热，说："你们给我坐下，今天哥请你们喝酒。"

　　小女生龇着牙咧着嘴说："我们俩从不喝酒。"她举起怀里一个保温杯，晃了一晃，说："我们自己带了喝的，我自己煮的。"

　　这是我有生之年见识过的，唯一一对儿在酒吧喝小米粥的人。

　　我借给她两个青梅酒碗，还给他们加了几块方糖。旁边的西班牙客人大眼瞪小眼地看着他们安安静静地喝粥。他们坦然地喝着小米粥，还和大家碰杯，那种自然的感觉，就好像酒吧里本就应该喝粥一样。

我暗自叹奇，问了他们的名字：王博和甜菜，一个 26 岁，一个 25 岁。两个人穿得干干净净，但古拙素淡得不像是过春节。

我问他们怎么大过年的不换身新衣服，甜菜说，这已经是新的了。她撩起棉袍的角襟，给我看了看里面的补丁，小声和我说："现在反过来穿，不就是新的了吗？"

当时在座的有几个略微浮躁的客人，我怕这块补丁成为话题，会不小心伤到他们的自尊，于是就没继续开口问什么。

我向他们讨了一小酒碗儿粥，尝了一口，味道还不错。想起白天那一幕，我捧着酒碗，忍不住哈哈大笑。

江湖少年

我们第三次见面依然是在大冰的小屋。

这次王博背了一把磕掉漆的木吉他，他笑呵呵地对我说："大冰哥，你人很好，我们唱首歌给你听吧。"

我没想到他会弹唱，但很受用他那种说话的方式——这是一种大部分人在 8 岁以前都能熟练掌握的说话方式，也是大部分人在 18 岁以后脑腆谨慎地不敢去使用的一种语言。我很开心地撵走了半屋子不相干的客人，关上门，给他们营造一个安静唱歌的氛围。

几个相熟的客人在外面拍门板："掌柜的，掌柜的，我手机还在里面呢……"

我说："我听完歌了再放你们进来。"

他们隔着门缝喊："我们也想听……"

呸，要听隔着门缝儿听，没听见人家说是唱给我听的吗王博给我唱了一首《秋千》：

我曾乘着秋千的飞船/唱着歌/把太阳追赶/飞呀飞/总又飞回原地/我总怨自己的腿短/我跳下来时已经天黑/好长的夜啊/足有十年/当我又一次找到了秋千/已经变成了黑发青年/早晨仍像露水般好看/彩色的歌儿仍在飞旋/孩子们大胆地张开双手/去梳理太阳金红的光线/孩子/我多想把你高高举起/永远脱离不平的地面/永远高于黄昏/永远高于黑暗/永远生活在美丽的白天……

先是歌词，后是曲调，一小节接一小节的，连珠弹一样击中我，好听得简直要把我听傻了。

王博一边埋头弹下一首歌的Solo，一边说："曲子是我写的，词不是，词是顾城的一首诗。"

我读诗这么多年，居然漏读了顾城的这首《秋千》，但万幸之前没读过，不然怎么体会这一刻的欣喜。我有几个不好的习惯，比如醉酒了爱爬上桌子背《正气歌》，比如尿急了爱咬指甲，比如很开心的时候会摩挲双臂、手舞足蹈。

我想我应该表现得很开心，因为王博抬头看看我，很认真地说："你冷静一点儿好不好，不然怎么听得懂我接下来要唱的歌。"

这么多年，丽江从没一个歌手敢这么和我说话，如此这般不会取媚于人的孩子，几乎已经绝迹了。他皱着眉头看着我，我们之间没有年龄长幼、职业属性、江湖地位之分……这种感觉很舒服。

我想我遇见了同类，我必须要和他们成为朋友。

半年后，我邀请王博加入了游牧民谣，随我们一起全国巡演。他只参加了成都大象酒吧和深圳一渡堂两场演出，巡演人多，歌手们都希望早点儿上场，唯独他不置可否，我安排他最后上台，他完全没有意见。一般民谣现场演出的尾声是最嘈杂的，台下会有人离开，会有人醉酒乱喊，压轴歌手往往压力很大。我仔细观察他的反应，看不出他有半点儿浮躁。以己度人，我是自愧不如的。

越是和王博甜菜相处，我越是啧啧称奇。这两个人几乎没有为凡尘俗务伤脑筋的时候，晃晃荡荡地活着，像孩子一样过着家家。他们类似于美国上世纪五六十年代的嬉皮，浪荡天涯，游戏人生，把物质欲望抑制在极低的平面。我也没见过他们为赋新词强说愁的模样，在这点上，他们和同龄人不同。

甜菜一天到晚傻乐傻乐，一副缺心眼的样子。有一天，她捧着一把小尤克里里坐在小屋里，非要给我唱她写的歌：

包子没有眼睛没有嘴巴／包子有许多的好兄弟／肉包素包又烧包／包子包子包子包子／包子长得白白又胖胖／包子脸皮厚但没心脏／坟包急救包脑袋上的包……

我境界低，听不懂她要表达的意思，所以抹着下巴不敢说话。旁边的王博也不说话，但眼中分明是浓浓的赞许。看得出，他无比爱她。

王博很懂礼貌，待人接物极有分寸，但不论他和哪一拨人在一起，永远都好像是置身事外的。我有时候不禁会想，这个男生有过怎样的过往，怎么会永远给人这么冷静的感觉。

我对这两个孩子充满了好感，于是有一段时期，把大冰的小屋扔给了他们，请他们来做守店义工。

有资格来做小屋义工的人不多。小川是靠两肋插刀的义气，雪梨靠的是她小龙女一般冷艳孤绝的不食人间烟火之气，乔靠的是他30年白衣飘飘的诗人气，李锐靠的是守株待兔的憨气。菜刀是九死一生横穿罗布泊后才敢来报名，靠的是他的勇气。小豪是从六百个报名者中一路甄选出来的问题少年，靠的是运气。王博和甜菜靠的是什么？他们最特殊，靠的仅仅是我对他们的好奇。他们守店的时间不到半年，却是迄今为止，小屋的十三届义工中最得我心意的。

有资格成为小屋常客的人也不多，所谓常客，是指喝酒不用掏钱的朋友们。多年前开业之初，我立下一个规矩：只招待浪子、散人、过客、游侠，投缘者开怀畅饮分文不取，非我族类杯酒千金不得。那时候我还年轻，读古龙读坏了脑子，仗着手头还有几锭银子，故意不好好做生意，日日全场酒钱算我的。最严重的时期，江湖传言大冰的小屋是不收钱的，一帮又一帮的蹭酒客趋之若鹜，来了就装诗人装浪子，喝完了还顺走两瓶。整得我每天看见客人一进门，就察言观色迅速判断是否要撵人。

义工中把我这毛病学到家的是菜刀，他看店初期那会儿都不叫撵客人了，简直是在面试客人，一言不合立马"对不起，我们打烊了"。小豪学得也很到家，他怕赔得太厉害，问谁都收酒钱，但不论人家喝多少只是一句："你看着给。"三十块一瓶的喜力啤酒，还真有不要脸喝完一打只给五块钱的……

故而，有几年小屋的生意不仅没办法持平，还屡屡倒赔。我有时在电话里也心疼钱，但轮到自己回去看店的时候，又屡屡积习难改。我和历任义工讲，赔钱不怕，只要来玩儿的人是有趣的，是好玩儿的，是值得请酒的，就好。

这方面做得最好的就是王博和甜菜，他们在小屋的时候基本上每天晚上都是歌手扎堆，诗人成群。尤其神奇的是那个时期竟然没往外赔酒钱……后来我才知道，这两个大孩子为了不赔我的酒钱，和每一个来玩儿的人说："你去别家酒吧买酒，坐我们家喝就行，我们给你唱歌听……"

这么聪明的主意我怎么就没想出来过？

时光荏苒。

小屋开了快八个年头了，当下的丽江古城众火塘里，也算是数得着的元老。有人说小屋是目前最纯粹的民谣火塘，唯一一家非营利性质的酒吧，是丽江酒吧中的一面旗。

或许吧。赞许之词谁不愿听，但事实终归是事实，没必要非把自己塑造成多么清癯飘逸的模样。我跌进中年后，生活压力越来越大，散去的千金未见复来，早已慢慢淡了当初的孟尝心。丽江的游客一年比一年蜂拥熙攘，五一街快变成第二条酒吧街了。散人浪子少了，猎奇的跟团游客多了，也许小屋还会艰难地维系上几年，经营方式也许有一天会慢慢变得和周遭的酒吧并无二致。大家希望我的小屋当丽江的活化石，我未尝不想，奈何房租水电酒水庸俗的客人……凡尘俗务林林总总，再三逼人。

小屋的义工也越来越难招了，不是报名的人少，而是真正契合这个地方的年轻人越来越难找。

2013年除夕，我回小屋守岁，就着窗外噼里啪啦的鞭炮声写了首诗：

> 十年滇北复山东，来时雾霾去时风，
> 知交老友半零落，江湖少年不峥嵘。
> 忽忆昔年火塘夜，大冰小屋初筑成，
> 时无俗人论俗务，偶有游侠撒酒疯。
> 倥偬数载倥偬过，何日始兮何日终，
> 今夕又是一岁尽，新酿青梅为谁盛？

我想我是个有怀旧病的人吧，是哦，所以怀念王博和甜菜看店时的氛围：时无俗人论俗务，偶有游侠撒酒疯。

假如鬼爱吃苹果派

不在小屋当义工后，王博和甜菜有段时间在五一公社打工。王博当驻场歌手，甜菜当服务员。白天不忙的时候，她摆个摊儿在门前卖手工皂。

我每回路过，她都冲我吼："大冰哥，晚上来找我玩儿啊。"这语气配上她那民国不良少女的打扮，颇能引人遐想。

我心理素质不是太好，每每一边敷衍地应承两声，一边加快脚步逃离五一公社，游客们投射来的惊异目光纷纷落在我背上。

公社是我和丽江鼓王大松当年合开的一家院落酒吧，号称五一街最大，装修风格鬼马有趣，像个游乐场。

但不到一年就转让了，接手的人没改招牌字号，但把我画在墙壁上的画儿全给抹掉了。酒吧转让前，我住在二楼的耳房里，江湖传言那间屋子里曾经吊死过人。这种房子一般都比较旺财，谁做生意谁发财，但或许我例外。

估计吊死的人被超度得很到位，我住了那么久都没被魇住过。大松胆子小，不肯在酒吧里过夜，每天打烊后，偌大的院子里只有我一个人拎着手电晃来晃去。那时候，一个叫亚历山大的法国佬租了公社的一角卖西式点心，我习惯半夜摸着黑去偷上一块苹果派吃。

有一回，在作案过程中，忽然很想从冰箱里拿瓶风花雪月喝，就随手把点心往吧台面儿上一放，等转身回来，连盘子带苹果派消失得无影无踪。前后不过五六秒钟，当时已经是凌晨四点左右了，不可能有人无聊到专门候在那儿搞恶作剧。如果是猫叼走的，那这歹是多牛逼的猫，猫会端走一只八寸的盘子？

门当时已经反锁了，整个院子里只有我一个人，我琢磨着既来之则安之，于是一边喝酒一边静候下文。一直等到吃早饭的辰光，也没再发生什么，反把自己困成了马。

那是一个莫名其妙的夜晚。

有一天，我逗甜菜，很神秘地把那个过程说了一遍。她一脸羡慕不已的表情看着我，说："哎呀，真有意思……"

我仔细看看她的脸，她完全没有害怕的意思。我说："你是个娘们儿吗你？你怎么不害怕？"

她捧着脸说："如果我是你，我那天就再拿一块苹果派，重复一遍那个动作，然后猛回头……肯吃苹果派的鬼肯定不爱吃人肉！"

这么聪明的主意我怎么就没想出来过？

甜菜那天送了我二十块她自己做的手工皂。她很细心地在一张纸上写下每一块的药效，什么颜色的是美白的，什么颜色是专治脚气的。

我一直用到今年都没用完，出门旅行的时候，总是带上两块。可那张纸早就找不到了，每次用之前都要费尽脑筋琢磨半天，生怕用错。

2012年夏天，我借宿在黔东南一个古镇上。半夜头皮发痒，跑到院子里的水井边洗头。费劲儿地打了一桶水，用甜菜给我的手工皂打起了满头泡沫。我随手把肥皂搁在了井台上，一边抬头看月亮一边搓头。

然后，我猛地一回头……

始终潮湿的成长

王博和甜菜都是人民大学毕业的，她的专业是贸易经济（国际商务方向），他的专业是外交学。甜菜在大学的所有时间只做了两件事：跟王博死磕，跟话剧死磕。

我能理解她那种状态，跟文艺青年谈恋爱的姑娘都很辛苦，尤其是这样一个始终潮湿的男孩子。

王博有一道深入骨髓的旧伤。

王博父亲上班的公司叫黄金公司，主要业务是淘涣汨罗江底的沙金。驻扎于江心的大船通过传送带把河沙挖掘上岸，大卡车再把沙子运回厂房车间。一些机器设备将河沙反复淘洗、筛选、分拣，最终得出些金粉。江心的大船昼夜不停工，不能随意移动，工人们轮班倒，便需坐一艘渡船。

1996年农历七月半，鬼门大开的夜晚正值王博父亲上夜班。洪水汹汹，系那渡船的缆绳被冲得松垮，恰在他父亲到班时散开了，他父亲去拽那船，被拖进汹涌的江水中，一去不回。

王博第二天本该去新升学的初中报到。

他早晨出门买了油条回来，见到父亲的几位同事好友站在屋里，母亲被围坐在中间，像只被挤出巢穴正在坠下的雏鸟。她捕捉着人们的神色，企盼那不过是个揪心的玩笑。但没人救她，她眼底的绝望慢慢渗出来，吞噬掉整个眸子，她屏气抗拒着，直到望见王博。

心碎的潮水猛地喷涌出来。"孩子，你没有爸爸了啊！"

这句哀号的声音如此喑哑，如同父亲的身体，瞬间就被吞没，像水一样消失在水中，像歌谣张嘴便消散……

父亲的离去颠覆了他整个世界，王博的整个青春期在一片透不过气的潮湿中度过，他各种折腾，折腾到大三，折腾到了中度抑郁的程度，若没有甜菜的出现，他早已崩溃在成长的夹缝中。

因为挂科和学年论文未交，他未能按时毕业，延期了一年才拿到毕业证。王博去了外交部所属的世界知识出版社《世界知识》杂志编辑部实习，之后就留下当图文编辑，那是王博干过的唯一一份正经工作，他并不兼容那个中规中矩的环境，一时又没找到更好的出口。

某天，王博向甜菜抱怨说，真想抛开一切出去浪迹天涯。

甜菜说："你有多少钱愿意辞职出去走？"

王博说："3000 元吧，你呢？"

甜菜说："500 元吧。"

王博沉默了一阵。

甜菜又说："3000 元咱也有啊，只要你能开心，那咱们就走吧。"

去哪呢？甜菜大学时跟学校话剧团去过大理演出，对云南有极好的印象。于是一分钟之后，他们决定买两张去昆明的车票。在第二天的火车上，他们在半个小时之内弄丢了身上那 3000 元。甜菜没有怪王博的大意，开开心心地陪着他挨饿，以及继续这条懒得回头的路。

在我结识他们之前，他们已经在丽江优哉游哉地晃荡了大半年，过着一种貌似无忧无虑的、极其不真实的生活，仿佛一切烦恼都不复存在一样。

关于烦恼，我和他们曾经有过一次彻夜长谈。

那天是他们最后一天在小屋当义工，我们从半夜一直聊到东方发白。我那天的状态差到谷底，一颗心五味杂陈，乱得很。

我那时主持了一档节目叫《惊喜惊喜》，同时兼副制片人。半年的时间，经手了上百个普通人心愿达成、梦想成真的故事，也经手了几十对离散家庭的复合案例。我成天站在屏幕里给人宣布着或成功或失败的亲子鉴定书。一个又一个被拐卖的孩子和妇女，一个又一个妻离子散、家破人亡的故事，一个又一个徒劳无功的临终关怀，不治之症的、冤屈的、残疾的……那时心里脱敏做得不好，代入感太强，整个人迅速临近了崩溃边缘。我在做节目时喊：赠人玫瑰手有余香，让我们汇集力量改变他的人生……可一下了台，立马扎进了无边无际的抑郁之中。

我忽然好像掀开了一层纱布，猛然瞅见了现世中最复杂阴暗的角落，猛然发现自己什么都不是，实际上对什么都无能为力。那时出差的时候经常会遇见有人扑通跪在我面前求助，让我手忙脚乱之余不停回避着目光，不知道该怎么去面对那些绝望的脸……

有三五个月的时间，我每晚都在失眠。抑郁焦虑，嘴里发苦，眼睛发涩，脾气变得暴躁无比，生活好像个笼子，又好像一副重担，更像是一场山雨欲来的重病。

终于，最后一根稻草飘到了骆驼背上。

有一天，我在台上念一封信，是一个四川泸州的老人寄来的。她在信里夹了一张照片，是寻找失散了30年的女儿唯一的物证，换言之，她把寻找女儿的唯一的希望交付给了素昧平生的我。我前一秒钟还在平静地念信，后一秒钟一下子崩溃了。有把刀子飞快地刳开了苦胆，所有莫名的黑色都喷洒弥漫了出来。

我直挺挺站在台上，哭成了王八蛋……十几年没那么痛哭流涕了。我何德何能来承载这份重逾泰山的信任？我去你妈的，哪儿来的这么多的苦难？干吗来找我……

我想，帮她找到女儿了就好了吧。之前不是有过十八个小时就解救一个被拐卖妇女的先例吗？不是有过半个月就找到失散四十年亲人的成功先例吗？只要我够努力够认真够拼命，就一定能找到那个不知道是死是活的女儿吧。

只要能找到她的女儿就好了，就算翻篇儿了，我就能好起来了吧。

于是跑四川下贵州，找民政局公安局，一页页地翻医院出生证明、户籍登记记录……发动了上百个志愿者，联系了十一家报纸，转发了近八万条微博，甚至动员了已经移民的当年知情人从拉斯维加斯飞回中国……折腾了整整一个季度，线索终于全部中断，一直杳无音讯到今天。

我在寻亲的过程中沦为一名暴虐的人。

基本上，所有的同事都被我得罪光了，身边的大部分朋友和很多老友惊异我变幻莫测的情绪跌宕……我屡屡和人发火，屡屡话一出口就后悔。

长时间的寻人无果后，我躲回了丽江。拉萨回不去了以后，我只剩下丽江。拉萨曾数度给予我强大内心的力量，我希祈丽江同样能给予我同样的慰藉。可拉萨有高原缺氧的眩晕，有大昭寺广场直射入心底的阳光，丽江有什么？难道要用艳遇或酗酒来给自己一点儿短暂的解脱吗？

大和尚在丽江。我躲进大和尚的院子里，除了吃饭不肯出大门。

我问大和尚，这是些什么因果？为什么这么苦？为什么触目所及的都是苦？哪儿来的这么多苦？干吗让我看见、听见、参与其中……为什么我现在越想当个好人去帮人，越是到最后连自己都帮不了？……

大和尚只是安静地泡茶给我喝，对我的喋喋不休似听非听。

说了几天后，我懒得再重复了，话变少了，开始静下来陪他喝茶，从午后喝到黄昏。说来也奇怪，貌似心里轻松了一点儿。

我问大和尚："我明白缘起性空、无常无我、真空妙有……为何自己却一点儿都做不到？"

大和尚看我一眼，道："你明白？"

……我明白吗？

"我该从何做起呢，师父？"

大和尚问："你为了什么而做？"

"师父，我也不知道求个什么，只是烦恼太甚……"

大和尚说："好哦好哦，烦恼即菩提。"

喝着茶，一僧一俗，有一搭没一搭地聊着，转眼黄昏。

大和尚炒菜给我吃，白菜和胡萝卜，米饭管够。大和尚说，你要是觉得寡淡的话，去厨房自己找块酱豆腐。大和尚说，院子里的砖石搬掉，荒草拔掉后，可以开腾出来二分地，可以种点洋芋，种点豌豆，还可以种上一株三角梅，一株樱桃树，来年你来吃樱桃……

我仿佛明白了些什么，可一颗心还是纷乱复杂，一时难以平复。

当天晚上是王博和甜菜最后一晚在小屋当义工。不知道为什么，那天特别想和他们聊聊。我撵光了客人，关上门拽住他俩聊天。貌似我说得很乱，说了我历经的那些烦恼执着，说了我貌似了解的那些所谓道理，说了未知的恐惧忧虑，说了我触及过的生死。

三四个小时过去了，我嗓子开始变哑。

王博道："大冰哥，你说的很多我听不明白。你是在法布施吗？"

我说："若布施，我第一想布施的是自己……不能光说不做了，我需要实践一种解决烦恼的方法。"

白菜胡萝卜不抗饿，说完这番话后胃饿得痛了起来。我们溜达到古城口的肯德基吃午夜打折汉堡，我身上钱不够，买了两人份的，三个人分着吃。

王博呆呆地吃了一会儿，又去了一次洗手间，回来后，他一边在裤子上擦着手，一边问我："大冰哥，你要不要听听我们的故事？"

我笑着说："你们俩这么甜蜜这么默契，能有什么曲里拐弯的故事？"

王博一笑，甜菜在一边眯着眼，仔仔细细地把我面前的汉堡掰成了三份。

甜菜说：爱他是最重要的事情

我有记忆以来做得最成功的一件事，就是谈恋爱，和王博谈恋爱。

我和他认识在 2005 年 4 月 26 日，凌晨 3 点。

那时候我大一，刚脱离了爸妈，在大学想怎么过就怎么过。但我不知道自己想怎么过，可能大部分女生也都这样吧。

那天晚上，我到了三点多还睡不着，就在楼道里瞎逛，看到隔壁宿舍女孩回宿舍拿了外套又匆匆出去，我就问她干吗去，她说草地上有人唱歌，我说那我也去。我到了草地边上，见到两个男生正边弹吉他边唱歌。那个长得帅的男生唱了一首歌，我觉得他声音太干净了，我就装作很内行地问："谁的歌？"他说："我的。"

我当时想，不行，我必须泡他！

我就开始假装学琴。他是个君子，在教我弹琴的时候没有碰过我的手。于是我想，我必须泡到他，怎么还有这么礼貌的人！后来他说他当时也想泡我，只是太紧张害羞不知道该怎么表达。

两天后，我们在一起了。过了一个礼拜，我们和各自的前男友前女友分手了。又过了一个礼拜，好朋友因为这件事跟他决裂了。在后来的一个月中，我受到了王博的前女友和支持他前女友的王博的好朋友们的排斥。但当时的我很倔，又觉得很刺激，也乐在其中。最让我震惊的都不是以上这些，而是王博竟然跟我说他爱我。

他爱我?!他怎么可能爱我呢?!一个人怎么可能爱另外一个人呢?!他每次对我说他爱我，我都说，我也挺喜欢你的。但后来他一直说他爱我，他还说："你也得爱我。如果两个人都不敢承认爱对方的话，那他们迟早有一天会不爱对方。如果两个人都承认自己爱对方，并且一直努力地爱对方，那他们就有可能成为不可能的完美爱情。"

他说得很美。他简直是个诗人。

他给我真正的爱情开了个好头。当然我觉得这太刺激了——好好地认真地努力地谈一场恋爱，这个事儿太刺激了。

我想，如果我是个能演得了话剧的好演员，那我就演一辈子。从那时开始，我就入戏了。这是我演得最认真的一个角色，我简直就像活在这个剧本里面。我当时想，不管怎么样，我都不跟他分手，他既然说他爱我，我既然信了，那我就死乞白赖地跟他好一辈子。

后来，这话应验了。那几年，他确实是个诗人，是个理想主义者，是个迈不开腿、张不开嘴的痛苦信仰者。所以跟他好，还就得死乞白赖。

他跟我说了很多他当时所信奉的哲学，我才知道，哲学不都是听不懂的东西。当他把萨特、尼采、柏拉图这些现在看来是大俗人的人说出来的时候，我佩服得五体投地，努力学习，加以分析，化作己用。

他跟我说的大部分哲学道理我现在已经忘了，因为不符合我自己总结的世界观。我清楚地记得一条。他说，他人即地狱。我觉得，对！这句话说得太对了！但是我发现，对于他来说，这个"他人"中，也包括他女朋友我。我怎么能是他的地狱呢？如果我是他的地狱，那我这出戏怎么演？于是我决定，不当他的地狱。我就当他！我努力地变成他。

他那时候的生活，每天白天睡觉，晚上通宵不睡觉，在电脑前写东西或者打游戏，这听起来一点儿也不诗意，因为能体现他当时是个诗人的不是这些实际生活，而是因为他脑子里每天都会想着死。

当他说想死的时候，我就哭，一直哭，然后我说，尽量别死吧，你要死了，咱就一块儿死。

现在看来，当时的我太忘我了，我只是觉得很累很开心，因为他找不到任何一个理由把我轰走。他觉得很烦很无奈，但也觉得，好像多我一个不多。"忘我"很管用，我就这样先在他的生活中变成了他。

他是一个对所有人都很客气容忍、彬彬有礼的人，没有人见过他发脾气。所以，当他第一次向我暴怒的时候，我害怕又委屈，又感到欣喜。

我觉得他从那时候开始在心理上接受了我。他对我很信任，就像信任他自己一样。他知道，哪怕他发脾气、他暴怒，他把最不理性、最恐怖的一面展现给我，我也不会离开他。

　　那是我们大学毕业一年之后的事情，我们因为一点儿事情发生了争吵，好像是我嫉妒他给前女友写歌，后来他就不再写关于爱情的歌了。他暴怒的表现现在想起来挺好笑，但当时挺吓人。他把新买的一袋橘子一个个地拿起来拽在墙上，于是墙上糊了很多个橘子饼，流着汁慢慢地往下滑。然后，他去厨房拿了一把菜刀，我想，完了，我玩大了，要死了。结果，他只是把他当时那把很珍惜的1100块的吉他砍得稀烂，然后他哭了。

　　他念着他死去的爸爸，缩成一团，哭得很伤心。他说，爸爸你带我走吧……

　　我当时所有的感情都被心疼取代了。那个他是没有人见过的，甚至他的妈妈。

　　那天之后，我用我们当时仅有的1600块钱，托朋友买到了一把全单吉他，然后我跟他一起吃了半个月一块五毛钱的葱花饼。

　　在我心里面，他是这个世界上最单纯善良的好孩子，我能遇见他就是幸运。他过去心灵上的创伤以及这个对他来说太复杂和光怪陆离的社会给他带来的压力都让我心疼不已。他后来跟我说，他不愿意跟别人提起那些事，不愿提起他心里所有不为人知的小秘密和想法。当我们一次又一次地揭开他的伤疤，他就痛着、忍着、流着眼泪。

　　那我们就一起把那些伤疤慢慢地治好吧。现在我们已经变成了这个世界上最亲的人，我是他的妈妈、他的女儿、他的姐姐妹妹、他的妻子和他偷会的情人，还有他自己。

　　只要有对方在，我们完全不需要任何其他的感情，这个世界，我们不关心我们所看到的、所听到的、所想到的是不是真实和有意义的，尽管那些有时候也会成为我们的谈话内容，但仅限于此。

　　只要他能在我身边，我对整个世界就都漠不关心，也可以饶有兴趣。

　　因为他，我可以不在乎一切别人在乎的东西，也因为他，我也可以很认真努力地好好玩我这辈子的这个大游戏。我可以去研究做一块手工香皂赚五块钱，也可以去做点其他的事情，做什么都行，只要我们在一起开开心心的。

你问我为什么这样无忧无虑，我可能跟其他女孩不太一样……我看这个世界时，里面全是他，他就是我，我就是他。在这个前提下，所有的烦恼都是不重要的。

我认为，好好爱王博，就是这辈子对我最重要的事儿。

我觉得，如果一个人能够坚定在一个理念里生活和成长，那么，那些所谓的烦恼，终究会转化成安宁和开心，甚至转化成让你内心强大的力量。

王博说：一场离苦得乐的智慧

丽江给我提供了一个庞大的人生经验库。

我遇到许多不同的人，他们的性格和经历让我吃惊，更让我吃惊的是他们当下都自在地活着，他们让我从自我狭隘的生活经验里跳了出来。我不再容易陷入自我情绪的泥潭里。

永远存在另一种合理的生活方式，这便是我放下"自我"的尝试。

阿鼓是我到丽江最早交下的朋友。

他是傈僳族与独龙族的混血，大约两年前从家里跑来丽江，为了生计在一米阳光酒吧当服务员，不到两个月就当上大堂经理。期间，他接触到非洲鼓，便产生了搞音乐的兴趣，因此辞去工作，开始学鼓。他有着少数民族的音乐天赋，不怎么学就能完全得心应手地伴奏，他从没听过的歌，也能完全找到歌曲的抑扬顿挫。

他是我见过性格最原生态的人，也许正因为这份单纯直接，在他身上发生过许多有悖常理的事。

他创造过丽江酒吧小费记录，2009年时有人给了他一张三十万的卡。

三十万小费，被他在半年内花光了。

他把钱借给朋友，这个借两万，那个借三万。他又带着朋友去朋友酒吧喝洋酒，一打一打地买。他带朋友去成都，坐飞机去，坐飞机回，就为请人看场电影。后来他没钱了，想去他埋过单的朋友的酒吧找份工作，被拒绝了。那些借钱的也当不认识他了。但他不生气也不懊恼，背上行囊，用最后剩下的钱兴致勃勃地去了北京，去应聘酒吧乐手。他说在北京因为没钱，他住在树上的铁皮房子里。

我认识他的时候，他已经从北京回来了，身无分文地乐呵呵。

阿鼓小时候的事情更是出活报剧。他是怒江人，小时候在爷爷家长大，跟爷爷去山里打过猎。后来，他爸爸包下了矿山，他跟着上山去炸矿。一次，他跟另外一个工人上洞里点炸药，点燃之后他俩一前一后往外跑，阿鼓戴着头盔跑在前面，结果头盔太大，洞口太小，竟然被卡在那里，后面的人一着急只好拿脚踹他，好在几下就把他踹出去了，俩人没跑多远炸药就炸了。他爸爸包山挣了一些钱，那阵儿就净吃喝嫖赌了，后来矿山被毁约收回，他家又穷回去了。至今，家里房子都还没修。

阿鼓有时候会念叨要多挣些钱，帮家里修房子。他没什么理财意识，但事实上他每个月都往家里寄钱，有时一两千，有时一两百，但每个月都寄。他经常骂他爸爸浑蛋，但并不真的恨他，他谁都不恨。

阿鼓过得很好。以我的视角来看，他高高兴兴地活在当下的每一分一秒，高兴了就笑，烦心了就喝酒，恼了就打架。他人否定阿鼓的生活方式的时候，可曾意识到，我们反而没有他那样开心又少烦恼。

我曾一度沉溺在童年丧父的阴影中，但有句话叫当我烦恼于没有鞋穿的时候，忽然发现有人没有脚。在丽江住了一段时间发现，周围有好多单亲家庭长大的小孩。我不过是童年丧父，但随即我又有了一个新家庭，新的父亲和姐姐对我也都不错，除了我自己给自己的心理障碍，家庭并没有再让我受过什么挫折。

但周围这些人儿啊，离婚的离婚，丧亲的丧亲。还有两个女孩怀孕六七个月了，忽然发现被男友骗了，我没有见过她们肚子上的伤疤，但我想想都觉得悲伤绝望。

在阳光灿烂的丽江，当下的她们不也都在懒懒地晒着太阳，享受着当下的宁静吗？

环境和心态一变，烦恼也就不那么成立了。

还有一些人，他们让我接触到功成名就之后的空虚烦恼。

2010 年至 2011 年的春节公假，我在五一公社唱歌，下午场。一天，一个戴着眼镜穿着黄色冲锋衣的中年人走了进来，他不像玩户外的，看上去很斯文，像是个知识分子。他点了一杯红茶，听我唱了几首歌。他十分安静，甚至有些拘束，我每唱完一首歌，他也并不鼓掌，只是沉默地看着我。临走时，他拿出一百块钱给甜菜埋单，红茶十块钱，他说剩下的就给我做小费。第二天他又来了，同样的过程，这次他给了五百块。第三天他又来，又给了五百块。我觉得过意不去，便和甜菜晚上请他吃饭。当晚，对这个人有所了解。他在农村长大，后来考上大学，学自动化，再后来去了中科院搞研究，整出了新技术之后，从中科院出来跟别人合开了公司，以技术入了股，后来他又做管理，公司前后运营七年，他的资产飙升到了两个亿。他把妻子和女儿都移民去了美国。

这之后，他忽然觉得人生的道路没有了方向。他厌倦了日复一日、一成不变的生活，他一直以为人生就是要挣钱，要掌握权力，但完成了后，他忽然不知道怎么过了。资产过亿，妻女移民，精英生活过到这儿怎么着也到头了，接下来呢？

他把股份都卖了，开始到处晃荡着找自己、找方向。大年三十那天晚上，他喝了很多酒，后来我俩凌晨就在古城街道上晃，他又哭又笑，我就沉默地看着。

再之后，我们没有了联系，也不知他是否找到了自己的方向。

另一个人是我去腾冲时碰到的，他开超市起家，后来资产过亿，功成名就，忽然就抑郁成疾，几近自杀，于是他转而去研究心理学，才慢慢被治愈。他感叹说，凡是心理上出问题的人都是因为没有真正去做自己。

还有一个药厂老板，资产上千万，说他年轻的时候也是个吉他爱好者，青春期也组过乐队，但后来穷得过不下去了，便想着法子赚钱，直到后来做药材生意发财了。他也欣赏我们，但也替我们惋惜，觉得我们这么高的学历不应该窝在这儿打工，"玩玩可以，但不是长久之计。"

我后来还分别在某社会老大、某导演、某教授那里听到过这句话。他们均对我们当时的生活状态很艳羡，却也觉得我们终究是不务正业，不是长久之计。在他们眼中，总有个"正业"和"长久"。

我看到和听到了各种人的故事。见得越多，听得越多，我越理解无常。那时候，我通过他们的故事确认了一点：成功并不等于幸福，真正的幸福并不来自外界，而源自内心。

我开始尝试一些塑造内心的事情：学着泡茶、读了一些书、跟一些出家人交流、偶尔打坐观心。而在这期间，更重要的事情，是甜菜开始引导我通过沟通来解决我们之间的矛盾。总而言之，我尝试着在生活中去修行自身。

把茶泡好需要放松心情、去除杂念、专注精神，这跟修行的要旨是一样的。而完整地喝一杯茶至少需要四十分钟的闲暇，心无一念地喝完一杯茶，往往需要两个小时。安于闲适也是修行的一个目标，每天泡茶便成了我内心建设的重要组成部分。

与此同时，我开始对一个问题感兴趣：什么是佛。

我直接问师父什么是佛，师父说道："佛就是当下的一念清净心。"

我又问师父，佛法的要旨是哪几条。

师父说了三句话："无常无我，万法因缘生因缘灭，真空生妙有。"

我发现自己开始越来越相信：智慧多了，烦恼就会少。

　　想要获得智慧，就先要静下来那颗心，不是吗？

　　这种状态下我做过一些尝试，比如打坐和观想，我发现这些对降服自心是很有用的。同时我慢慢养成一种把选择权交给别人的习惯，这些尝试让我和甜菜的生活慢慢回归了主流。

　　这期间我俩的感情开始发生变化，我对我俩感情的认知、我对甜菜的认知也开始发生变化。这才是我领悟"智慧"二字涵义的关键时期。她因为怀孕而皮肤过敏，我在照顾她的这个过程中逐渐认识到：如果你为别人做的事情带一点儿私心，你就不会因为做这个事情而快乐。

　　我一再和甜菜说我乐于照顾她，但我是否真的乐意照顾她，她完全能感受得到。

　　带着私心的行善不仅对于帮助对象是无效的，对于行善者自身来说也是有害的，这种行为会使行善者总觉得委屈。

　　当我学会完全站在甜菜的角度去想问题时，我才慢慢明白她有多爱我。

　　我回忆跟她相处的点点滴滴，终于明白她七年来一直在做一件事情：让我快乐。当我不想跟她父母见面时，她就死扛着不让我去她家；我不想结婚，她就死扛着家里的压力说不结；我不想要小孩时，她就说那咱们就说定一辈子不要孩子；当我想流浪四方时，她拽着我就走；当我想去大理，她立马就去大理找院子。基本上，她一直在做的事情是，试探出什么样的生活会让我快乐……她通常观察很久，试探很久才知道，然后她就努力去实现它。

　　为了疗养她的皮肤，去年十月份，我们去了腾冲，在一处山谷里住了十多天。我们住在小木屋里，睁眼闭眼，只有树木鸟兽，只有她和我。

　　她跟我在一起七年多，在那个山谷里，当一切都是安宁平静的时候，我才终于看懂她对我的爱。

　　甜菜是个有智慧的女人，关于幸福，她其实领悟得比我早多了——很简单，就是全身心地希望我快乐。菩萨不也是如此么：全身心地希望众生脱苦，全身心地布施而不驻于心，便是菩萨道啊。

我们总喜欢合唱《想把我唱给你听》那首歌，每次我们俩都是面对面唱给对方听。你知道么，这不是浪漫，而是一种无比幸福的享受。

你信不信，当专心歌颂对方的时候，心里安安静静的，什么烦恼都不复存在了。

一生何求

谁不曾烦恼过，我们的一生好像总被大大小小的烦恼圈套着。远离烦恼的方法有一千种一万种，貌似最直接的方法莫如"不执着"这三个字，最彻底的方式莫如"智慧"这个词。

一生那么短，一生何求——唯智慧与幸福耳。

王博和甜菜现在离开了丽江，在大理古城洱海门旁租了一个行将坍塌的老院子。他们自己动手，改成了一间客栈，起名无音社，推开窗就是宁静的田野。

那是个很偏僻的去处，不知能维系多久，如果你去大理，请住在他们的院子里吧。有机缘的话，听听他俩合唱的《想把我唱给你听》。

王博和甜菜的孩子也快出世了，我尝试着想象他俩抱着孩子站在我面前要压岁钱的模样，忍不住微笑。

滇西北是片海洋，暗潮汹涌鱼龙混杂，王博和甜菜是两尾偶尔游过我身畔的鱼。我和他们结伴同行过一小段水路，又各自融入了不同的洋流。他们经历的，我也曾经历过。他们即将经历的，也是我必将去经历的。我在他们身上，看到的是本我的出口、自我的力量、成长的勇气，以及一种触摸智慧的奇异触角。

这是一方八风吹皱了的江湖，随波逐流的日子里能与他们结缘，是我的荣幸。

　　我有种预感：未来未知的年月中，我们会各自画完一个曲线，再度并行在同一方真空妙有的水域。

[预约你的墓志铭]

**这是个性感的女人，也是个注定要在路上走到死的人。
她身上有一种说不清道不明的真实生动的野性。
她一直在恣意生长。**

有一天，她坐在大冰小屋的角落里喝酒。别人都捏着小支的风花雪月，她攥着一大瓶青岛啤酒，光着脚，抱着腿坐在卡垫上。她不怎么和人聊天，只是专心喝酒，喝酒也不出声音，悄没声儿的就是一瓶，悄没声儿的又是一瓶……她像古龙描写的那些女人一样，酒越喝眼睛越亮。

我给别人介绍她："这是我的老朋友白玛央宗，拉漂。"

她侧着脑袋，笑笑地问："垃圾一样飘荡的人吗？"

我哈哈笑着对她唱："麦克，你曾经远远飘荡的生活像一只塑料袋在飞翔……"

她给我看她在戈壁滩上拍的裸照。红唇微启，黑发凌乱，鸽子一样风中微微颤抖的乳房，棱角分明的肩胛，肋骨根根可见，下巴微微扬起，睫毛盖着眼帘，有着藏人一样的平静面容……她身上有朵怒放的绿色植物文身，整个人有种诡异而性感的哥特美。

我说："照片比本人漂亮多了，像个快出嫁的安多少女。"

她微醺，头埋在膝盖里摇晃着唱歌："……麦克你再度回到这城市，可曾遇见旧日姑娘，头上插着野花，身上穿着嫁妆。"

这是个性感的女人，也是个注定要在路上走到死的人。她不是一般意义上的行者或背包客，或游民"拉漂"，她身上有一种说不清道不明的真实生动的野性。和那些二十七八岁就定型的都市女性不同，她一直在恣意生长。

她曾一度名列《孤独星球》的作者之列，《孤独星球》在作者简介里如此描述她："多年的藏区生活，让她看起来跟藏族人的样子有些接近，从早期无目的地漫游到现在开始审视西藏与自己的内心世界。奇妙的是，她的漫游似乎总是和突如其来的动荡若即若离，她渐渐发现，自己喜欢的旅行目的地并不是安静祥和的，相反，更喜欢拥挤、热烈和混乱，也因此对动荡的生活和视角情有独钟，同时内心也矛盾地渴望安定。她现在从事人文地理类杂志的自由撰稿人和自由摄影师工作，偏爱新闻纪实摄影胜过文字，觉得影像比文字更容易直抵内心。"

我问她："为什么没用裸照当作者形象照？身上那朵绿色的花儿开

得多漂亮哦。”

她说:"花儿? 那是朵绿绒蒿,又叫雪参,专治各种气虚、水肿、哮喘,心律不齐。”

轮回流浪者

我们最后一次见面的时候,她刚刚再次走完川藏北线,为新一版的《孤独星球》撰写攻略。

六条进藏线路中,川藏北线通常是"第 N 次到藏区"的旅行者才会考虑穿越的区域。但这一区域无论是风光的变幻莫测,还是宗教与历史建筑的密集度都远胜于热门而常规的川藏南线。甘孜九月金黄的青稞田,党岭十月底的黄叶满山,丹巴的苯波重镇,亚青和色达的庄严丛林……无不让人处处惊心,时时动容。

川藏北线康巴藏区让我魂牵梦萦,我一直坚信自己无数劫的轮回中定有一世曾于此生老病死,或是一只牙齿焦黄的獒,或是一只牙齿雪白的豹子。白玛央宗说她也有类似的感觉,她坚信自己来生就是一个挽着血红英雄结的康巴汉子。我说,等到你来生的时候,康巴人或已不再流行这种民俗了吧。

她说:"或许我们的来生并不是按照这个世界的时间规律矢量前进,我下辈子或许忽然就投生到了格萨尔王时代,或者现在格萨尔王说唱艺人口中吟诵的几千年前的某个岭国大将名讳,就是我下辈子即将成就的来生肉身……”

我喜欢她这种歪理邪说,她浸淫藏地这么多年,不可能不明白六道轮回说的涵指。可我喜欢她用她的想象力给我画的这个圆。

法域卫藏、马域安多、人域康巴。卫藏是西藏本部,重视佛法,安多藏区是骏马奔驰的茫茫草原,故称马域。"康巴"是古代吐蕃人对

223

康藏人的称呼，意为"边民"，类似于古代中原人看岭南。

很多内地人看西藏都是一个样儿的，但川藏北线确实在风土民俗上自成一派，人种、语言、服饰和民风都与西藏本部截然不同。差异之大，一点儿都不亚于汉地南北方之别。

汉地有汉地的基础文明基因组，藏地有藏地的传统文化传承脉。藏文化并不是像部分内地人理解的那样模式单一，密宗当下是显学，很多人由此入手来了解西藏。但仅仅从"宗教"这一个切入点是无法整体着眼于藏文化如汪洋大海一般的浩瀚信息量的。仅仅川藏北线这一个地域带的人文积淀，就足够一个人三生三世皓首穷经，也只不过管中窥豹。

有些东西确实会让人仰之弥高，在对"人域康巴"的倾心赞叹这点上，白玛央宗和我的情感浓稠度一致，甚至过犹不及。

我见过她在一次成都的饭局上的失态。

丹巴莫斯卡的藏族人有喂养土拨鼠的习惯，这奇景让白玛央宗很喜欢，她带回照片和视频与大家分享。但有人不屑地说："研究高原生物的某某说过，土拨鼠会带来鼠疫，非常危险。"

"当地人祖祖辈辈都这样，从来就没有鼠疫！"白玛央宗说，"我问了，我去调查了解了，没人死于鼠疫。"

"但养土拨鼠一定是不好的，土拨鼠是鼠疫最高危的携带者！"

她火冒三丈，脸涨得通红，点了好几支烟。最后哭了起来，噼里啪啦地掉眼泪。

她不是个多么漂亮的姑娘，可那会儿我觉得她很性感。

康巴藏区的男女是全藏区中最性感的，但给康巴姑娘拍照不是件容易的事，除了要征求本人的同意，还要征求到她家里男性成员的同意。相比之下，给康巴汉子拍照就容易多了，他们无一例外地会站出一副气宇轩昂的姿势，两脚分开，目光炯炯。白玛央宗在《孤独星球》里写："未经允许，他们的头发（英雄结）和转经筒最好不要触摸。如果你是一名男性游客，康巴汉子拉着你的手在街上走，这并不说明他是一个Gay，而是一种男人之间表达亲热的行为。"

我去过莫斯卡自然保护区，那是很多年之前，以背包客的身份。没人牵我的手，但有人递给我一小块生牛肉，血淋淋的一小条，挑在刀尖上，倒转刀把递过来。我不敢不吃，但嚼了十分钟也没能吞咽下去，血水顺着嘴角滴滴答答。那个康巴汉子善意地伸手帮我擦，砂纸一样粗糙的手，蹭得我下巴生痛。

好吧，除了我爹，那是唯一一个帮我擦嘴的爷们儿。

白玛央宗走川藏北线的时候戴着一顶康巴女人的帽子，为了保暖。那不是个旅行的好季节，大部分时间人都在车上摇晃着。道路冰冷、气候寒冷，旅店糟糕，没有什么好吃的东西，还要忍受搭车时司机对这么一个单身出行的汉族女青年的各种好奇。德格的大车司机厚着脸皮用言语骚扰过她，丹巴的摩托车司机把她载到半路，然后要求加钱。

她对这一切满不在乎，生气了就用藏语骂还回去，实在生气了就劈头盖脸一顿川音粗口。说来也奇怪，那些彪悍的康巴汉子无一例外地会对"川骂"露出惧怕神情，进而变得收敛和恭敬，像个挨了训斥的孩子。

我想象她发怒的样子，一不留神观想出一个从苯教墨尔多神山上愤怒降世的罗刹天女，头上戴着康巴女帽，脚上穿着登山鞋，身上穿着加绒藏族的女袍，一张嘴就是："你个锤子……"一想到这儿，我就不由得想笑。

我最喜欢的甘白公路和甘孜寺也是她的最爱。我和她聊起五明佛学院，那个圣地，谈我们共同认识的武汉朋友无鱼在那里盖的小木屋。无鱼曾承诺我可以随时去接收那间小木屋的产权，只要预付他100元钱。我一时激动把钱给了他，却忘记留字据。

白玛央宗说："大冰，我觉得无鱼他是不是在骗你啊。"

我说："你真聪明……我以为只有我少根筋……"

她和我讲起亚青寺，那个坐落在河滩上的寺庙拥有数万修行者，到处红衣飘飘。鸽子笼般的矮房拥挤得水泄不通，赤贫的修行人布满贫瘠的山头。

白玛央宗说:"亚青寺是另一版本的色达五明佛学院。不如你也给我一百元钱,回头我帮你去亚青寺旁买个房子。"

我说:"姐们儿……看来你是真少根筋。"

吓哭人的小寺庙

白玛央宗当年来西藏的时候,大学刚刚毕业一年。那时她还没有文身,也没有脱光了衣服站在北风中自拍裸照的勇气。当时她一脸青春痘,辞掉了重庆报社的在编岗位,揣着毕业证来拉萨报社面试实习生,且试用期没有工资。

我第一次见她的时候,她曾无情嘲笑过我。

那时候浮游吧的木门上并排写着我们两个老板的名字:大冰、彬子。她哈哈笑着问我,这家店是个日本女老板开的吗?

我作势抽她,她龇出一口白牙问:"你信不信我咬人?"

……

那时候我们还不太熟。熟了以后,她习惯这么回答:"你不抽我的话,我就给你一毛钱。"她的钱都放在贴身口袋里,一毛一毛的,薄薄一叠。她没有钱包,不用化妆品,"老干妈"辣椒酱拌白面条就是一顿饭,她是那时我们当中最穷的女孩子。

安子、彬子和她很要好,每次出门吃饭都会喊上她。她并不怎么客气推辞,但几乎每次吃完都会和结账的人说声谢谢,她其实是个很懂事的孩子。

安子当时在一家小报社工作,跑社会新闻也写副刊杂文,靠条数领绩效工资。可拉萨就那么大点儿的地方,哪儿来那么多事件新闻啊,有时候跑一整天,一条也搞不来。安子没辙,就拽着她一起编人生感悟凑数。她那时候还是个没什么社会阅历的小姑娘,安子是个永远长不大的老男孩，两人编出来的文字一派校园文学气息。

我那时候憋着劲儿想给他们身上刷上江湖烟火，于是借着提供素材的名义老给他们讲一些乱七八糟的故事。那几年，我曾一度痴迷于翻杂书，尤其对秘法仪轨和神通现的故事感兴趣，此类故事没少讲。我记得给他们讲苯教的神通故事：过去西藏的土匪看见出家人，给你扔一把刀，要求你把刀系个扣，就好像系带子似的系个扣。这样的话，他就不抢你了。过去这种打了扣的刀，在黑苯庙里的房上经常会挂上几把，几乎苯波法师人人都会……

安子纯情，但不二，听完故事，摸摸下巴继续编他的心灵文学，他后来没成为陆琪实在可惜。

白玛央宗不纯情也不二，但有一股钻牛角尖的劲儿。那时候，大昭寺转经的人里偶尔还能发现逆流反转的苯教徒，她当真抱着本子要跑去采访人家，让我们死活给拦下来了……一眨眼人又没了。

第二天，她跑来找我，见面就念：哦嘛直莫耶萨来德。

我说："好家伙！大中午的就来念经超度我啊，我还没刷牙呢。"

后来才知道，她专门跑去学苯教八字真言光明法。

辛饶弥沃保佑，她那时是个多么单纯的小姑娘哦。

后来，单纯的小姑娘经常大白天关掉手机，消失几个小时。

但消失得很没有创意，一消失，我们就知道她又去钻各种游人罕至的小寺庙去了，比如布旦康萨。布旦康萨是一个冷清得有点儿诡异的小寺，在某一个时期却莫名其妙地成了全拉萨她最爱的地方。

那个地方很不好找，不知道是刻意布置，还是偶然导致。那看上去是一堵封死的墙。但如果你肯直直向墙走，就会在碰壁之前发现一条忽然蹦出来的小巷子，在小巷子几个幽暗的猛转弯之后，就会通达布旦康萨小寺庙。

说起来，有点儿像哈利波特传奇里的国王十字车站。只要穿过九站台和十站台之间的那堵墙，背后就是通往霍格沃茨魔法学校的特快列车。

霍格沃茨魔法学校的四周有无形的魔法墙壁保护着。

同样，拉萨的众多四合院也将这个寺庙血红的墙堵得严严实实，似乎在刻意掩饰着什么。其实也正是如此，听说这个小寺庙所供的护法神在密宗格鲁派教法体系中很有争议，有点儿离经叛道。如果不是被列入了文物保护单位，这个地方或许会被四周恐惧的拉萨市民给砸了，不过也未必，据说他们挺害怕这位厉害的护法神。

他们并不来这里朝拜，装作没看见，只有一些从牧区远道而来的康巴人喜欢拜这位护法，据说求财运极灵。可怕而离经叛道的护法神居然能带来财运，这种互相矛盾的寄生在藏地佛苯混杂的小寺庙中比比皆是，汉人不太了解，藏民了解却并不去深究。

白玛央宗自然是不求财的，她是被吓了一跳之后开始喜欢上这个寺庙的。她第一次来的时候，寺庙里一个人都没有，大门开着，时光凝固在院子地面上的光斑里。

她手抄着裤兜，慢慢往里走，然后就被吓哭了。

那天，那尊护法神的木像莫名其妙地被搬到大殿中间，光线阴暗——她以为那里坐了一具干尸。

哭完后，她擤着鼻涕，跑过去仔细端详。

护法神手中捏着一只心脏在啃……喻世明言还是警世恒言？

她一下子就看入迷了……不知道为什么，她终究没和我们说那尊护法的名讳威德，她一定是知道的，但为什么没说呢？或许她已经把他看成了自己的本尊，亦未可知。以她当时的性格，或许她傻乎乎偷偷去修习某种神通法门，亦未可知。

关于神通，多年后有个小师父告诉我，有是有的，但不过末技而已，正信者未必要倚仗着神通去证得无上正法正觉。

道理我懂。

那位小师父说："法，不就是最大的神通么，先好好持戒。管你用什么方法，能心安理得地做个有智慧的好人，比什么都重要。"

偏偏喜欢背面的阳光

所有人在大昭寺门前晒太阳的时候，她爱在八廓街溜达。

她爱去大昭寺北角的老木如寺，又唤作木如宁巴。这里号称是个吐蕃时代的老院子，其实也就剩个地名，寺庙是一个世纪以前新修的，不过看起来很有 1300 年历史的样子。在西藏，东西和人老得都快，这时的白玛央宗已经有了一张黝黑透红的高原脸，已没人再喊她小姑娘了。

旅游的人转到木如宁巴的大门口会有点儿害怕，这个老院子看起来油腻腻、脏兮兮、乱七八糟、曲里拐弯……几乎没人愿意走进去待满五分钟。

白玛央宗一般以这个样子出现在木如宁巴：头上裹着一条颜色鲜艳的发带，披着一件莫名其妙的男士外套，下身是灰溜溜的尼泊尔大裆裤，藏族女人一定认为那是世界上最难看的裙子，但是她不在乎，忽闪着大裤子在院子里走来走去，于是轮到藏族女人脸红和慌张了。她那时候学了点儿坏毛病，比如抽烟。她也懂规矩，不进庙里抽，站在门口一口口地猛撮，忽闪着眼睛看着满院子的藏族人。

这个气场有点儿奇怪，藏族男人小声议论："门口那汉族女孩吸烟。"大家都笑得有点儿紧张，然后集体看她掐掉烟头，一步步踏进寺门，和回自家一亩三分地儿一样。大家像看一只稀罕的小动物一样，笑着看她穿过院子，慢慢消失在楼梯口。

藏式寺庙的屋顶是敞开式的，木如寺小小的屋顶几乎就在大昭寺的金顶覆盖之下，但又是两个独立的庭院。她就坐在木如寺光滑的阿嘎土屋顶上，上面还有痰迹。日光很烈，她腿很长，袒露出黑黑的光滑额头，卷发瀑布一样地铺满整个背部。

我们都习惯聚在大昭寺门前晒太阳，唯独她喜欢跑到那个地方晒太阳发呆。我问过她为什么。

229

她告诉我："因为那里是大昭寺的后面。"

她混在西藏已不短的那段日子，依旧是满藏地地东奔西跑，依旧是每天看书很多，依旧是很穷，但从不潦倒。她早就不是起初那个满脸痘痘的小女孩了，不再单纯喜欢舞台正面的阳光。

她偶尔也会约几个人一起去晒背面的太阳。她那时借住在仙足岛的客栈，带过同住的老吴和小吴去。老吴是职业拍照片的，小吴是他女儿，他们在美国生活过多年，俩人一吵架就用英语，让我们所有人都羡慕不已。

爸爸老吴带着十三岁的小吴开着越野车在无人区拍照片，父女俩在无人区捡过小狼崽，救过黑颈鹤。小吴可以迅速地帮老吴给各种机械相机换镜头，她把这手绝活传授给了白玛央宗。白玛央宗跟小吴关系很要好，她带她站在木如宁寺顶看火烧云，当天是小吴14岁的生日。一高一矮两个人，手牵着手，站在红云彩下面，一起把手甩来甩去，甩来甩去……

她还带过一个人，国内拍摄野生动物的老前辈摄影师祁云。他几乎算是她认识的人里最让她敬佩的，他住在她客栈房间的隔壁。晚上，她在房间里上网搜他的访谈，一阵阵兴奋得睡不着觉。她那个时候染上了很多不良嗜好，比如抽烟，比如玩单反相机。

但她穷，只能各种借来玩儿，好在拉萨有单反的人实在是太多了。

祁云给了她们一拨年轻人很大的鼓励，说拍照的要坚持拍照，写作的要坚持写作，生活的要使劲生活。他送了她们一张碟，是一部关于他和金丝猴的纪录片。

她一激动，说："老师，那我送你个大昭寺的背面。"

祁云问："什么面？好吃吗？"

她还带过王不在去晒太阳。

王不在是安子介绍她认识的一个重庆人，他们商量着要在拉萨做一本书，关于老拉萨寻城记的题材。

那时候，他们天天都待在一起，逛八角街，采访拍照，做笔记，几乎走遍了八廓街的每个院子、老城区的每个角落。不采访的时候，他们就一起跑到木如寺顶聊天，王不在喜欢聊电影，王不在说起他最喜欢的电影是《雾中风景》。白玛央宗说："我也是。"屋顶另一边坐着的一个人扭回头来说："我也是。"——那是个年轻的喇嘛。

　　王不在带她去参加库玉玛大院的"无国界宗教论坛"。他们那时经常一起和藏族朋友过林卡，过林卡时不停讨论各种问题。她带王不在骑自行车去看羊湖。王不在看见羊湖第一眼时从车上摔了下来，说了句雷死人的话："这他妈就是个女人啊。"

　　王不在说："羊湖是个仙女，是个没有欲望的仙女。就是这样，仙女是没有欲望的。"

　　然后，他就沉默了，沉默得很文艺青年范儿。

　　文艺青年王不在在羊湖也开始创作一个叫做《羊卓雍错》的剧本：一个内地的女人居住在羊湖边的小村子里，她不与任何人交流，只通过一个当地的藏族小伙子帮她定期买来各种生活用品，最后在一个风雨交加的早晨，与这个小伙子发生了激烈的矛盾冲突，沉默许久的秘密各种爆发……

　　剧本很长，我也不知道这个戏后来被人排演过没。

　　后来他们做成了"寻城记"的大纲，但最终胎死腹中。

　　王不在随即离开了拉萨，他认为他在拉萨的这大半年足够填充他想象中空缺的部分。他的离开让白玛央宗十分失落，原因说不清，但无关男女之情。

　　她说，她和王不在之间有一种莫名的默契，他们甚至可以通过眼神来交流。

　　离开拉萨之后，王不在一直定居成都，偶尔在重庆拍一些广告宣传片。2008 年，他拍摄了一部关于大地震的纪录片，叫做《劫后天府泪纵横》。

　　后来，这片子得到了奥斯卡的提名。

有一个时期，白玛央宗说要告别西藏几年去走走中亚，她身上总是连五百元都没有，我们当她放屁。没想到她很迅速地消失了，像当初消失在布旦康萨一样，她很神秘地过境尼泊尔，去了印度。

她穷成那样，除了卖文为生没有别的手艺，我一直不知道她是靠什么走到印度。

后来不时有她的消息流传回拉萨，主要是传她如何和男人打架。

传言中她厉害得像只铁包金藏獒，她和人争执，被一个男人在加德满都的黄河饭馆泼了一碗羊肉粉汤，她康巴勇士一样地决绝还击，打得很有章法。不仅掀了桌子，还用盘子砸了他的头，还摔碎了饭馆老板从国内辛辛苦苦背过去的碗。传言没提及打架的诱因，那只习惯捏着笔写字，跷着指头按快门的手，居然会捏成一个疙瘩，打出直拳？我想象不出来那是什么样的争执，怎么样的恩怨才让她这样一个女人如此暴怒……可以大体确定一点，应该是关于西藏。

这个传闻让她的形象开始变得很性感。

第二次带来她和人打架消息的是个斯文的文莱青年。

她那次打架居然是在菩提伽耶，佛教圣地菩提伽耶啊。

她当时住在锡金寺，遭遇了一个偏执的宗教狂。二人有过一场情绪慢慢升级的辩论……又是关于西藏。

她那时自信已读了太多关于藏地的文字，也几乎踏遍了大半个卫藏，她引经据典、据理力争、有理有据、滴水不漏……偏执狂恼羞成怒狠狠地推倒她，她爬起来就还击。

文莱男生说，她生气时很迷人，眼睛瞪得大大的，咬着嘴唇，一声不吭地和人动手。一下接一下，一下接一下，好像色拉寺辩经喇嘛击掌时飞舞的手臂。

打完了以后，她倒在地上，头顶着地，抽泣得像个受了无尽委屈的孩子。

文莱青年说他当时在旁观，不明白她在难受什么。

我觉得我能隐约明白一点儿。

魔法师的惊喜咒语

她在杰森梅尔差点儿被活埋。

在关于印度的众多攻略里，对杰森梅尔的描述甚少。这座神奇的城堡位于印度拉贾斯坦邦塔尔沙漠地带，古时候这里曾有二十三个公国，十二世纪时这里商贾云集，是担负去东西方贸易的枢纽大城邦。时光变迁，当下的杰森梅尔仅仅保留着旅游地的功能，类似中国内地的某些曾经辉煌一时的小古城。

杰森梅尔被叫做"黄金之城"。

城内的建筑皆为哈维丽风格，所有建筑全都由黄砂岩建成，每当黄昏来临夕阳照在石头上时，每一块砖石，每一面墙壁都变成了金子，整个城堡笼罩在一片金色的光雾里，行走其间的人和牛也都被染成金色。从远处看，城堡金光闪烁得如同海市蜃楼一般，完全是神话中纯金打造的宫殿。印度人相信杰森梅尔原是天上的宫殿，只因了魔法师的咒语，一夜之间，被移到了荒凉的塔尔沙漠腹地。

这种说法类似中国的"飞来寺""飞来峰"，但貌似更经得起考据。

《一千零一夜》中写道：杰森梅尔因中了魔法师的咒语，在一夜之间降临到了荒凉的塔尔沙漠腹地，最后化为一座金色的城堡。

她的杰森梅尔之旅也好像中了魔法师的咒语，差点儿被活埋。

杰森梅尔是个沙漠城市，两天一夜的骆驼沙漠之旅需要约一百五十元人民币。白玛央宗用了半天的时间砍价，砍到了七十元钱左右。

　　号称印度最大的塔尔沙漠，如果放在中国简直算不上什么，她和同行的印度人说，她是去考察印度劳动人民防沙治沙成效的。人家很奇怪问她："中国也有这么伟大的沙漠？"她说："不仅有这么伟大的沙漠，还有更伟大的沙尘暴。"

　　晚上，他们露宿在沙漠腹地，没有帐篷，每人一条褥子和一条被子。头顶着LED大屏幕一样的星空，躺在温暖的沙子上。微风陪着他们，还有偶尔爬到耳朵边的印度屎壳郎。

　　她和旁边的旅伴悄悄开卧谈会。她说她是喜欢印度的，这个国家太大了，旅行起来太累了，累得让人心里舒服。她不喜欢规矩、漂亮、干净整洁的目的地，而像印度这样不可预知的、热闹非凡的地方才是她喜欢的。

　　静谧的沙漠让人变成话痨。

　　她谈得兴起，和人聊起全印度她最迷恋的瓦拉纳西。她到达瓦拉纳西已经半夜两三点，没有找到住的地方，估算了一下，两三个小时以后就可以看日出了，于是她决定在恒河边将就一晚。河边已经是漆黑，广场还有一点儿灯光，一些流浪汉分散在她周围，在各处扯起咖喱味的呼噜。还有两群狗在远方打群架，帮派分明。她坐在祭祀的台子上发了一会儿呆，就枕着胳膊和衣躺下睡着了。

　　她依稀记得做了很多梦，正在迷迷糊糊的梦中，听见很喧闹的音乐声……四周一下子很嘈杂，有人说话，还有人从身边走过。她睁开蒙眬双眼，看见无数的人出现在周围。那些恒河的朝圣者不知不觉中就填满了她的四围，每个人各做各的事情。

　　有苦行僧坐在她身边在脸上彩绘，也有人刚脱了衣服正一脚迈入神圣的河流中，一些狗依然成群结队跑来跑去，吐着舌头，但不叫。猴子也出来了，却有着人一样的表情。还有神牛，还有卖花的纱丽女人和用磁铁在恒河里捞硬币的小孩。这时，天还没有亮，广场开了灯，放了大声的音乐……而这些人就在她眼前，在她的周围走来走去……

他们甚至都没有去看她一眼。

她分不清这到底是梦境还是现实。她说："现在回想起来，恒河那一梦醒来真是太魔幻了，就好像闯进了一部电影里。"

后来她就一直呆呆地看着眼前那一幕，一直到日出。

在沙漠里，她絮絮叨叨和旅伴提起恒河："恒河那一晚是不可复制的，我敢肯定，这一路不会再有比那更大的惊喜了。"

陌生的旅伴随口说："那可不一定。"

果真，那可不一定。

半夜两点，她突然醒了。

睁开眼睛，首先看见的是一只巨大的长了毛的月亮。邪气的塔尔沙漠，忽然变得像有魔法师操控一样，雨点忽然从天上冲了下来。

这时，驼夫和旅伴陆续都醒了。他们一行六七个人，在沙漠上睡的是"通铺"，一排排整齐排开，她睡在最边上。她听着一声声不同国家的国骂。雨不大，只是雨点很大，他们问驼夫怎么办？

驼夫说："……这个、那个……不知道。"

估计他也没怎么遇见过沙漠下雨这种状况。随后他说："不如等等吧，雨应该不会很大，如果太大的话，就收拾东西往村里撤。"

最近的村子离他们几里地。雨越下越大，丝毫没有见停的趋势，于是驼夫们做了一件估计他们后来也十分后悔的事情——开始挨个收被子。

收到白玛央宗的时候，她还贪恋在被窝里的最后一点儿惬意，她跟人家说："你让我再盖十秒钟……"突然，她感觉一个砖头掉在胳膊上！很疼！她喊了一嗓子，一下子挥手把"砖头"弹开。

还没等他们反应过来，"砖头们"从天上密密麻麻地砸了下来，他们这才知道冰雹来了。驼夫们也傻了，谁知道沙漠会下冰雹啊。她感慨幸运的是被子还没被收走。其他人一呼隆地跑到驼夫那儿抢被子。她赶紧躲进被窝抱着脑袋，无数砖头砸在身上，被子一沉——瞬间她就觉得被埋住了。那冰雹不是下的，好像是有人在天上接二连三地一卡车一卡车地倾倒下来的。

被子越来越沉重，一开始是棉被被打得噗噗响，后来是冰雹打冰雹打得啪啪响。

她想：妈妈呀，我可能会挂掉吧。真有意思，我居然会死在印度！？还是死于冰雹？

她没死成，冰雹不久就停了，她也没被完全埋住。印度的老天爷也许是给他们开了个玩笑，冰雹虽然不小，但庆幸不是特别大。她后来仔细看了看，最大的有乒乓球大小，但是极少数。其他人也没有太受伤，大部分是后背青一块紫一块，也有人额头擦破了皮，龇牙咧嘴地用手捂着。大家在慌乱中清醒了过来，背着褥子和被子，浑身湿漉漉地往村里走。驼夫们安慰他们："这是吉兆，这是一件幸运的事情！"

是啊，她也真这样觉得。她捡了一粒大个儿的冰雹捏在手里，走两步就啃一啃，走两步就啃一啃。我后来问她味道怎么样，她说："有个锤子味道，太硬了，几乎啃不动。"

第二天，沙漠的雨没停，他们提前结束了沙漠之旅。

当地人说："城市里也下雨了，是今年的第三场雨……今年的雨怎么这么多。"

她问一个老人："这沙漠里大概多久前下过冰雹？"

老人用印度人的方式摊开双手，晃着脑袋说："五年前还是十年前了吧……砸死过一个十恶不赦的人。"

临死的时候可不可以不害怕

白玛央宗是重庆人。

她家里的情况跟贾樟柯的《24城记》几乎是一样的。

当年，她爷爷为工厂选址，备选方案两个，一个是兰州，一个是重庆。后来爷爷决定带领大部队迁徙至重庆。她在重庆出生长大，一直到大学毕业。

爷爷牛的时候，她还小，对他们那代人的强悍没有太多印象。但她记忆最深的是他长着一副将军的模样，从她不懂事的时候起就觉得他帅，长长的长寿眉在眼睛上方像旗帜，年老了眉毛变白了，她认为更帅了。

在她想要去系统了解爷爷一生的时候，他却走了，发生在她刚结束了印度漂泊，回到中国的时候。

他在大年初一那天去世了。

说来也奇怪，那几天她特别想回家，莫名其妙地想，她直接放弃了前往土耳其的计划，从尼泊尔原路折返回拉萨，一路搭车回了重庆。

刚回家的时候，爷爷情况还好，只是感冒住院了，她给他看了很多印度的照片，讲了那次印度之行，又给他看了巴基斯坦和印度的降旗仪式表演……然而他很快就走了。对爷爷的去世，她并没有十分难过，但对他最后的时光感受颇多。

一直以老党员自居的爷爷，自从奶奶去世后，居然开始信仰基督教，那是白玛央宗奶奶的信仰。

他拿着一本《圣经》不停地说："哈利路亚。"然后，他问她："你知道哈利路亚是什么意思吗？哈利路亚是赞美神、感谢神的意思。"

几年前，他还在冷眼看着家里的三姑六婆们一窝蜂去教堂，他还淡定地天天坐在老藤椅上看新闻关心政治。

后来，他忽然就慌乱了。

生病检查之前，他很紧张，晚上紧张得睡不着，一直不停地看手表。去世的时候，由于哮喘，他插了呼吸器不能说话了，如果就此去了那么就等于再也不能说话了。也许他感觉到了什么，插管的时候使劲儿挣扎……

这一幕一直在她的脑海里思索很久——如果他能说话，他会说什么呢？

她说："爷爷还没有完全准备好……"

按照爷爷的级别，最后他是盖着红色的旗躺在冰棺里开的追悼会。旗的最里面一层，是基督姊妹们给他盖上的一条印有红色十字架的白色麻布单。

2009年6月，她和我坐在一起聊天，聊到生死，包括她目睹爷爷的临终慌乱。

她问我："如果我们从现在就开始准备，是否就还来得及？"

她把我问得很慌乱，没有几个人闲坐聊天的时候会像聊邻里八卦一样漫谈生死之事。她一句话问槽了我的脑袋，问得穿衬衫打领带、手机短信不断的我，淌下一滴冷汗。

我说："我哪里有资格回答你这个问题，你去读《生死书》，去读《中阴闻教得度经》吧……姑娘，你不一直在准备着么？"

没有相机的摄影师

2009年10月，她生日那天，她应聘上了个梦寐以求的工作，那是一个临时的小活，头衔她很满意：特约摄影师。

那次的工作是给一本旅行指南拍照片。150张照片，一共8000元，还包括所有路费开销……于是她在生日当天，坐上500元一张票的早班飞机飞往乌鲁木齐。我问她："这样的差事，当时为什么会找到你这样的技术平庸型选手呢？"

她分析着说，应该是那边刚刚平静，几乎没有摄影师有胆过去。她闲着，胆子又大，又不嫌工资低，又是个那么纯粹的摄影器材爱好者和摄影风光爱好者，所以就去了。

东子是个理发师，之前也是混拉萨的第三代"拉漂"，在北京郊区租着两室一厅，她厚着脸皮去借住了好几个月。找到工作时，她正好留宿在东子家。东子说，接到这个活的时候，她很激动、很矫情地流下了一行热泪。

那是一个离机场很近的房间，由于离机场太近了，可以看见飞机头上的大灯，她第一次看见的时候，还以为是UFO。东子每天接近中午才出门，深夜回来，天天疲于奔命，疲惫不堪。而她天天在那个朝北的小房间里，看着飞机起飞降落。

去新疆之前，她的一个云南朋友黄溪贝来北京找她玩，跟她一起住在东子那里，后来被她忽悠一起去了新疆。她忽悠黄溪贝去新疆还有一个很重要的原因，她之前为了凑足去某个国度的路费，卖了自己的相机。

她用那台相机记录了太多山和人，那是她唯一值钱的家当……所以，2009年的时候，白玛央宗是个没有相机的摄影师。

在她没有家伙的时候，她居然斗胆接了一个拍照的活儿！黄溪贝的到来，真是天时地利人和，因为她正好带了一个尼康D80。白玛央宗玩儿命地忽悠她说："这时的新疆是最神奇、最美丽、最特殊、最……去了以后，可以给你拍很多漂亮得要死的写真照片，然后你就能找到男朋友，就能嫁出去了。"

黄溪贝傻呵呵笑着，憧憬着……然后，跟着她在寒冬腊月里去了新疆。

那时乌鲁木齐的氛围可想而知，她每次坐出租车去南门和二道桥拍大巴扎的时候，经常被出租车司机质问："没事去那儿干吗？装什么胆子大的！"

人家是好心，她却没法领情，大巴扎还是要拍的。

根据拍摄计划，她和黄溪贝一起去了哈密魔鬼城、木垒胡杨林、鸣沙山。她边工作，边给黄溪贝拍照片。黄溪贝也给她拍，空旷无人的野地里，她忽然开始脱衣服，她脱光了衣服让黄溪贝拍，她说："真奇怪，你害羞什么？我又不是个男人。我们很快就要老了……谢谢你帮我留下最美丽的样子。"

黄溪贝心有戚戚然，拍出来的照片有种一目了然的黯然神伤。

她们在魔鬼城里过夜，睡在租来的车里，那个季节已经没有任何游客了。半夜十二点，魔鬼城深处的一群矿工开着车出来，路过一片城堡时发现了她们的车。这件事情把黄溪贝吓死了，她说一群男人，过来围着车往里面看啊看……

她和白玛央宗说："万一那群男人撬开车，把咱们强奸了怎么办？你当时居然睡着了，还说梦话！"

有些太远的地方，她就自己一个人去。她独自去了额敏、塔城等地，醉酒后还端着相机拍更醉的哈萨克……她还在小白杨哨所的连队里蹭住了一夜，士兵请她吃了肉罐头。

拍摄有时真的很辛苦，很多是在雪地里。最冷的时候零下18度，她自己扛着三脚架，在山头跑来跑去，在日出和日落时刻，她几个小时几个小时地蹲点。早晚寒冷，常把她冻得鼻涕一把眼泪一把。但这让她更喜爱新疆，她喜欢那边的戈壁、荒漠、风车和棉花地。

她写了首诗叫《棉花地》：

赶路累了吧/今夜请在棉花地投宿/当雪花再次开满星空/你我脚下的远方也已经白茫茫的一片/昨夜我亲手摘下朵朵雪花/做成棉被铺在这寒冷泥地上/等待你的到来/我做好了棉袄伪装成杨树的样子/静静地站在戈壁上/一动不动/骆驼和马们路过都不曾看我一眼……

她对黄溪贝说：你帮我谱上曲，唱出来吧。

黄溪贝的歌唱得不错，两年以后参加了《花儿朵朵》演唱比赛，拿了个不错的名次，成了个小明星。

但黄溪贝喜欢的是爵士调调的小花儿，不爱白玛央宗的乡土大棉花。

她站在新疆的大风里，可怜巴巴地对白玛央宗说："你把相机还给我吧，呜呜呜，我要回家……"

淡蓝色的山居岁月

2010 年，白玛央宗驻足在了江西的三清山。

她的朋友苗苗在那里开了个青年旅舍。苗苗给她打电话说："你来吧，来当当店长玩儿，或者什么都不干，就是来吃了睡睡了吃。"

白玛央宗想：哎哟，那傻瓜才不去。

多年飘荡后的忽然安定，像是一辆农用小货车的急刹车，把她从颠簸的山路上猛然甩进了另一种生活中。她从一辆行驶了多年的吉卜赛大篷车上跳了下来，围上围裙就变成了个客栈小管家。

三清山是她去过的地方里负氧离子最多的地方，每口呼吸，都是对肺的一次按摩。满眼的绿，满坑的绿，满谷的绿，连饭桌上也是一片绿色。说来也奇怪，肉也不爱吃了，青菜就着米饭，盛了一碗又一碗。

那些菜是每天从小货车上拉来的。司机摇下车窗，悠长地吆喝一嗓子："菜啊哦……"村民自发自觉地聚拢过来，捏着零钱拎着篮子围起车斗。她也挤在其中，手摸着那些带着露水粘着泥巴的菜，摸着完全不同的一种新鲜。

偶尔，苗苗会和她一起结伴上山挖竹笋，遇见过一次竹叶青蛇。两个人叫得像生孩子一样狠，生生把竹叶青给吓跑了——原来蛇是有听觉的？

她积习难改，去了几次后，就在竹林中找出一条逃票上三清山的线路。

三清山号称：清绝尘嚣天下无双福地，高凌云汉江南第一仙峰。那里是葛洪仙人结庐炼丹的宝地。

白玛央宗有一次下山看见一潭清水，很想脱了衣服就往里面来一个完美的跳水动作。但想了想，水那么凉，万一抽筋淹死了怎么办，犹豫再三磨蹭了半天，终于还是放弃了。

她在电话里说："大冰，你这种老烟屁，最适合来这里养生了，这样你可以死得慢一点儿。"

我还没有去过三清山，她说得我无比向往。可惜我在那里没有管吃管住的朋友。

白天她们把部分时间花在那个青旅上，从软装到运营推广。饭后，她们就散步，光着脚在村里走路。有时候一直走到一间石头房子跟前，里面住着一对仙风道骨的老两口，给她们茶喝，请她们吃葵瓜子。晚上她们就喝黄酒，天天真的假的古越龙山。

苗苗说："每天以喝酒结束是件多么愉快的事情……"

白玛央宗说："来来来来，划两拳。"

山里的晚上是淡蓝色的，淡蓝色的山居岁月慢慢覆盖住她那一身藏红，像月下潺潺溪水中的一次沐浴，蓝色的水，蓝色的胴体。

她和我描述那段三清山的生活，让我想起一首炉烟袅袅的古诗：天上白玉京，九楼十二城，仙人抚我颈，结发授长生。

对不起，我杀死了一只蜜蜂

2011年整个七月，白玛央宗混在雅鲁藏布大峡谷。那次是针对大峡谷生物多样性调查的科考活动，主要通过影像的方式记录物种，进行扫地调查。

她刚到派镇的第一天，调查队分两组制订计划和线路：一组人文，一组生物。她混在人文组，主要行程是去大峡谷方向的最后一个村落"加拉村"进行调查。

她第一天的适应性工作是去索松村拍大蜜蜂。这种蜜蜂是世界上体积最大的一种蜜蜂，全名叫喜马拉雅黑大蜜蜂，也叫岩蜂，巢穴筑在岩壁上。山上有两三个很大的蜂巢，像几块黑饼挂在山上。其实摄影师感兴趣的不只是大蜜蜂，而是想拍摄一种罕见的扑食蜂蜜和大蜜蜂的鸟，叫黄腰响蜜䴕。

他们在山上突然遭到了大蜜蜂的攻击，刚开始只有三四只。但等他们反应过来的时候，头上已围满了大蜜蜂。白玛央宗戴了一顶帽子，穿着一件T恤开衫，她拉着帽子就往山下跑，一边跑一边腾出手来捂胸口。

她说："大蜜蜂最多的时候，我耳朵都快被震聋啦，轰炸机似的声音呜呜响。"然后，她身上掉下很多死去的大蜜蜂，衣服上挂着一根根黄黄的毒腺，那是它们的内脏吧。她浑身上下都弥漫着一股蜂蜜和内脏混合的恶心的味道。下山的时候，他们连滚带爬地跑得飞快，这是在逃命，也是在玩儿命。陡峭的山坡，一块绊脚的石头就可以把人飞弹出去，要了人命。

小时候，她曾经幻想过几种逃命的场景，其中一种就是被蜜蜂追——没想到梦想成真了。

她边跑边看见远远的雅鲁藏布江，心想怎么办，遇见这种情况到底怎么办？需要跳江吗？跳江会死吗？但容不得她多想这个问题，因为江边太远了，而且去江边的路上全是带刺的灌木丛。她心想：左右都是惨死，太欺负人了！

这些大蜜蜂拼足了劲儿跟人同归于尽。她的后背、脖子、肩膀、头顶都被扎得疼疯了。有一只蜜蜂绕道正面，选她身上最软的地方钉了上去……她"啊"的一声，眼泪鼻涕一下子全出来了。

他们不知道蜜蜂还会有多少，足足跑了一公里多才慢慢甩掉蜂群。一个专家感动地哭着说："幸亏再大个头也还是蜜蜂，还不够毒，如果是马蜂，咱们不死上两次都对不起自己。"

他们队伍里伤势最严重的有三个人，一位是队长，一位是昆虫学家，另一位是个上海晨报的女记者，他们每人平均被叮了一百口左右，光在他们的头上拔刺，每人就被拔了五十多根。最严重的三人，当天下午出现了发烧呕吐的症状，被拉去八一镇上输液，六瓶液体打进体内才算没事了。其余人情况最轻微的是拉肚子，白玛央宗算是队伍里受伤最少的，但也被叮了二十多口。叮到最后，她几乎从害怕变成了完全的愤怒了，一手抓一只，统统捏死。

后来，她拿着她伤后的照片给我看，从那个时候起，我对"猪头三"这个词儿有了新认知。

白玛央宗眼泪汪汪地说："怎么办？我杀生了，还不止一条命。"

我说："为了别继续造孽……这张照片千万别拿给你男朋友看。"

她很认真点头，很感激地说："多谢你提醒，真够哥们……"然后，又眼泪汪汪问："怎么办？我杀生了……"

2011 年的时候，我还认识了一个女人，一个精致婉约、楚楚动人的都市丽人。

我约她去农家乐吃土菜，饭后我们在院子里纳凉。她端起一杯开水慢慢往地上倒，地上是一串小小的蚂蚁洞，一小片烫死的黑黑的蚂蚁浮在水洼上。

她很可爱地冲我笑，说："讨厌死了呢，刚才都爬到我鞋边上了……"

我也很可爱地冲她笑，然后我们 AA 制埋了单。

预约你的墓志铭

这篇文章，我尝试着通过对她的记叙来探讨生死二字，虽然我们都还年轻，但总觉得已经到了应该去思索那些问题的年纪。我有种感觉，她注定会死在旅途中。若那一天不期而至，我不会伤感和惋叹，唯愿她幸福地画圆那个句号。

这些年，我在路上结识过不少像她这类品种独特的女人，她们习惯跟着自己的心走，我把她们唤作心青年。她们和温室里的花朵不一样，自有一套自己的生长法则，自己的新陈代谢频率。我很荣幸曾融入过她们的光合作用中，去共同参悟生死之事。

你读这篇文字的时候，她或许正飘荡在土耳其的街巷里，或许正端着一杯蹭来的土耳其咖啡，喝一口，满口的渣。或许她正站在博斯普鲁斯海峡的点点灯火中，偷偷点着一根烟……黑海的风正撩动着她额头的卷毛，蹭过她微微粗糙的面颊。

我很希望十五年后能有机会，再度动笔写她。

如果可以，我愿意完整地去记录她年轻时的每一段神奇的旅程。

那时她肯定已容颜老去，甚至可能已变成了一个世故沉稳的中年女人。我希望，届时我的文字能和她旷野中的裸照一起，成为唤起她心头热血的良药。

嘿，如果届时你早已死在路上了，我很乐意穿越千山万水，帮你去写墓志铭。

[到死之前，我们都是需要发育的孩子]

一群人或一个人，
只要还肯一点儿一点儿地往前走着，就不会停止发育。
勇猛精进和欲速而不达之间，总要找到个平衡。

鸟人鹏鹏是我的同龄人，且同年同庚，同样好酒好色，同样矫情。

我跟他说："你看我这么介绍你如何——种过地、发过电、修过坝、扛过枪、站过岗、握过笔、采过访、博过客、喝过茶、徒过步、背过包、登过雪山……的文人。

他嫌我介绍得一点儿也没内涵。

那我就这么介绍他：**非著名登山家、非职业乐评人、非资深自由撰稿者、非活明白不可的80后。**

鸟人鹏鹏是川人，家住川陕交界处，他在秦岭与大巴山余脉里长大。

他们家乡号称是武则天的故乡，那儿有威名赫赫的剑门关。但他说，十五岁之前都不知道剑门关长什么样子，小时候倒是听到了不少关于诸葛亮和三国的故事，据说《后出师表》就是在他家山脚下的江边写成的。那是个穷山恶水的地方，至今也没有吸引太多外界的目光，没什么特产，只盛产出苦力的农民工。他算是那片山沟里为数不多的穿着衬衫工作在大都市的人。

鸟人鹏鹏和我同年同庚，面相却比我老很多，但酷爱冒充80后。他有一回端着茶碗和我说："咱们的这拨80后似乎特别倒霉，出生的时候赶上计划生育了，毕业的时候不管分配了，毕业后茫然无知……"

我说："别一本正经和我讲一些大家都知道的东西，咱80后都这个岁数了，应该说点儿有深度有文化的话。"

他苦着脸看着窗外说："我脑壳儿有包，你脑壳儿也有包，整个80后脑壳儿都有包。"

我想起崔健的一句话：其实你们和我们生活在一个年代，别以为你比我小二三十岁，我们就不是一代人。

那天，窗外不是北京天安门广场，而是热闹非凡的成都宽巷子，但和北京一样，和全中国一样，街上匆匆忙忙的，满是脑壳儿有包的80后。

他们拿着苹果手机，穿着耐克或阿迪，上班就要迟到了，他们很着急。

两个迷迷瞪瞪的青年

不论出生在城市还是乡村，大家都一样，鸟人鹏鹏脑壳儿也有包。

他毕业后不想回家也不能回家，于是跟同学去台资木材厂打工，又去过电站实习发电，都没长久。赶上轰轰烈烈的修三峡，他又在工地上狠狠地摸爬滚打过一阵子。他不甘心，梦想着去北京北漂个出人头地的将来，他拿着发表过的大大小小的文章挤上了北上的绿皮车，汽笛声一响，淌下两行豪情壮志的热泪……两个月后，他走投无路地耷拉着脑袋回到了山里的家。

他父亲是最后一拨铁道兵，退伍后本分地务农，一辈子老实巴交，没有半点儿能力给他谋一个光明的未来。他说："孩子，要不你当兵去吧。"

于是鸟人鹏鹏从戎，在中国地图上拉出一道长线，从难于上青天的剑门关下一直延伸到山东烟台大海边。

他当兵的地方，是我的家乡。

我那时正窝在敦煌，背着画箱，嚼着沙尘写生创作，画地平线、夕阳、飞天和怒目金刚……一度为饭钱和颜料钱愁白了少年头，又一度看着那些没镶框的新鲜作品扬扬得意，莫名嚣张。

鸟人鹏鹏新兵连训练结束后，分到一个执勤连队，那又是一个山谷。他傻眼了，这荒瘠的地方是如此类似他努力想逃脱的故乡。他给家里写信：爸爸，这里挺好的，不用爬到崮顶就能看见茫茫沧海……

高高的丘陵一座团住一座，是海风根本吹不到的地方。除了满眼的灰绿色植被，他什么也看不到。

那是个守仓库和坑道的连队，他在连部做文书，偶尔站站岗，日子过得机械而麻木。周末没啥娱乐，最近的集市要一天才能往返，他没地方可去，一般都守住一个破电视。没有有线电视，只能收到一个山东卫视。那时他爱看一档节目，叫《阳光快车道》，还给栏目组写过信，提意见建议。

那节目是我主持的。

当时他没想到几年后会和我成为朋友。

那时，我已经为了一碗饱饭折断画笔，擦上了满脸粉底。不去想什么理想，只是机械地捏着麦克风，站在舞台中央扮演一个陌生的自己。几度想回头，但终究还是贪恋那份要命的虚荣。

我那时写诗："无聊就像隐隐的饥饿，反正我没完没了地混在沙漠里。"

他那时写文章："下山办事花在路上要一个多小时。通讯不便，唯一的一根军线也时好时坏，希望便寄托在每周一次上山的补给车上。车除了送来粮菜外，还有连队的报纸和信，也可顺便坐车下山去，重要的是司机经常会轮换，可以和相对陌生的面孔聊聊天。其实，在山上也不是没见过别的陌生面孔。

"去年一年，我见过两回。一次是两位爬山的老人，相互搀扶着过来了，看见拿着枪站岗的我们，愣了愣，未等我们上前制止，就慢慢转回去了。真遗憾，我还没来得及和他们打个招呼。

"还有一次，我远远地看见两位学生打扮的女孩上来了，边走边轻轻地说着话。山谷很静，几乎能听清她们聊天的内容。在确定她们不会对哨所产生危险的情况下，我放松了警惕的神经，默默欣赏着这一美丽的风景，心情竟有些徜徉。在荒芜的沙漠听不到鸟叫、却意外听到了动听的流水声音，这意味深长的一幕，让我忽然就摆平了生活的平衡感。

"女孩走过来了，我心里竟莫名产生一丝慌张，脸莫名其妙地发烧，腿也开始有点儿抖了。但很快，我把脸部调整出柔和一些的表情，轻声地阻止了她们向营区这边走来。她们没和我说话，马上就消失在我的视线之外。平衡感迅速消失了，我不知道为什么竟然有了一丝丝气愤……"

鸟人鹏鹏和我，两个迷迷瞪瞪的青年，各自转悠在各自的灰色山谷中，晦涩而别扭。我们那时都没什么朋友，在苍白的生活里各自茕茕孑立。

就像大部分迷茫的年轻人一样，薄雾里，揣测着前方的人生。

有一点儿寂寞，有一点儿惶恐。

宽巷子里的老故事

鸟人鹏鹏退伍后来到成都，历经艰辛混到了一个小报记者的职位，算是混进了媒体圈。

巴蜀多怪杰，平媒和电媒中要不就是平庸至极的文字搬运工，要不就是隐隐其中的牛人。近朱者赤，他那时候是块海绵，别人聊天他就竖起耳朵听，虚心求教后，他开始扎书店淘书读书。

先补课读哲学，起手读康德，然后是鲁多夫·奥伊肯……硬生生啃完了。后来越读越广，读奥威尔、读托克维尔、读约翰·洛克……直到读出一肚皮的恍然大悟和郁郁不平。他当过很长一段时间的愤青，在报纸上发不出真实的文字，就化名混天涯社区发帖子，也在博客上写些愤世嫉俗的时评文章，博客点击率一度惊人，粉丝量在那个年代算是可圈可点的。人一得意就开始膨胀，笔锋利得像三棱刮刀一样锐，什么都敢写，什么都敢指名道姓去剖析，导致博客开一个就被封一个，然后被请去喝茶。

喝完茶出来，工作丢了，但再求职的时候反而容易了一些，他继续撰文为生，哪儿能发就发哪儿，各种化名。川地崇文，几年之后，他莫名其妙地在某些场合成了一个颇受人尊重的人。有人开始喊他"张老师"，他少年老相，谈吐深沉，常让人误以为四十几岁。

他自认为自己已重塑了一种价值观，就不再刻意追求个体命运的改变了。川地散淡文人的基因在他这里萌芽，关于对故乡的逆反、对个体命运的不满也没有之前那么强烈了。

川人爱摆龙门阵，包括形而上的龙门阵。他经常坐在宽巷子的藤椅上和人聊概念："良心是一种本能，一种根据道德准则来判断自己的本能，什么样恶劣的社会环境诞生什么样的弹性道德，有什么样的弹性道德就有什么样的弹性良心……"

那时宽巷子里的同道不少，没人觉得他太幼稚，也没人觉得他太过迂腐。

那种氛围，让人羡慕。

宽巷子那时还没改建，古老的少城瓦檐阴萌着老石板街，几把竹藤椅一摆就成一个茶摊，几个茶客一聚就是一场小沙龙，惬意得很。当时那里游人罕至，只有两三家卖茶、卖烧烤的小门脸儿，不像现在这样仿古建筑扎堆，塑料感这么强。当年的宽巷子里有个叫龙堂的青年旅舍，价格低廉，是纯正背包客才会去住的地方，一度聚拢过一群户外牛人、徒步达人。偶尔自发召开的经验交流沙龙品质之高堪称国内翘楚，但听说现在的龙堂一般背包客已经住不起喽。

宽巷子也曾一度是部分成都传媒人和文化人的聚会地，几块钱一碗的盖碗茶一泡，一个下午就在露天龙门镇里打发了。茶客走马灯似的轮流端着茶碗开讲立说，聊什么的都有：时政民生、宪政针砭、古事考据……甚至情色女人，我听到过对荒木经惟最精彩的分析就是在宽巷子的藤椅圈中。还有一次是听两个人辩论伊朗电影，当时那是刚刚才开始流行的话题，守的人头头是道，攻的人如数家珍，俩人都争得有理有据的，记录下来就是一堂不错的公开课。我记得那两人都穿着大白汗衫拖着大拖鞋，半点儿文艺范儿都没。

比起北方的侃爷来，成都的龙门客没那么会吹牛逼，遣词造句也质朴。说是闲谈扯淡，但思想性实在是很强。空谈未必有益，但总归比喝大酒、打小麻将来得有点儿意义。

我初次去宽巷子时曾和鸟人鹏鹏感慨："这简直是个稷下学宫哦……"

那时，我刚刚开始混西藏，也刚刚和鸟人鹏鹏结识。

我们一开始是酒友，后为茶友，再后来是文友、卖唱的乐友、思想上的诤友，以及互相没有什么顾忌隐瞒的江湖老友。

我刚开始混宽巷子应该是在 2003 年前后，当时经历了一些人生变故，走到了一个成长的临界点上。我开始重新游走，油画箱换成登山背包，从内蒙古到云南，边走边寻找适宜完成心理建设的环境。内蒙古、滇西北、康巴藏区、卫藏，都是我那时的出口，于是成都自然而然地成了重要的中转站。

我在拉萨开了浮游吧以后，有好几年一度把西藏当成根据地，来来回回折腾，济南反倒成他乡。那时，济南到拉萨唯一的航线要在成都中转，结识了鸟人鹏鹏一干人等以后，我就不再多带盘缠去成都，固定地由他和朋友们管饭。每次都先在成都聚上几天，然后再自己想办法，或搭车，或徒步，沿着川藏南线或北线去往西藏。返程亦然。

我做着一份貌似体面的工作，实际上却是三更穷五更富，收入一直不稳定。那时忙着心理建设，懒得跑堂会挣商演的钱，一直穷兮兮的，故而能省则省地蹭来蹭去。好在待我亲厚的朋友着实不少，光成都就能数满十根手指，尤其是阿狼和鸟人鹏鹏。

阿狼是混在成都的广东人，资深户外玩家。他只会说粤语和四川话，一句标准普通话也不会。他那时在宽巷子开阿狼烧烤，不论我何时去都有热乎乎的烤海鲜和煮啤酒奉上。后来他的烧烤店赔了，在川师旁边开了家狼窝酒吧，不论我何时去都有鸡翅啃、哥顿金喝。后来狼窝酒吧赔了，他开了家阿狼广式茶餐厅，不论我何时去都有猪扒牛扒吃。后来茶餐厅赔了，他开了家阿狼川粤混搭私房菜馆，不论我何时去都有……

我不记得这些年叨扰了他多少顿接风酒送行饭，也不记得他到底干赔了多少家店，只记得他一直对我很好，永远记得我爱吃的口味，把管我饭当成是天经地义的事情。我想，他心里或许一直把我当成个需要节省盘缠的旅人朋友，他在用他的方式善待一个在路上的朋友。

这种善待常让我有无以为报的感觉。

阿狼去丽江的时候习惯住在束河阿彝娜的院子，我总没机会招待他住宿。他去我酒吧玩儿，我吩咐看店的义工一定要让他喝好，千万别收钱。义工半夜打过来电话说："狼哥说不收钱就不喝……结果他一晚上真的一口都不肯喝。"

我冲义工发火："你是猪头啊你！这么点儿事儿都干不好。"

义工也冲我吼："怨我吗?!他来了就忙前忙后地帮招呼客人，又是开酒又是收账又是陪人聊天……我根本没找到机会安排他坐下来喝会儿。"

我想起来我和阿狼说过，我在丽江不论开任何店，他都是挂名掌柜。他还当真尽本分去了……好吧，这事儿怨我。

阿狼中年得子，孩子今年刚两岁，他让我当孩子的干爹，我想我只能将来从孩子身上还回去了。最起码将来要教狼崽儿不说一口广东口音的四川话……

接风送行都是阿狼在管，其他就全归鸟人鹏鹏了。

鸟人鹏鹏稿费够的时候就请我吃饭，囊中羞涩的时候就带我蹭饭，但他基本上十次有九次是囊中羞涩的。于是就专捡和我们一样三更穷五更富的江湖兄弟们，带我去蹭饭。慢慢地，我竟养成了习惯，习惯成自然，一自然就自然了很多年。后来，他来丽江我也必带他蹭，不是蹭来的饭吃起来都不香。那几年，两人简直贱到一块儿去了。

2012年底我去成都，他还带我去山鹰户外蹭山鹰的牛肉火锅，去泡腾树街蹭幺妹儿的私房家常菜，而且受的都是上宾待遇。有天晚上，我们酒足饭饱坐在小通巷喝茶，我忽然琢磨起这茬，说："不对哦，咱俩现在都不缺钱吧，怎么还在蹭朋友们的饭？"

他摸摸头："你要听哪种分析？感性的还是理性的？"

我说："来点儿理性的尝尝。"

他说："你我都是严重缺乏自我认可度的人，都渴望被人认可，尤其是朋友的认可度。你我这么多年的蹭饭其实是一种对认可度的自我验证方式。能从朋友处蹭到饭而且能一直蹭到饭，寓意着自己一直处于被认可的状态。这种认可极大地满足了你我的心理需求，并形成了一种常态供需关系，导致了现在我们还在惯性索取认可度……"

我完全没了胃口，我说："你赶紧换盘儿感性的来清清口。"

他说："我们都属于那种喜欢贱贱的感觉的人……"

"啊呸！那是你，我是在你的不良影响下被带坏的好儿童。"

"那就来点儿实际行动吧……从明年开始，你每次来成都都换你请，挨个儿请。"他很认真地把这个消息发了微信朋友圈。

所以，2013 年到目前为止，我还没去过成都。

当年，宽巷子里阿郎烧烤时期，鸟人鹏鹏和阿狼喜欢带我喝一种叫煮啤酒的玩意儿。热热的，里面还放上姜丝，用小陶碗端着喝。大家一晚上可以喝掉几大壶，喝大了就在巷子里跑着唱歌，有一回甚至很神奇地从长顺街唱到了锦里。

阿狼很喜欢找我聊天，但喝大了以后，我完全听不懂他在用哪国语言说些什么话，后来次数多了，才知道他在和我讲他背包路上的那些经历。

关于背包旅行，阿狼开始玩儿的时候，背包客这个概念还没有在国内风行，他完全是一个人的寂寞旅程。于他而言，他的背包旅途根本没有结伴这一说，也没有青年旅舍，只有雪野上回头时的两行足迹。

阿狼貌似在很多年前从广东沿着海岸线走到过大连，又好像不止一次去过只有隐士才涉足的终南山最深处地域。他和我描述过内蒙古牧草最丰美的乌珠穆沁，还有他骑过的马。等我有机会去的时候，只看见斑斑斓斓的草皮，以及嘉陵摩托车。等他基本收山隐居成都的时候，我们这帮人才晃晃荡荡地刚刚开始出行。

阿狼很缅怀年轻时的背包生涯，他拜托我写首诗在他烧烤店的墙上，用以纪念青春。我憋了一天没写出个字来，此事就不了了之了。

2005年，我在藏地行走的时候，写了一首歌《背包客》，回到成都，我拍着手鼓把这歌唱给他听，他居然听哭了。我说："哎呀，你真是一只爱感伤的老狼啊。他说："哎哟，这首歌怎么那么像在唱我啊。"

我送他一个小手鼓，把《背包客》的歌词全部写在鼓面上：

正面看我是穷光蛋/背面看我是流浪汉/我享受孤独总人在旅途/我女朋友说我没前途/我不主动不拒绝不要脸/我艳遇多得可以写本书/我是最牛的背包客/我走过墨脱爬过K2/我想自由自我自娱自乐自唱自歌/纵然跌倒我不服输/我向来只爱陌生人/我从来不走寻常路/我想造一栋小木屋/面朝雪山背靠着湖/我想养几只流浪狗/门前再种上几棵树/我想自由自我自娱自乐自唱自歌……

那鼓现在还在，摆在他的阿狼川粤混搭私房菜馆里。而早前的宽巷子阿郎烧烤，早就变成历史了。

阿狼烧烤是在宽巷子改建中期关门的。

当宽巷子开始改建的时候，成都人忽然开始怀旧，纷纷来告别这条老街。当时，整条街被挖成了大沟，人只能站在沟边的黄泥上小心翼翼地往前走。龙门阵依然还存在，只是被挤压在了屋檐下窄窄的一溜，彼此说话要扯着脖子，使劲儿扭头。

鸟人鹏鹏那时在沟边请我吃杨姐饺子，给我讲成都少城的历史。

他说："总有一天大家都会后悔改建宽巷子的。"

那时候，有个朋友天天去给宽巷子拍照片，从破土动工的第一天一直到街道封闭施工，再到新宽巷子重新开街。她以纪录片导演的精神坚持拍摄，记录始终。那些照片，我后来有幸按照日历顺序一张张看过，从绿荫老墙的宽巷子到现代商业街式的宽巷子。她拿出一张北京后海酒吧街的照片让我和现在的宽巷子比对，我们坐在东门大桥的胖妈烂火锅店里哈哈笑了好一会儿。

她和我说："我将来会给我的孩子看这些照片，告诉孩子妈妈为什么会带你离开。"

我和她一起打车去双流机场。我继续我的东奔西跑，她开始她的去国离家——拖着装着相片的大箱子，带着四个月的身孕。分别前，我问她做出这样的决定是否太孩子气了，她说："当个孩子不好吗？到死之前，我们都是需要发育的孩子。"

我们拥抱了一下，自此相忘于江湖。

关于宽巷子，鸟人鹏鹏说总有一天大家都会后悔，也不知道现在有多少人开始后悔了。

需要去后悔的，岂止是一条宽巷子。真的有那么难吗？不过是停下脚步，等等灵魂，不过是勒住奔马，正正衣冠，不过是勇敢一点儿，像个诚实的孩子一样去长大。

不知道那个爱拍照片的孩子现在过得怎样，不知她和她的孩子现在身处何方，那里的人们是否崇尚反思。

认输，你就赢了

我开始徒步或者卖唱穷游藏地的时候，鸟人鹏鹏正开始爬雪山。我还没把进藏线路全蹚完时，他已经是四川户外圈子里小有名气的登山家了。

这让我很奇怪。当时一套基本的雪山攀登装备大概要一万多，加上技术装备，至少也得两三万。无法否认登山是有钱人的运动，这对当时银行户头从不过万的鸟人鹏鹏来说，肯定是个天文数字。

我不太理解雪山对他的诱惑。他忽然就开始疯狂迷恋登山的感觉，装备、技术、危险都没能阻挡他忽然加快的脚步。为了能继续参与这项运动，他甚至把报社的工作辞了。他去了一个俱乐部当高山领队，一边带菜鸟登山，一边挣装备钱。

当时，他的理想是登上海拔6000多米的雀儿山，有机会再去登一登新疆7000多米的慕士塔格，然后就满足了，就回成都继续卖文为生。

人有目标是个挺带劲的事儿，我记得当时还狠狠地鼓励过他。

但这个理想他没坚持多久，就迅速自我解构了。再跟他提征服慕士塔格，他就摇头。他有段时间只要一和我聊到"征服雪山"这几个字就会说："登山不是征服雪山，也不是征服自己，登山是亲近和融入雪山，山是不容亵渎的，必须要有颗虔诚的心。"

我说："你怎么变得神神叨叨的？融入？死在雪山上算不算融入？别和我矫情，你带队登顶四姑娘山二峰的那二十来次，你敢说一次都没有征服心态吗？"

他不怎么解释，但很坚持自己的观点。

我也爬雪山，如果自我挑战算是一种自我征服的话，那我至今为止都是征服的心态。我看不出这种征服的心态有什么不好，而且我坚信鸟人鹏鹏也未能免俗。

他说："你要是愿意听，我就给你讲一次失败的登山。"

他给我讲的是一座海拔5588米的雪山。

《松潘县志》云："晴空森玉笋，瘦动插天根，倘毓中原秀，应居五岳尊。"说的就是海拔5588米的雪宝顶。此地位于阿坝藏族自治州松潘县境，是岷山的最高峰。

雪宝顶是藏区苯波教七大神山之一，藏语为"夏尔冬日"，即东方的海螺山，在信众心中享有崇高地位。那里盛产水晶，各种色泽的都有，很多人说那里的水晶比其他地方的更纯净透亮，当地藏民说，那是来自智慧之神冬巴歇洛的恩赐。

鸟人鹏鹏那次登山的同行共十五人，他是领队。其他都是菜鸟户外爱好者，基本没什么高海拔登山经验。鸟人鹏鹏出发时自信满满，言谈中全是轻松，他向队友们一挥手："走起！弟兄伙，我们去占领那个高地喽！"他是第一次爬这雪宝顶，但之前已经登过4座以上比雪宝顶技术难度高得多的雪山，自认为有轻松的理由。

　　鸟人鹏鹏说："你不知道我那时心中有多傲慢，比博客上与人骂战时还要傲慢，比宽巷子里龙门阵和人辩论时还要傲慢。我那会儿是那么相信自己的能力，也相信自己的运气……"

　　雪宝顶主峰被众多高峰簇拥，是入门级到提高级的转型类山峰。东北坡有70度以上的悬崖绝壁，西南坡终年积雪，沟壑纵横，有险景丛生的滚石区和狼牙区。传统线路相对容易，但就算是这条线路上也已经有好几位登山爱好者长眠于此了，所以不管鸟人鹏鹏怎么轻松，其他大部分菜鸟队员每个人都悬着一颗心，这颗心几乎悬到了脸上，满头满脸的紧张。

　　前往C1营地的800米陡坡，鸟人鹏鹏预计不超过四个小时就可以走完。但实际上，背着大包的他们用了五六个小时。坡太陡、雪太厚，他们大多数时候都在悬崖边缘行走。貌似悬崖边危险无比，但只要不起大风，只要稍微小心，这段路就不会出什么问题。这段路最难的是体力分配，连着六个小时的运动，人会经历几个体能的极限。

　　近六个小时后，他们到了山脊的营地。所有人还来不及坐下休息，一股夹杂着雪粒的大风忽然刮来，一位队员的帽子瞬间被掀走了，立马被吹到几百米的雪壁之下了。这风来得好奇怪，好像一个无形的巨大的脸正对着他们，撅起嘴来，恶作剧地呼出一口带唾沫星子的气流。一停顿，又是一口，然后一口接一口，直到连成片连成墙，一面一面地压过来。

　　鸟人鹏鹏心里跳了一下，转身喊："赶紧搭帐篷！"转念又想喊："没事，都别紧张，大家早点儿搭起来，早点休息哈。"可这时风已经大了起来，后半句话被疾风结结实实地塞回到他自己口中。

　　说是营地，实则总共不到十平方米，是前面无数登山者在陡峭山脊上一点点开辟出来的小平台，最多也就能搭三顶帐篷，人进去勉强能睡平。

营地一共分成两块，上面一块是一个宽一米多、长三四米的平地，另一个在一个紧邻小坡下面，也大不到哪儿去。左边是他们上来时的悬崖，右边是雪檐，整个C1营地暴露在山头上，爹不亲娘不爱，甚至没有一块可以遮风的石头。

初次登山的人没几个可以在这样的帐篷里睡安稳，谁不担心一个外力横过来，连人带帐篷滚下山去。在这种地方瞬间摔死是件太容易的事情，并不可怕。可怕的是一旦有了意外，既没获救的可能，人又一时半会儿死不了，那走投无路的滋味才叫一个难受。

风很大，帐篷几次差点儿被吹飞。搭好帐篷进到里面后，大家都不约而同沉默了。一层薄薄的布外，是越来越肆虐的狂风和越来越大的雪片。风和飞雪撼动着帐篷，或者说是玩弄，就好像一只在轻轻拨弄线团的淘气的猫。虽然知道不会出现被吹跑的危险，但每个人都止不住去想象大风把帐篷连根拔起、抛下雪山的情景，连同鸟人鹏鹏在内。

他皱着眉头琢磨：真奇怪，我是开始害怕了吗？我是领队，我不能让人看出我害怕了……他调整了半天表情，却不能让眉头解锁，抬头一看，每张脸都抿着嘴锁着眉头……

通往顶峰的山脊情况不明朗，在这个海拔高度，大家的体能不知道还能维系多久。这么大的风，愈演愈烈，不论是冲顶还是下撤，接下来的死亡概率都在倍增，这种境地让人怎能舒展开眉头……

风吹到半夜，稍微停歇了一会儿，然后又是更猛烈的来袭。那个稍微停歇的空隙，鸟人鹏鹏透过帐篷缝隙望见雪宝顶的峰尖，一轮圆月停在雪峰上方，不是黄色而是惨白的……这轮月亮也勾起了大家的心事。第二天就是中秋了，按计划本来是可以下山赶个中秋节尾巴的，谁知道明天的中秋会以什么样的方式度过……

幸运的是，在这个位置居然还有手机信号，几个人心照不宣地不断发短信、打电话跟家人朋友报平安，有人打着打着电话，轻轻抽泣了起来。

后来，我和鸟人鹏鹏坐在泡腾树街的山鹰户外聊起那个夜晚。

他那晚也给家里打过电话，但没打通。那天晚上他想了很多，半睡半醒中，一下子好像回到剑门关旁的山沟里，一下子又好像回到了当兵时的那个灰色山谷。他说想起了当铁道兵的父亲那沉默劳作的一生……他说他想了很多朋友，欠他钱的，对他好的，和他吵过架的……也想起了我。

他说："我那时琢磨，唉，这小子很久没来成都找我蹭饭了。"

我说："你爬雪宝顶的时候，我正在若尔盖热尔大草原，如果那时你死了，飞去找到我不是太难的事。"

他笑着说："找你蹭饭去吗？你给我烧纸吃吗？"

他很诚实地告诉我，他其实想得最多的是那个高高的姑娘。

我知道那个姑娘，但没见过。听说那个姑娘有一米七六，给他做过广东边锅。他那时藏着掖着不让我们见，生怕谁抢走了她。

那个姑娘在他此行之前曾打来一个电话，说："我又回电台做旅游节目了，你还在登山吗？

我带着未婚夫回来的，就不见你了……怕见了会掐架。

想起以前，你帮我找节目素材，一起讨论选题，准备稿子，帮我邀请嘉宾，搞得好像是我节目的编外成员一样……一直还没谢谢你。等你登山回来吧，一起吃个饭。"

鸟人鹏鹏对我说："我一想到如果我死了，她会很伤心，心里一下子又难过又高兴。"

中秋，5100米的营地继续风雪交加，更添了大雾弥漫。能见度变得不到二十米，原定的冲顶计划被迫放弃，但谁都没提下撤。上山容易下山难，现在下山是百分之一百找死，所有人只能窝在帐篷里继续等天气。不少人的初期高反开始加剧。

鸟人鹏鹏躺在帐篷里，看着手表，度日如年地一秒一秒数着秒针。

下午，风稍停了，他喊上副领队，两人将装备穿戴完毕，走出帐篷。

鸟人鹏鹏说："我想往上再试试。"副领队没说什么，捣了捣他的肩窝。

他们小心翼翼在雪深至大腿的山脊上用岩钉固定路绳，慢慢往上爬。有时风雪刮来，手套根本不管用了，手冷得刺骨的疼，那意味着手会冻伤。

他们爬到一个叫"骆驼背"的地方，山脊两侧的坡度在60度以上，一旦滑下去将尸骨无存，这里曾经夺去了好几名登山者年轻的生命。

有一个小时的时间里，鸟人鹏鹏和副领队被困在一个鼓起的雪壁前，风雪竖着吹横着吹，死活要把他们从60度的平面处揭下来。

他用尽力气冲高处喊："好吧！我服了……"

他们两个人用了两个小时的时间撤回C1营地，瘫倒在帐篷前。

当晚又是狂风肆虐，风吹得帐篷呼呼作响，吹出了一次让人毛骨悚然的意外：一个帐篷松动了，差一点儿连人带帐篷被吹进山崖下面。

辗转熬到天亮，风雪再次稍停。峰顶再度显露出来，好像在诱惑着人们再度去攀登它。

有队员问："我们该怎么办？"

鸟人鹏鹏望着雪宝顶说："放弃吧。"

两天两夜的风雪围困后，此次攀登最终停留在了距离顶峰200米的位置。所幸的是，下撤的间隙回头望去，纯净的高原阳光赐给了他们最壮丽的雪山美景，美得完全不像人间。

鸟人鹏鹏说："当时越往下撤，心里反而越平静，没有理所应当的遗憾和惋惜，是真的有点儿平静。"

我说："来来来，你嘚吧嘚吧说了这么多，到底想说个什么大道理？"

"我从那次起才真正学会去接受并承认一点儿失败，也开始慢慢明白一点儿道理：实在没必要去征服什么。"

"怎么都是一点儿一点儿的？"

他咂着嘴说："要是一下子全都明白透了，那还活个什么劲儿啊。"

我想问他下山后有没有去找那高高个子的女生吃饭，但看看他一脸非活明白不可的样子，终究还是没问出口。

慢慢来，不着急

我一直觉得，我和鸟人鹏鹏，我们两个三十多岁的男人有着异曲同工的往昔，或者殊途同归的未来。我们都曾经脑壳儿有包，面对那些包的时候，我们或委屈或愤懑，或小彷徨。我们都在雾霾里前行，摸索地走着。步调基本一致，有着大体一样的方向。

当他学会了承认失败，学会了不去证明什么，不去征服什么的时候，我发现我的成长滞后于他。这让我有一点儿嫉妒，间或也看到一点儿希望。

阿狼曾说："年龄虽然慢慢大了，却总觉得一直未曾停下过脚步，也总觉得不应该停下脚步。"

那个去国离家的姑娘，告诉我："成长是一生一世的事情，到死之前我们都是需要发育的孩子。"

我一天比一天认可这些话。

一群人或一个人，前路总是一步一步、一点儿一点儿地延展。

头上的包一点一点儿地消肿，脚下的新鞋子一点儿一点儿地被穿软，身后的歧路一点儿一点儿地模糊消散，面前的天地一点儿一点儿地拨云见日。

一群人或一个人，只要还肯一点儿一点儿地往前走着，就不会停止发育，是吗？

勇猛精进和欲速而不达之间，总要找到个平衡。

所以，大时代或者小个体，沉住气，着什么急呢。

[芄野羌塘 尘梦凤凰]

那片芄野是我精神上的原乡。
不论我已经远行多少年，它始终源源不断给我内心强大的力量。

我曾经做过一场长达十年的梦，梦游一样，把年轻时代最美好的时光，留在了西藏。当我醒来时，发现镜子里的自己已经三十而立，但依旧保留着二十岁时的眼睛。

　　那场大梦里汲取到的千般滋味足够我咂摸一生。

　　它赋予我一层金钟罩，不论周遭的世事如何风急雨骤，始终护持着我让我慢一点儿生锈。和很多人一样，那片芜野是我精神上的原乡，不论我已经远行多少年，它始终源源不断地给予我内心强大的力量。

　　拉萨的火车开通之前，大昭寺前曾有一个赫赫有名的民间组织，叫做拉萨大昭寺晒阳阳生产队。

　　生产队里的奇人不少，老饭是个中翘楚。他专以研究密宗异闻、藏地野史闻名，我曾经想问他借一本珍本的《欲经》读读，他找来七八个理由拒绝，好像我要借的不是书而是他老婆。可他那时没有老婆，他英年早秃，头顶一大片真空地带，故而一年四季戴着帽子，导致有一次他偶尔摘下帽子，我脱口而出一声：舅舅。

　　阿达在拉萨开骑行者的那年，老饭天天耗在店里打杂。我去帮阿达画壁画，把他们俩的肖像画在了墙壁上。画之前，我用尺子量老饭的脸，他那张大脸的长度和宽度是完全一致的，完美的正方形。我画画的时候，老饭怕我闷，蹲在我旁边和我聊天。他说他梦想约上两个伙伴，带一条灵缇，三人一狗横穿冬季羌塘，走走陈渠珍当年的路线。他絮絮叨叨地和我讲他的给养计划，赌咒发誓十年内要完成计划。

　　他问："大冰，趁现在年轻，身体好，一起去横穿羌塘吧。"

　　我那时还没读过那本叫做《艽野尘梦》的奇书。

从藏地到湘西的百年孤独

　　多年后的一天，我掩卷长叹，对自己在那个下午的敷衍感到遗憾。

如果二十四岁的我不是那么孤陋寡闻，如果我当时读了那本奇书，了解陈渠珍这个名字所涵指的一切，我想，我会义无反顾地拽上老饭，立马上路，去重走百年前的老路，去体验那茫茫雪原上的九死一生。

　　那个叫陈渠珍的人是清末民初的一员武将，持戈驻藏大臣赵尔丰帐下。

　　陈渠珍出身武备学堂，本是才子，文采武功皆为人上人。这个出类拔萃的年轻人一入藏地，红顶子的仕途、跨民族的爱情便纷沓而至。雪压枪头马蹄轻，彼时的陈渠珍正是少年得意扬鞭策马的人生节点。

　　奈何少将军一头撞上的是大时代，他遭遇的是近代中国百年大折腾的当头炮。

　　辛亥革命时拉萨亦有同盟会起事，他本是新派人物，同情革命，但毕竟也是清廷遗臣，忠义难以两全，故而率部众百二十人冒死遁走。陈渠珍不迂腐固封，亦不随波逐流，在名节和良知的权衡间选择走出这一步，着实令后人生叹。

　　可前路却并非坦途，他们走的是九死一生的羌塘荒原，那里平均海拔近 5000 米，比拉萨的海拔高出来近 2000 米，是世界屋脊的屋脊。一个羌塘的大小，相当于两个浙江，秋冬时节，那里是最耐磨的游牧者们也不敢轻易涉足的茫茫荒野。

　　陈渠珍计划取道羌塘草原，翻越唐古拉山入青海，抵汉地。踏上这条路时，他不是没有评估过要面对的苦厄，要直面的劫难。但他依然坦然上马前行，并未犹豫。当时是 1911 年的晚秋。

　　羌塘路茫茫，无给养无得力的向导，一路上极尽苦寒，断粮长达七个月。部众接二连三饥寒暴毙，几乎每天都有人永远地仰倒在雪原上，赤面朝天，连一席裹尸的草席都没有。

　　道德的底线一再被撕裂，剩余的部众要么反水火拼，要么人相食，人性的丑恶比藏北大风雪还要凛冽，弱肉强食的丛林法则恣意横生。在人性的绝境中，甚至连陈渠珍都难以自保。随从亲信全都凋零了，唯剩其妻西原万里生死相随到西宁。

　　西原本是工布江达的藏族贵裔女，两人的相遇相知是一场奇遇。

陈渠珍曾在工布江达有过一段安宁的驻防时光，他本性情中人，爱结交豪客，林芝贡觉村的藏军营官加瓜彭错就是其中一个。一日，加瓜彭错邀他做客，宴饮中，陈渠珍第一次见到了加瓜彭错的侄女西原。

西原那时不过十五六岁年纪，变身男装，为客人表演马上拔竿的精湛马术。西原矫健敏捷的英姿为陈渠珍留下了深刻印象，因而向加瓜彭错极力称赞，后发现是一明媚小女子，更是惊讶异常，连连感叹。

席间，加瓜彭错笑说，既然如此错爱，那就将西原许嫁给你吧。西原娇羞不语，当时陈渠珍以为不过笑言而已，也就漫然答应。不料几日之后，加瓜彭错真的将盛装的西原送来。女装扮相的西原楚楚动人，漂亮得惊人，顾盼间的一回眸，一下子揪住了陈渠珍的心。

她是朵含苞的格桑花，一遇见他就绽开了，一生只为他陈渠珍一个人开。

谁能想到在这离家万里的藏地，一言之戏竟结如此姻缘。二十余岁的陈渠珍自此堕入一段惊心动魄的爱恋之中，终其一生也无法和西原这个名字再剥离干系。

婚后的西原亦随夫征战，她不畏流矢烽烟，屡屡临危救命，尤其是波密之役时，她于陈渠珍及其部属有居功至伟的救命之恩。她并不觉得自己是在付出或奉献，只把这些，当成自己应尽的本分。

彼时的西原，不过是不到二十岁的一个小嫁娘。

她对他的爱几乎浓烈成一种信仰，一种可以让她舍生忘死、放弃一切的信仰。她是他的爱人、母亲和护法绿度母，他要走羌塘，她万里相随。她本藏女，不会不知道前路意味着什么样的生死……就算安抵汉地，今生她也几乎无缘再重返藏地。她需要为他放弃父母、语言以及故乡。

她没有什么犹豫，甚至没有询问他什么，只是绷紧了弦，舍命相保。

真正的绝境中，男人女人的界限会迅速被打破，所有人的优势劣势一股脑地被挤压在一个水平线上。有些时候，对于高海拔的生存之道，汉地来的军士们反而不如她一个普通的藏女。

可危急关头，她依旧是挺身而上，不论尢野之上人性沦丧到何等龌龊的地步，都无法改变她的本色。饿极了的汉兵要杀藏兵果腹，相对健壮的人要啃食同袍，她不畏刀斧，挺身为弱者呼号。可苟延残喘的人们早已回归到最原始的丛林法则中，哪里还管她靠人性的本能来苦苦恪守的文明底线。她又冒死带人去猎来野驴野狼，只为保住羸弱者的性命。

野驴野狼不常有，没被饿死的弱者只好一个接一个地被他们的同类吃掉。西原所做的一切，渐成徒劳。

她为死者垂泪，为保不住他的亲随而垂泪，她抹干泪水后誓死保住她的丈夫，她几乎已经忘记了自己只是一个瘦小纤细的女人。当人人自危，人人求自保，一切都无法掌握控制的时候，她用她唯一可以掌握的，自己的生命来护持她的男人。

她充起他的卫兵，护犊一样地护着他。她自己少吃或者不吃，省下口粮给他吃，还假装自己吃过。她逼他吃最后一块干肉的时候说："……可以没有我，不可以没有你。"

她用人性中最朴素纯洁的一切深爱着他，就像始祖的先民一样，以一个女人所有的一切爱着她唯一的男人……没有人比她更配得起"爱人"这个词汇。

情之所至，缘订三生，相依为命到绝境时，他俩订下三世盟约：六道轮回中，愿永为夫妻。

一个汉族落魄军官，一个藏族贵胄女儿，依偎在茫茫雪原上，呢喃着的声音被风吹散又聚拢。旁边是死去的人和没有任何生机的世界。那一刻，他们却是不再恐惧害怕的两个年轻人，生死之事忽然变得无足轻重。

反正天上地下，能与君相随，死又何妨。

情之所至，或许感动了雪域护法，尢野中的神祇网开一面，没有收走他们的命。

西原悬起一口真气，终于护送陈渠珍安抵汉地。

彼时已是 1912 年的初夏。

奈何苍天不仁佳人不寿，用尽最后一丝心力的西原灯油耗干，逝去在西安城。

临终前，西原遗言道："西原万里从君，一直形影相随，不想竟然病入膏肓，不得不与君中道而别……愿君南归途中，一路珍重，西原已不能随行了。"

……她用她的命来爱他，仿佛她这一生一世的任务只是伴他一程……任务已然完成，她已然到了离去的时间。彼时西风鸣络帷，秋乌夜啼，穷困潦倒的陈渠珍孑立灵前，凑不出一副最粗陋的棺椁钱。

他潦倒到甚至无法扶灵南下，无法带她的骨殖去淋一淋南方温润的雨丝。

美好的一切都随风逝去了，陈渠珍茕茕孑立在没有希望的西风里。人生的大悲凉，莫过于斯。

故事还没结束。

多年后，陈渠珍重新崛起于湘西老家，广聚披甲人，割据一方。届时，他已是威名赫赫的一代"湘西王"，几乎与自治山西的阎锡山比肩。陈渠珍风骨依旧，他不畏权势，硬桥硬马地守着自我构架起来的处世原则，在一锅汤水的民国官场里硬得像块石头。他耿直高傲，屡次开罪于蒋介石，明知会被打击报复，依旧屡次与蒋介石斗气。这个经历过羌塘大悲死地的男人，一生仕途历经孙中山、蒋介石、毛泽东三个时代，终其一生也不属于去磨砺棱角，去圆滑处世。

东山再起后的陈渠珍把西原接来湘西，迁葬在自己的故乡小城凤凰。他叱咤半生后，于1952年得善终。六年后，1958年，西原在凤凰的坟冢被推平，遗骸不知所终。

陈本儒将，前尘往事付诸笔端，故而有了那本日记体奇书《艽野尘梦》，这本书他自少年得意时起笔，从二十六岁驻军四川，调防西藏讲起，山川人物，藏地风土，工布奇恋，辛亥风云，羌塘生死……于西原逝去时戛然而止。

陈渠珍雄踞湘西时颇重文教，兴学建校广泽乡里，自己也勤于修学，行军帐中也是累牍的书画古籍，不仅自己读，也让贴身的人读。

他的一个贴身中士小书记受其熏陶，笔耕终生，乃至成为文豪。

那个小书记名为：沈从文。

芸芸世人只津津乐道于沈从文，不知其师长陈渠珍。

芸芸世人只知追捧《边城》，不知有《艽野尘梦》这本奇书。

芸芸世人只知道小说里的边城翠翠，不知有一个藏族女子，有血有肉，名唤西原。

只有尘梦没有艽野的南方

湘西凤凰古城开收门票之前，我不止一次去过，坐在岸边发过呆，朝沱江上的卡拉OK画舫扔过石头。我游走在这座边城，想象百年前那双踏过羌塘的脚是如何踱在青石板路上，想象着那双脚的主人是如何伫立在湘西烟雨中追忆藏北大风大雪，以及一个叫西原的女人。

我拎着酒瓶子在凤凰晃荡，这里是陈渠珍的故乡，是背井离乡的西原死无葬身之地的地方。

如今这里是灯红酒绿的地方，是只有尘梦没有艽野的南方。

凤凰古城的街头有一群流浪歌手在唱歌，一大帮游客嘻嘻哈哈地跟着合唱。他们在唱我去辑里的歌，这首歌叫《丽江之歌》，也叫《如果我老了》凤凰的歌手们把歌词中的"丽江"换成"凤凰"，齐声高歌着：

如果我老了/不能做爱了/你还会爱我吗

如果我老了/不能过马路/你还会牵着我吗

牵我的手/浪迹天涯/从此就把爱做够

轻轻吻你/吻你的眼睛/一生一世不要分离吧

如果我老了/不会谈恋爱/你还会爱我吗

如果我老了/不能再歌唱/你还会陪着我吗

陪我到凤凰来晒晒太阳/听我诉说伤心往事

数你的皱纹/数我的白发/一生一世不要分离吧

数你的皱纹/数我的白发/一生一世这样过去了……

那天以后，不论旁人怎么央求，我总不肯轻易再唱这首歌。

那天我抱着肩膀站在人群外，耳中没有吉他伴奏，满是羌塘的风声，眼里没有嬉笑的人们，只有两个静止的灵魂，从藏地到湘西的百年孤独。

上一个一生一世就这样过去了。

这一个一生一世，你和西原又重逢在何方？又结发在何方？是否又踏上了另一个羌塘。

我在凤凰和人提陈渠珍，试图去找他的故居……没人知道。

他们只知道沈从文，或者说，他们以他们唯一知道的方式在消费着沈从文这个名字，这反而让我庆幸他们对陈渠珍这个名字的无知。

2012 年，获悉凤凰政府出面重修了陈渠珍的墓，还在墓旁塑了西原的铜像，簇新簇新的，景点一样地立在凤凰南华山上。

闻讯，心底一丝悲凉……终究还是逃不掉，终究还是要被消费。

我不打算再去凤凰，就算不收门票了也不打算再去。

若要祭拜西原和陈渠珍，只应带一本《艽野尘梦》，豁出一条命来，亲身横穿羌塘。

小时代的爱情

说实话我真的很后悔，后悔当年老饭邀我共赴羌塘时，无知地敷衍了他。

老饭稗官野史读得多，他一定读过《艽野尘梦》这本奇书，他对羌塘，应该揣有和我几乎一样的情怀。我忘记后来他是否去成了羌塘，只记得我当年敷衍他时，他眼中那来不及掩饰的遗憾。

因为当年的那个细节，我迄今一直认他为同类。

我的同类老饭有知识有文化，但平时却是一副不折不扣的俗人样。

老饭酷爱在晒太阳，尤其酷爱在晒天阳时看漂亮美眉。他会藏语，康巴话说得几乎可以乱真，在大昭寺晒太阳的时候，就他有本事和藏族美眉们聊天。那些从丹巴来的姑娘们漂亮得吓人，硕大的珊瑚顶在脑门上，一身锦缎簇拥着细腻的小麦色脸庞，好像一块块儿香甜的酸奶蛋糕。我们咕嘟咕嘟咽着口水，看老饭谈笑风生地和人家搭讪，看他逗那些美眉们前仰后合。末了，老饭讪讪地折道回来，小声地说："兄弟们，借点儿银子用用啊……"

成子问："你要干吗？"

他说，去德克士买汉堡请姑娘们吃啊……

那个时候，大昭寺广场旁边的德克士刚开业，是方圆一里地远近闻名的高档餐厅，藏族小伙子请姑娘吃个德克士是特有面儿的事，老饭也想有面儿一回。

我们是一群很仗义的兄弟，大家立马掏口袋凑银子，并由成子负责跑腿去买汉堡。老饭一口一个谢谢，脸都快笑烂了。不一会儿汉堡到了，成子一人一个分给大家，我们心照不宣地闷头大嚼。

老饭是个心理素质极好的同志，他二话不说扭头重返丹巴美眉旁边，指天画地吐沫乱飞地说了半天。神奇的一幕发生了，丹巴美眉们也去买了一摞汉堡，还分了一个给老饭。

老饭一边啃着汉堡一边冲我们坏笑。

成子捅捅我，说："这老家伙刚才和人家说的什么？"

除了爱搭讪，老饭还爱和晒太阳的喇嘛们聊天，经常摘了帽子低下头让人家摸顶。他在我们中是对藏文化、密宗文化了解最深入的。他能用藏语念经文册，好像对大藏经丹珠尔甘珠儿都熟悉；对噶玛噶

273

举四大派八小支的传承张嘴就来，他能背出几乎所有噶玛巴仁波切的名字，能详细到每个活佛转世的年庚；关于苯教《十万龙经》的一些知识，也是他给我讲的。

有一次，成子半夜给我打电话，问我看见老饭了没。

那时酒吧刚打烊，我正溜达着走到大昭寺，打算走路回仙足岛。我说我干吗要看见老饭，成子说，老饭不知道哪根儿神经搭错了，白天晒太阳没晒过瘾，今天晚上非要晒月亮，他刚刚抱着睡袋跑到大昭寺门前睡觉去了。

我乐坏了，一路小跑去参观老饭的行为艺术。一般晚上在大昭寺门前睡觉的都是从最遥远的牧区来的朝圣者们。人家是实在付不起住店的钱，所以才在法轮双鹿下蜷曲而眠，而且一般是一大家子睡成一堆。老饭哦老饭，你去凑什么热闹呢？

午夜的大昭寺空旷得好像个足球场，我能听见自己走路的声音。

拉萨的那个午夜不黑，所有天上云彩都能被看见。月光下，老饭的睡袋很好认，周围是几个裹着藏袍的灰褐色，只有他一只明黄明黄的大虫子，还是带荧光的，煞是惹眼。

我在离他十几米的地方停下，盘腿坐下。离我最近的是两个相互偎依的孩子，一个搂着一个，鼻涕干在腮帮子上，下巴搁在脑门上。小小的鼾声，两个身体微微地起伏。

不远处，老饭仰天躺着。睡袋盖到胸口，他枕着自己的手，亮亮的鼻尖，亮亮的脑袋。

我有一种错觉，觉得眼前的世界是如此澄明清朗，甚至看得清楚他一下一下地在眨着眼睛。

我没去打扰他。

……

第二天，老饭哭丧着脸坐在浮游吧的台阶上。

我一边喝酸奶一边很奇怪地问他怎么了。他很哀怨地说：你给我买份炒面吃吧。"

我说："不买！"

他捧着脸说："我好苦啊，我是个苦命的人呢。"

老饭在大昭寺门前美美睡到天光大亮，转经的人把他踩醒了，他醒来后发现不太对……睡袋没了。不仅睡袋没了，手表也没了，还有裤兜里的钱包和脖子上的挂件，都没了。

总之，他被偷得一干二净。

我们围着老饭站成一圈，不住啧啧称奇。你说这个贼是有多厉害，钱包挂件也就罢了，他能把睡袋从一个睡觉的人身上活剥下来，这得要多厉害的功夫，多好的心理素质啊。

老饭愁眉苦脸了一会儿，然后迅速恢复正常了。因为他想起来那个睡袋是之前从阿达那儿借来的，不是他自己的。

老饭后来又去大昭寺睡过觉，依旧被偷。

白天晒太阳的时候老饭很少掏钱买甜茶，他穷。偶尔靠当穿越导游挣来点儿钱，几天不到，他就都捐给八角街的古物摊儿了。那时候，大昭寺周边的小摊子上着实有不少好东西，他收天铁印章、老嘎乌盒，还收集了很多小的泥造像，藏语音译是"擦擦"——多半是用于祭祀。老饭曾要送给成子一件做生日礼物，那时老饭收的擦擦很多是高僧大德的骨灰擦擦，他说有加持力，大家不敢不信，但因为太信了，反而不敢冒险去招惹天龙鬼神诸护法，都怕遭雷劈。

成子没敢要，我倒是敢要，老饭却又不给了。他说，你又不是太穷，自己买去。他带我满拉萨转着淘擦擦，他自己买不起的就鼓捣我买，我背了一背包的硬泥巴回内地，差点儿在机场被当成文物贩子逮起来。

那些擦擦被拿回内地后，根本没人稀罕，完全不像老饭说得那么奇货可居。我左一个右一个地拿去送人，到最后只剩一尊品相残缺的密迹金刚。

2011年的某天，我坐在一条漫长的航班上吃点心，邻座一个会汉语的大阪中年屌丝在翻一本文物鉴赏图册，满篇都是擦擦。我接过来读了一会儿，然后掏出纸笔算了一下账。唉，水冰哦大冰，生就是漏财命，那些擦擦如果留到现在，应该价值一辆路虎。我很羡慕地琢磨，老饭现在应该买得起丰田 4500 了吧，靠着那堆泥巴，他应该算是个财主了吧。

老饭在 2007 年时遇见了一个来旅行的南方女子，长得酷似蒋雯丽。小蒋雯丽电闪雷鸣地爱上了他，笃定地认为老饭就是踏着七彩祥云腾挪而来的真命天子，于是二人速度闪婚。老饭把脸洗得干干净净的，献宝一样地带着小媳妇在北京东路上转来转去，还勾着小手指。最让人受不了的是他那个小媳妇看他的眼神，全是崇拜和敬仰，满满的爱意。她那眼神就像是皈依弟子在供养自己的金刚上师一样，完全不像在看一个秃顶的中年大屌丝。我们这帮人都没体验过被一个女人全身心仰慕的感觉，故而羡慕嫉妒得要死，眼馋得恨不得把老饭塞进酸奶筒里拿棒子杵死。

女孩子为了他抛家舍业，放弃了原有的一切，义无反顾地扎根西藏。她不是什么一见钟情，倒好似是沧海桑田后的久别重逢，仿佛他们相识已经不止一世。她理解老饭所有的那些稀奇古怪的嗜好，并且百分之一百地接纳。旁人眼中老饭的那些毛病和缺点，在她眼中全都是可以坦然接纳的，她仿佛已经习惯了许多许多年。我从没见过一对新婚的小夫妻可以和睦到那样的地步，简直比那些举案齐眉一甲子的老夫妻还要默契祥和。她简直就是命中注定要来给他当妻子的。

那个酷似蒋雯丽的女孩子来自湘西……

他们俩后来的故事，我无缘得知，也不是太想知道。愿促狭的上天能开恩，赐予他们一段长长的、风平浪静的岁月，直到生命的尽头。

2008 年后，我再也没了老饭的消息，他是铁定会在藏地耗尽余生的人，当下应该还流连在拉萨吧，或者已经带着他的爱人成功横穿了羌塘，就像百年前的西原和陈渠珍那样，相濡以沫在藏北雪原。

我一直想问他再借一次《欲经》，听他和我讲大卫·尼尔或者更顿群培……听他跟我讲讲《艽野尘梦》，但造化弄人，不知是否还有缘再聚。

不知道老饭后来是否还去大昭寺广场睡过觉，不知道他那个小媳妇是否也裹上睡袋，依偎在他的秃顶旁。就像一个世纪前的羌塘雪原上，生死与共万里相随的西原一样。

人性芜野上的过客

在我粗陋的认知中，风起云涌的大时代，蝇营狗苟的小时代，皆为芜野。世俗的欢愉、昙花一样的世事更迭衬出芜野的荒辽，让人徒然兴叹，也让人莫名其妙地生起些希望。

我们都是跋涉在人性芜野上的过客。

芜野不只是羌塘，凤凰也不是凤凰。人性也不是在世俗生活中个体显性呈现得那么简单明了，可以一言概之的。

但总有些东西是累世劫不变的，亘古长生的。

这种东西有时候会化名为爱情、忠诚、真情，有时候被人唤作真理或信仰，有时候也被解构成其他的名词。它被不同国度、不同时代、不同民族、不同文明、不同文化背景的有情众生顶礼膜拜或遗弃又捡起。

天上或者泥土中，被追捧或被践踏，人性中洁白的光泽总是披覆在它的身上，它无垢无净、不增不减，弥散着抚慰心灵的力量。

我们都是跋涉在人性芜野上的过客，苦集灭道，慈悲喜舍。

有人睁开眼，有人固执地闭着眼。

紧闭着眼的人说："怕什么芜野荒凉，怕什么尘梦如烟，你我人人都会是凤凰。管他本善本恶，这一世不是，总有一世会是凤凰。"

眯着眼的人说："西原，西原，你会涅槃在时代更迭的夹缝中，反反复复不停涅槃。时时常示人，世人常不识。"

睁开双眼的人说……

睁开眼的人什么也没说，只是面朝芜野尘梦处浮起一个微笑。

[后记／陪我到可可西里去看海]

谁说月亮上不曾有青草
谁说可可西里没有海
谁说太平洋底燃不起篝火
谁说世界尽头没人听我唱歌
……

开笔此书前，我曾列过一个写作计划。按人名顺序一个接一个去罗列——都是些浪荡江湖，和我的人生轨迹曾交叉重叠的老友们。

当时我坐在一辆哐当哐当的绿皮火车里，天色微亮，周遭是不同省份的呼噜声。我找了个本子，塞着耳机一边听歌一边写……活着的、死了的、不知不觉写满了七八页纸。我吓了一跳，怎么这么多的素材？不过十年，故事却多得堆积如山，这哪里是一本书能够写得完的。

头有点儿大，不知该如何取舍，于是索性信手圈了几个老友的人名。反正写谁都是写，就像一大串美味的葡萄，随手摘下的，都是一粒粒饱满的甜。

随手圈下的名单，是为此书篇章构成之由来。

圈完后一抬头，车窗外没有起伏，亦没有乔木，已是一马平川的华北平原。

书的创作过程中，我慢慢梳理出了一些东西，隐约发现自己将推展开的世界，于已经习惯了单一幸福感获取途径的人们而言，那是另一番天地。

那是一些值得我们去认可、寻觅的幸福感。他们或许是陌生的，但发着光。在我的认知中，一个成熟健全的当代文明社会，理应尊重多元的个体价值观，理应尊重个体幸福感获得方式。这种尊重，应该建立在了解的基础之上，鉴于国人文化传统里对陌生事物的天然抵触因子，"如何去了解"这几个字愈发重要。

那么，亲爱的们，我该如何去让你了解那些多元而又陌生的幸福感呢？

写书时，恰逢山东大学抬爱，让我有缘受聘于山东大学儒学高等研究院，于是趁机做了一场名为《亚文化下成长方式的田野调查》的报告讲座。

那天会场塞满了人，场面出乎意料的火爆，来的大都是 85 后和 90

后。我讲的就是这份名单：大军、路平、月月、白玛央宗……我和他们的共同生活就是一场田野调查。我没用太学术的语言词汇去贯穿讲座，但讲了许多细节的故事。

那天的叙述方式，是为本书行文的基调。

卡尔维诺说："要把地面上的人看清楚，就要和地面保持距离。"

这句话给我带来一个意象：一个穿西服打领带的人，手足并用爬在树上，和大部分同类保持着恰当的距离。他晃荡着腿，骑在自我设定的叛逆里，心无挂碍，乐在其中。偶尔低头看看周遭过客，偶尔抬头，漫天星斗。

我期待出到第十本书的时候，也能爬上这样一棵树。

当下是我第一本书，芹献诸君后，若价值观和您不重叠、行文有不得人心处，请姑念初犯……

我下次不会改的。

等我爬上树了再说。

这本书写的皆为真人真事，我不敢说这本书写得有多好多好，也懒得妄自菲薄，只知过程中三易其稿，惹得策划戴克莎小姐几度愤极而泣。如此这般折腾，仅为本色二字：讲故事人的本色，故事中人们的本色。

或许，打磨出本色的过程，也是爬树的过程吧。

文至笔端心意浅，话到唇畔易虚言，且洒莲实二三子，自有方家识真颜。

这本书完稿后，我背起吉他，从北到南，用一个月的时间挨个探望了书中的老友们，除了那个不用手机的女孩，其他的人几乎见了一个遍。

路平在台上唱歌，笑着对忽然出现的我唱："我所有年轻有为的兄弟们哦……"

月月开了一瓶冰酒款待我，聊天到天亮。

鹏鹏在成都请我吃宵夜，末了还是我结的账。

阿狼一边忙着烤海鲜，一边问："大冰，写新歌了没？"

王博和甜菜抱着刚出生的孩子，指着我说："宝宝，叫大爷，这是你大爷。"我说："你大爷！"

彬子在宋庄开了新酒吧，说有我的股份。

菜刀动身前往康巴藏区阿木拉，他又为学校募集到一辆皮卡。

成子坐在茶店里闭着眼睛听佛经，我走进去悄悄坐下，偷偷把他面前的一壶好茶喝干。

大军依旧在街头卖唱，旁边坐着他的妻子和孩子，他说："哎呀，你把书拿来，我们卖唱的时候顺便一起帮你卖。"

……

他们依旧各自修行在自己的世界里，安静从容地幸福着。

他们正选择着一种大部分人漠视或无视的生长方式，并实践着这种生长方式的合理性。

他们都是真实存在的人，只不过当下并不在你的生活圈中。书中他们的故事都是真实的，或许他们的故事也可以是你的故事。

若你还算年轻，若身旁这个世界不是你想要的，你敢不敢沸腾一下血液，可不可以绑紧鞋带重新上路，敢不敢像他们一样，去寻觅那些能让自己内心强大的力量？

这个问题留给你自己吧。

最后，谢谢你买我的书，并有耐心读它。

我的新浪微博是@大冰，告诉我你是在哪里读的这本书吧：失眠的午夜还是慵懒的午后、火车上还是地铁上、斜倚的床头、洒满阳光的书桌前、异乡的街头、还是机场熙攘的延误大厅里？

我希望这本书于你而言是一次寻找自我的孤独旅程，亦是一场发现同类的奇妙过程。

真正的孤独是高贵的：若无闲事挂心头，便是人间好时节。

愿乐于直面内心的你，最终拥有的是高贵的孤独：雨过天青云开处，者般颜色作将来。

一辈子那么长，难免对这个世界偶尔会失望或沮丧，浪荡天涯的孩子，我送半首歌给你作酵母，忽晴忽雨的江湖，祝你有梦为马，永远随处可栖。

    谁说月亮上不曾有青草
    谁说可可西里没有海
    谁说太平洋底燃不起篝火
    谁说世界尽头没人听我唱歌
    谁说戈壁滩不曾有灯塔
    谁说可可西里没有海
    谁说拉姆拉措吻不到沙漠
    谁说我的目光流淌不成河
    陪我到可可西里去看一看海
    不要未来只要你来
    陪我到可可西里去看一看海
    一直都在你在不在
    陪我到可可西里去看一看海
    我去划船你来发呆
    陪我到可可西里去看一看海
    姑娘你来不来

大冰
2013 年 7 月于丽江古城